▲ 1958 年 16 岁发表第一篇文章前后在钱粮胡同 35 号院里

▲ 1959 年最瘦时

▲ 1963 年的刘心武

▲ 1964 年在颐和园

刘心武文存39

[1958—2010]

早期作品卷

懵懂集

刘心武◎著

江苏人民出版社

图书在版编目(CIP)数据

懵懂集／刘心武著. —南京：江苏人民出版社，
2012.11
（刘心武文存；39.早期作品卷）
ISBN 978-7-214-08512-2

Ⅰ.①懵 … Ⅱ.①刘… Ⅲ.①儿童文学−作品综合集
−中国−当代 Ⅳ.①I287

中国版本图书馆CIP数据核字(2012)第152959号

书　　　名	懵懂集	
著　　　者	刘心武	
责 任 编 辑	刘　焱	
统 筹 编 辑	李　丹	
特 约 编 辑	朱　鸿	
文 字 校 对	陈晓丹　郭慧红	
装 帧 设 计	门乃婷工作室	
出 版 发 行	凤凰出版传媒股份有限公司	
	江苏人民出版社	
出版社地址	南京湖南路1号A楼　邮编：210009	
出版社网址	http://www.book-wind.com	
经　　　销	凤凰出版传媒股份有限公司	
印　　　刷	三河市金元印装有限公司	
开　　　本	700毫米×1000毫米　1/16	
印　　　张	23.25	
字　　　数	384千字	
彩　　　插	4	
版　　　次	2012年11月第1版　2012年11月第1次印刷	
标 准 书 号	ISBN 978-7-214-08512-2	
定　　　价	56.00元	

（江苏人民出版社图书凡印装错误可向本社调换）

《刘心武文存》出版说明

　　《刘心武文存》收录刘心武自 1958 年 16 岁至 2010 年 68 岁公开发表的文字约 900 万字。《文存》共 40 卷，按文章门类收录，计有长篇小说 5 卷、中篇小说 4 卷、短篇小说 5 卷、小小说 1 卷、儿童文学 1 卷、建筑评论 2 卷、《红楼梦》研究 4 卷、散文随笔 11 卷、杂文 1 卷、海外游记 1 卷、多品种（图文交融文本、报告文学、诗歌、剧本、足球评论、译述）1 卷、创作谈 1 卷、理论批评 1 卷、早期（1958 年至 1976 年）作品 1 卷、自述 1 卷。因跨越时间达半个世纪以上，收录定有遗漏，但其此期间的主要作品，相信均已收入。

　　《刘心武文存》各卷均附有《刘心武文学活动大事记》及《刘心武著作书目》，可备检索。

　　编辑出版《刘心武文存》的目的，意在供各方面人士阅读欣赏、分析研究、批评批判、收藏保存。

刘心武文存

39

———

目录

谈《第四十一》·001

小喇叭·003

椅子坏啦·004

送给妈妈的礼物·005

修楼房·007

决　心·008

一封寄给姐姐的信·010

多么好的阳光·012

妹　妹·014

阿　姨·016

小敏的信·018

芳芳打电报·020

丁香花开·022

"螺旋桨有什么用处？"·024

二敏和大敏·026

园园的新衣裳·028

给胖妞妞看病·030

"玩具大夫"·032

给韩梅梅的信·034

出于污泥而不染·037

唤起看影片的欲望·039

寓言二则·040

气度轩昂与柔情一露·042

小小图画展览会·044

从独木成林说起·046

回声及其他·048

窗　影·049

冬　夜·051

水仙成灾之类·053

赏梅迎春·055

直率的批评·057

和邮票交朋友·059

邮包的故事·061

"预言家"和钱袋·064

桂花飘香·065

不如鸡狗·067

播　种·068

银锭观山·070

笑从片头起·072

孩子在读哪些书·073

给大院写历史·075

幻灯晚会·077

听完奶奶讲的故事·079

鲜花与牛粪·081

抬头与低头·083

上　弦·085

京剧不宜表现最当前的现实生活·087

无形的角色·089

收听兴趣·090

反对死背书·092

眼睛属于谁·094

不磨不尖·095

为谁"争气"·096

根除思想中的"二亩地"·098

出　题·099

巧埋伏·101

真的无篓可背吗？·102

布机声声抒悲愤·103

备课必须从学生实际出发·104

身临其境同歌舞·106

及时·准确·108

结尾应有这杆枪·109

该不该抓学习？·110

评影片《女跳水队员》·111

教师必须向学生学习·114

老树新花烂漫开·116

一锹一镐为革命·119

西南的三出小戏·120

是爱不是害·123

爸爸买了四张票·124

不熄的火炬·128

盖红印章的考卷·135

睁大你的眼睛·148

清水湖的孩子·218

第一次思索·279

果实累累·291

"黑枣"和"炸药包"的故事·310

我不希望被放到单一的视角里面去
观察·331

附录一　刘心武文学活动大事记·346

附录二　刘心武著作书目·355

谈《第四十一》

　　小说《第四十一》如曹靖华为新版本写的"后记"中所说的，是经受过年代的考验的，虽然一直有着对它的争论，但是这并不妨碍人们对它的喜爱程度。更重要的是，它感染和教育了许多革命青年，这些都是应该肯定的。但是，无庸讳言，这部作品是有着一些缺点的。它的一个最大的缺点是缺乏环境的典型性。我们知道，现实主义的文学应该是反映典型环境中的典型人物的。只有这样，才能体现出时代的本质，时代矛盾的主流，才能得出最有意义的结论。马柳特迦和白匪军官流落到荒岛这一关键性的情节，在现实中虽然可能存在，然而是极端特殊的。尤其是恰巧同船的其他游击队员都牺牲了，只剩下马柳特迦和白匪军官这一点，看来过于人为，显然作者是为了给以下的情节发展所特定的一个极端特殊的环境。在这样的环境中，虽然给马柳特迦和白匪军官的爱情作了合理的解释，然而很难说明这是时代矛盾的主流，很难显示出革命事业的普遍发展状况。

　　可以看出，作者所以在这样一个环境中去展开矛盾，是为了阐述革命利益高于一切这样一个主题。作者是这样来处理马柳特迦和白匪军官之间的矛盾的：在起初，自然是敌我矛盾，然而在流落到荒岛上时，敌我矛盾得到了缓和，和自然作斗争成了更为主要的矛盾，直到敌人方面帆船的到来，敌我矛盾才又极迅速地压倒一切，最后马柳特迦打死了白匪军官，矛盾才终于解决。作者选择了这样两个典型人物之间的矛盾，显然是正确的，一个是典型的顽固到底的贵族出身的白匪军官，另一个是渔民出身的游击队员马柳特迦，这两种人的斗争是当时革命斗争中最基本的东西。然而作者在处理和发展这个矛盾时，却选择了上述那样一个与革命斗争相隔绝的没有典型意义的环境，因此尽管故事很感人，给人的印象也极强烈，但是作者所企图达到的目的并没有完全实现。在读完整个作品后，读者至少会有另一个感觉：就是不同阶级之间有着"共同的人性"存在。马柳特迦和白匪的恋爱原因，似乎就是因为在那样一个环境中，没有广泛的群众性的阶级斗争，因此两个孤单的人——即使是阶级敌人也能产生感情，尤其是为了"生存"而互相帮助着与自然斗争的时候。这显然是不对的，看起来在那样的环境中似乎也合情合理，但我们知道离开了阶级性是很难谈到什么"人性"的。因此也说明了作品在达到作者所预期的效果时，也有着不健康的副作用。

由于环境缺乏典型性，活动于这环境中的人物的典型性也便不能不受到影响。上面说过，马柳特迦和白匪军官都具有他们所属阶级的最基本的东西，并且又有着相当生动的个性，所以他们是够得上典型形象的，但是由于作者安排了一个极特殊的环境，因此很难不使这形象受到损害。比如马柳特迦和白匪军官的爱情，就很难和她的无产阶级出身（书中说她出身于渔民）这一点统一，一个长期处在对敌斗争中的无产阶级出身的少女是很难去欣赏白匪军官的那一双蓝色的双眼和"文雅"的举止的。一般来说，马柳特迦的这种感情，更像是一个非无产阶级出身的革命青年在这种特定情况下所可能产生的，因为非无产阶级出身的青年虽然参加了革命，最初的目的不过是在追求个性的解放，小资产阶级的感情意识还潜在着，一旦遇到马柳特迦这种情况，这种意识或许还可能发泄出来，从而与白匪军官产生爱情。如果把马柳特迦放在故事中这样处理，不但其形象的可爱要大大地减色，小说的主题也就必然要在读者中产生上述的副作用了。

1958 年《读书》杂志第 16 期

小喇叭

弟弟是个胖娃娃，
天天都听"小喇叭"。
胖手托着腮帮子，
远看就像是幅画。
窗外小云直唤他，
眼毛都没眨一下。
我问小云什么事，
小云冲我努嘴巴，
手里皮球晃了晃，
要我弟弟去玩耍。
弟弟忽然回头叫：
"别打岔！别打岔！
你也来听听'小喇叭'！"

1959 年 2 月 15 日《北京晚报》"五色土"副刊

椅子坏啦

"椅子环啦！
小明你等一下，
我去找木匠叔叔来吧！"

等妈妈和叔叔到家，
小明已经修好了椅子，
正拿着榔头在仔细检查。

"叔叔您来啦！
快来看我修得好不好，
还要钉钉子吗？"

妈妈看见大吃一惊。
叔叔笑得胡子一炸一炸：
"你修得很好，
有资格出师啦！"

1959 年 2 月《北京晚报》"五色土"副刊

送给妈妈的礼物

老师出题了！一个口袋里有十只苹果……唉！又是文字题，小海本来腰板挺得笔直，手里的铅笔也拿得挺稳，可一看先生在黑板上写的这个题头，就突然软了下来，脑袋也耷拉着，铅笔也拿不稳啦。原来明天就是"三八"妇女节了，小海早就暗地里盘算好，一定得给妈妈准备件礼物，考虑了半天，他决定送给妈妈一张五分的卷子，因为——说实话，小海功课可不大好，五分就少，尤其算术，老师考直接求数的还差不多；一出文字题小海就傻眼了，瞧，这不是，什么一个口袋里有十只苹果，怎么回事呢？

小海暗地里直叹气，唉，又完啦，本来还跟妈妈说好了，要送她一件最有意义的礼物呢，要真能送她张五分卷子——尤其是算术卷子，她该多高兴啊！可现在……唉！昨日晚上就不会和阿毛少打会弹子吗？

心里越急越糟，卷子上写了又涂，涂了又重写，心里一个劲地嘀咕：怎么办呢？十个苹果，三分之一给妹妹……要是真有只苹果也不错！也可以当礼物嘛，可是，这几天妈妈给的零钱都买了小玻璃弹子，攒钱买苹果也来不及啦！

晚上，小海躲躲闪闪的，怕妈妈问他礼物的事，阿毛找他去打弹子，他也没了心思，只是呆呆地坐着。为了怕妈妈问话，小海就拿出书来随意地翻着，他发现老师讲的许多课他都还没看过，于是他就从头看了起来，先还没什么，哪知越看就越有劲，一直看到爸爸喜气洋洋地到了家。

爸爸拿出了自己的礼物，一打练习本，几本厚厚的书，还说要帮妈妈学哲学呢！小海的妈笑弯了腰，顺便问小海的礼物，小海这下子脸涨得像虾米，没有办法，只好把自己怎么想的和怎么没实现的经过讲了一遍。他想：妈听了一定会说自己的。

"得五分是好事"，果然，妈开口了，"可你得明白，得五分不是为了妈妈。你今天没礼物不要紧，以后你好好学习，像今天这样按时温书，那比什么都强！"

好好学习，按时温书，小海心里想：那么说，准备这份礼物还不算晚。

1959 年 3 月 7 日《北京晚报》"五色土"副刊

修楼房

我拿着小船横冲直撞，
撞倒了妹妹刚搭好的楼房。

妹妹急得险些要哭。
我却笑得前合后仰。

"你嘴里说长大了想当个建筑工人，
实际行动却和想的两样！"

这声音非常严肃，
原来爸爸踱到了我们身旁。

"建筑工人非常尊重别人的劳动，
爱护新房就像爱护自己的心脏。"
几句话说得我脸蛋发胀，
赶忙去帮妹妹修好楼房。

1959 年 3 月 22 日《北京晚报》"五色土"副刊

决　心

　　小娟望着被灯光映得通亮的电影海报，心里说不出地难过。为了看这场电影，小娟不知跟妈妈磨过多少回了，妈妈总是有会，不能带她来看，好容易今天妈妈给了钱，让她一个人来看，可票又卖光了。唉！听小强说，广告上的这个雪人在电影里还会跳舞呢，还有那个小狗熊，笑嘻嘻地，多乖呀！可这一切，小娟都看不见啦！明天就要换别的片子了。多倒霉啊！

　　小娟正叹气，忽然发现不远的地上有张小纸片，小娟过去捡了起来，呀！是七点半的一张电影票，小娟拿着票，心都缩住了。要拿着这张票，交给门口收票的阿姨，她就可以看见一切了：跳舞的雪人、会说话的小狗熊……哎！快下决心吧！眼看七点半就要到了，忽然，铃声响了，收票的阿姨拉上了紫色的幔子，电影院里传来了开映前的音乐声。小娟开始挪动脚步了，不过她又想，这张票不是别人的吗？晚报上不是写过！一个小姑娘拾到了别人的皮夹，就在那里等人来取吗？当时小娟也想过，要是她就是那个小姑娘，她也会那样做的，可现在……

　　小娟紧紧地捏着那张票，票就像一团火烫着小娟的手，烫着小娟的心。

　　小娟躲到了电影院的阴影里，她四面看看，旁边并没有人在找票，也许，丢票的人以为票找不着了，不看了吧？说不定已经回家去了。反正……小娟想，我又不是存心，买不着票了嘛，又是最后一场。于是她似乎下定了决心，往休息室里走去。

　　刚进休息室，小娟就从迎面的镜子中看到了自己：端端正正地打着一条红领巾呢！小娟的脸刷地红了，难道少先队员能做这样的事？

"小朋友，快进来吧！已经开演啦！"收票的阿姨似乎看出小娟在发愣，便连忙招呼她。"不，我没有票——这，这票是别人掉的，等会儿来找您就交给他。"小娟下定了决心，用最大的勇气说出了上面的话，说完，便飞一般地跑出了电影院。

1959 年 3 月 29 日《北京晚报》"五色土"副刊

一封寄给姐姐的信

亲爱的姐姐：

本来，今天我该去看"飞向星星世界"这个话剧的，可我没去。姐姐，上次你不是来信说，你辅导的那个中队的队员都非常想知道这个剧的内容吗，你希望我看了写信告诉你。你再讲给他们听。这是一件多么有意思的事情啊！你瞧，现在我没去看，当这个戏正在台上演出的时候，我却在给你写信。

姐姐，你别失望。我虽没看成，小京却去看了。小京是我们班里作文最好的同学。我已经告诉他：看完了写出来，寄给你。他一定会做得比我更出色。

你准会问我为什么没有去看。事情是这样的，今天下午，隔壁的王大叔病了。王大婶要照顾他，他们家的小丽丽就没人照看了。丽丽只有两岁，没人陪她玩她会闹的。王大婶和妈妈商量，请妈妈晚上顺便照顾一下，可妈妈今晚偏偏要去开街道会，我当时考虑了一下：妈妈的会不能不去开，而我呢，已经放暑假了，玩的时候还很多，何况小京也可以代替我去看戏哩！

七点的时候，我照顾丽丽吃了晚饭，完了还把小山羊的故事讲给她听，她可高兴呢，现在丽丽就睡在我旁边，她睡得可真甜。

姐姐，瞧，事情就这么简单。你嘱咐我做的那件有意义的事，我没做成，你不会怪我吧，说实在的，我不后悔。

　致以少先队的敬礼

你的妹妹

小琴

1959 年 7 月 28 日《北京晚报》"五色土"副刊

多么好的阳光

　　红皮包、绿皮包、紫皮包……怎么偏偏不见黄皮包？看见了妈妈的黄皮包，就等于找到了妈妈嘛，这点小英可知道得清楚呢。小英在人群的腿边穿来穿去，仔细地朝近处远处望着。

　　小英真后悔，刚才她干吗离开妈妈去看橱窗里的小狗熊呢？就是因为这样，她才和妈妈走散了。妈妈是带着小英到百货大楼来买那种红底白点的小布拉吉的。小英想那样的布拉吉想了好久了，那真是挺好看的布拉吉，领子上还有白纱编的花边哩！

　　找不着妈妈，小英心里虽然挺急，可一点也不想哭，干吗哭？阿姨不是讲过，向秀丽阿姨被火烧着都不哭。小英才不是爱哭的孩子。

　　白皮包、红皮包、又是白皮包……哈！那不是黄皮包。小英连忙跑了过去，"妈妈！妈妈！"她忽然怔住了，拿黄皮包的不是妈妈，是个戴眼镜的阿姨。她干吗也用黄皮包？小英觉得，只有妈妈才能用黄皮包。

　　找着找着，小英忽然发现了卖小布拉吉的地方，她用手扒住柜台沿，踮起脚尖往里面架子上的布拉吉望了望，咳，别说红底白点的，就连蓝底白点的也挺好看。妈妈要在的话，立刻就可以买了。小英禁不住转过身来，往大厅里来往的人群大声喊："妈妈！妈妈！"她这一喊，好些阿姨和叔叔都过来了，问她是不是找不到妈妈了，有的蹲下来安慰她，有的帮着她喊："谁的小孩？"还有个叔叔，找来了穿白制服的阿姨；看见人们围了过来，小英眼睛有点湿了，不哭，不哭，小英掏出了手绢,拼命地捂着眼睛,多害羞呀,差点哭了,向秀丽阿姨被火烧着还不哭呢。

　　穿白制服的阿姨抱起了小英,对她说:"不要紧的,妈妈一会儿就来啦!"说着就把她抱到了办公室里,把她安置在沙发上,自己走到广播器前广播了起来。小英趁她广播的时候,偷偷地走到了门边,打开了一条缝,她听见大厅里有个阿姨在大声地说:"梳着小辫,穿着浅绿色的衣裙,找不到妈妈了,请到办公室……"阿姨在帮助自己找妈妈呢!小英理了理小辫,趁阿姨没注意,连忙从门边跑了出去。跑到楼梯口,迎面就看见妈妈来啦!看妈妈的样子是急坏了,小英连忙扑了过去,妈妈猛地发现了她,连忙把她搂在怀里,亲了亲她的脸问:"你跑哪儿去了?叫我好找!不是说你在办公室里吗?"小英使劲地搂住了妈妈的脖子说:"不!我要自己找着妈妈!"

　　小英拿着小花布拉吉和妈妈走出了百货大楼,太阳正金晃晃地照着大街,人影都像更浓啦!小英心里高兴极了。

　　多么好的阳光啊!小英到底是自己找着妈妈啦!

1959 年 7 月 30 日《北京晚报》"五色土"副刊

妹 妹

两个月前，妹妹告诉我她要学游泳，我讥讽地说："你这个胆小鬼，还想学游泳啦！连个水潭都不敢跳过去，像你这样，只配泡泡蘑菇池。"妹妹听了并不生气，还是继续要求我："你不是去年就游过吗？那就教教我吧。"

其实，我虽然从去年就下水，也不知怎么搞的，直到现在还像个秤砣似的，下水就沉。在妹妹面前，我怎么好承认不会游呢？于是我吸了口气，拍了拍胸脯，端来一盆水对她说："把脸埋在水里，憋住气，我来数数，试试你配不配学游泳。"头一次，她憋了不到两秒钟，就扑哧地呛了一身水，惹得我哈哈大笑起来。没等我笑完，她又把脸埋到水里，这次，我一直数到三十，她才抬起憋得发紫的脸，唉！妹妹就连学游泳都这么倔。

暑假这些天，妹妹几乎是天天去游泳，我偶尔也和同学一块去。在游泳场里，我尽量避免和妹妹见面，因为我的底要是让妹妹看穿了，那多丢脸呀！不过回到家里，我仍神气活现地问她："怎么？今天又喝了几口水？"妹妹总是说："不，阿朱教会我潜水了。"后来逐渐变成："我能游二十米了。"她虽然这么说，我可从来没信过，我当哥哥的都不会，当妹妹的怎么可以学会呢？妹妹比哥哥笨，理所当然嘛！

昨天，妹妹又拿着游泳衣要去游泳，我对她说："你还算游泳迷啦！连今天游泳场举行少年儿童赛都不知道。"妹妹只是眨眨眼就跑了。

到了比赛场上，同学们争着告诉我一个新闻，说今天参加五十米赛的，有个新队员是我的熟人，我猜了半天，猜定是阿朱，因为她老到家里去找妹妹嘛。

比赛开始，站出一排小姑娘来，唉呀！怎么妹妹也在里头？我正摸不着头脑呢，枪声响了，她们飞快地游了起来。我虽然有点嫉妒，但也真希望妹妹能得第一。

比赛结果，第一是阿朱，妹妹得了个第六。

回家后，起初我决定老老实实地告诉妹妹：我并不会游泳。但后来我又改了主意，我只是一本正经地对她说："你可别骄傲啊！"同时我下定决心：说什么也得瞒着妹妹学会游泳，要不我这哥哥还怎么当？

1959 年 8 月 14 日《北京晚报》"五色土"副刊

阿 姨

台上那个穿袍子的老婆婆怎么老唱老唱。唉！这个戏真没意思，妈妈不是说，戏里会有大头娃娃，会有孙猴子翻筋斗吗？怎么没有呢？小红坐在妈妈的膝上，有点不耐烦了。

今天晚上，爸爸给了妈妈一张戏票，要妈妈带小红来看戏，他自己要开会去。

妈妈起初不打算带小红来，她说怕小红看不懂，会闹的。爸爸不同意："让小红一个人待在家里怎么行？还是带着吧。"说着弯下腰来托起小红的下巴，对小红说："小红乖，爸爸知道你不会闹的，对吧？"

其实，听说要带自己去看戏，小红心里早开了花了，当然不闹啦！小红可不是那种爱吵爱闹的孩子，她一下子扑到妈妈的怀里，央求妈妈带自个儿去，等妈妈点头答应后，小红就自动地去换了一身干净衣服，等妈妈收拾停当时，小红已经在门边等得不耐烦了。

妈妈又一次嘱咐小红千万别闹，可小红那个时候哪想得到，今天的戏会这么难看呢！

小红坐在妈妈的膝上，妈妈和旁边的叔叔、阿姨都全神贯注地向台上看着，可小红已经把注意力移到了天花板上了，天花板上倒挂着好几个大风车，小红知道，天热的时候，这些风车就会不停地转呀转的。"小风车、滴溜圆、转呀转……"小红不禁唱起了在托儿所里学的歌谣。

"别吵！小红，快看台上。"妈妈不满意小红了。

台上正出来了个白鼻子叔叔，说了句什么，大伙都笑了，小红问妈妈："大伙是笑他鼻子没洗干净吗？"问的声音挺大，惹得好几个阿姨和叔叔都朝小红这边望了望。

"你不是答应过不闹么？"妈妈问她。"可是没有大头娃娃，也没有孙猴子偷桃子，也没有……"小红一个劲地嘟囔了起来。

妈妈叹了口气，正想抱小红往外走，忽然，一个穿黑裙子、拿手电筒的阿姨来到了她们身边。小红认得她，就是她给妈妈和小红找到座位的。

"小妹妹，让妈妈好好看戏，来，我带你到休息室去，给你讲故事。"她小声地对小红说。

小红望了望妈妈，妈妈点了点头，小红就从妈妈膝上蹦了下来，跟阿姨到休息室去了。

阿姨给小红倒了杯水，又拿出几颗水果糖给小红吃，接着问小红想听什么故事，小红毫不犹豫地要求阿姨给她讲孙猴子，虽然她听爸爸讲过好多遍了。

阿姨讲故事的时候，两个眼睛可有神啦，讲孙猴子和白骨精打仗，她还做着手势，小红听着开心极了。

散戏了，当妈妈找到休息室来的时候，小红尖叫着扑了上去，妈妈握住了阿姨的手，正想说话，小红却抢先嚷开了："妈妈！阿姨给我讲孙猴子了，她说下次还接着讲，"接着她急遽地转向阿姨问："对吗？"

阿姨点点头，笑了，并低下头来，在小红的脸蛋上吻了一下。

1959 年 11 月 3 日《北京晚报》"五色土"副刊

小敏的信

　　小敏有生以来，第一次接到寄给她一个人的信，那封信装在一个长长的、大大的信封里，封面上端端正正地写着"李小敏"三个字。虽然小敏刚刚五岁，还不识字，可是在幼儿园的小朋友面前，她却可以把信纸抽出来，皱着眉头清清楚楚地把信上的话念下来，因为这个，幼儿园的小朋友都对小敏佩服极了。

　　小敏刚从邮递员叔叔手里接过这封信来的时候，还以为又是九姨写给妈妈的呢？直到妈妈拿过去一看，才看出是写给小敏一个人的，信上写着：

　　李小敏同志：

　　　　如果你丢掉了一块手表，就请带着证明文件到我处来认领。

　　　　　　　　　　　　　　　　　　北京市公安局捡拾物品招领处

　　妈妈念完后，吃了一惊。以为小敏偷偷把自己的手表拿出去玩，给弄丢了，及至发现手表并没丢，才放了心。小敏呢，也有些莫名其妙，小敏并没有手表啊，就是有的话，也是马粪纸做的那种。直到爸爸回来，妈妈和小敏才明白是怎么回事，爸爸说，"这是捡拾物品招领处常做的事，有时他们想办法找到了一些关于失物主人的线索，此如，知道一只手表的主人叫李小敏，于是就写信给所有叫李小敏的人，小敏收到的这封信，正是好多封信中的一封。"

　　小敏虽然没有丢表，信可是给她的。她在幼儿园里，每天睡觉前都要把这封信压在枕头底下，早晨醒了，头一件事就是挪开枕头看这封信还在不在。一有空，她就拿出来，念给其他的小朋友听，又学着爸爸的口气，对大家解释一通。

"那么，那个丢手表的李小敏到底找着手表没有呢？"有一次，小敏刚念完信，小勇就这样问她，小敏搔了搔脑袋，不知道怎么回答，小勇又说："咱们干吗不写封信去问一下？"阿姨在旁边说："对呀，该写封信问问。"于是阿姨代笔给"捡拾物品招领处"写了封信，底下署名是"李小敏和别的小朋友。"

几天以后，小敏又收到了一封信，信上这样写着：

李小敏和别的小朋友：

　　捡拾物品招领处转来了你们的信，谢谢你们的关心，我接到通知后就去取表，表是一个少先队员捡到的，表壳上刻着我的名字。谢谢你们的关心。

　　　　　　　　　　　　　　　　　　你们的叔叔李小敏

啊！李小敏是个叔叔，原来小敏还以为他是个阿姨哩！

1960 年 1 月 17 日《北京晚报》"五色土"副刊

芳芳打电报

芳芳把小辫一甩，推开亮亮的玻璃大门，便进了热闹的邮局。

"小朋友，看杂志么？新来了《小朋友》呢！"卖杂志的阿姨看见芳芳进了门没动，只用眼睛四下打量，就一边忙着给人找钱，一边招呼她。

"我们一年级学生要看就看《儿童时代》，我是来打电报的！"芳芳挺神气地回答了阿姨，一边就又仰着头往柜台上环视。

"打电报么，到那边——"阿姨正想告诉芳芳打电报要到哪个地方，芳芳急忙拦住她："我自己找！"接着她更用心地往柜台上挂着的一溜牌子里找了起来，最后，她终于认出了西头柜台上挂的牌子：

电报

用心地再念了两遍，她跑了过去。打电报的人挺多，几个阿姨和叔叔热情地接待着大家。

"小姑娘，你也打电报吗？"一个叔叔看见芳芳踮着脚伏在柜台上，就过来亲热地问她。

"对！"芳芳连忙从口袋里拿出一张叠好的纸条，递给叔叔。叔叔接过去，打开念了起来："地址：上海新华街857号徐桂东，电文：妈妈生了个胖弟弟，一切都好，请您放心，女儿芳芳"。芳芳见叔叔念完了，就解释起来："爸爸出差在上海。本来奶奶要来打的，我让她别来，我自己来了。"叔叔听了点点头，对芳芳说："好。不过电文里的'请您放心'和'女儿'可以省去，这样节约一些。"说着就要替芳芳填在单上，芳芳连忙央求了起来："叔叔，让我自己填吧！我会写呢！"叔叔想了想，就把纸笔递给了芳芳，写到"沪"字时，叔叔还把住芳芳的手。写完了，芳芳仔细端详了一会，拍手笑了起来："叔叔，我没写错吧？"

交完了费，芳芳想了想，一本正经地问叔叔："你们的意见簿在哪儿？"叔叔笑着往门边的长桌一指，芳芳跑过去一看，桌上放着一套茶壶茶碗，放着厚厚的一本意见簿。刚走到桌边，一个长辫子阿姨就来招呼她："小朋友，喝水吧！"芳芳笑着摇了摇头，阿姨就去招呼一位老大娘了，老大娘正在缝一个包裹，虽然戴着老花眼镜，可上一针下一针的却缝得很乱。

芳芳打开意见簿，仔细地读了几页，有个解放军叔叔还题了首诗呢！芳芳翻到有空白的地方，拿起笔，聚精会神地写着："叔叔阿姨真好！徐芳芳"刚写完，老大娘走了过来，她对芳芳指了指接替她缝包裹的阿姨说："替我也写上一条，到这儿来就跟到了家一样，什么事都不用自己操心！"芳芳于是再拿起笔，更加用心地写着："老大娘也说：阿姨叔叔真好！"

1960 年 3 月 4 日《北京晚报》"五色土"副刊

丁香花开

两年以前，到学校教课的第一天，当她走进教员休息室时，头一眼看到的就是在她桌上的一瓶丁香花。瓶底下压着一张纸条："敬爱的老师，在见面会上您说您喜欢花，所以我们把这束花给您插在瓶里，好吗？您的学生们。"她看到这情景，心头非常激动。

从此以后，保荣的桌上总会有一瓶鲜花。春天是丁香，夏天是西番莲、茉莉花，秋天是海棠和野菊花，即使是冬天，孩子们也会细心地在瓶底铺上卵石，养上水仙。这些花，有的是孩子们家里种的，有的是他们到野地里采来的，每次花瓶里除了主要的花外，总还要点缀一些保荣叫不出名字的野草野花。保荣每天在这桌上备课、改作业、订班上的工作计划、写总结、批卷子……每当她累了的时候，只要一看见桌角的一瓶鲜花，就会忘记了一切疲劳，更加努力地工作起来。有一次，保荣没把课文中的几个生词给孩子们讲懂，她一天都不舒服。学校里只有一个初中班，语文教师只是自己一个，问其他的老师，他们也说不清，查字典，字典上又太简单，怎么办呢？看来只有一个办法：到二十里外的县立中学去请教老教师。可是为了几个词，值得吗？正思索，她的眼睛转到了花瓶上。她好像看到了四十颗渴求知识的孩子的心在她眼前跳动。她猛地围上围巾，顶着风沙一气跑了二十里。当她在县立中学搞通了这几个词，满心欢喜地回来时，已经是晚上了。第二天，只用了几分钟，孩子们就完全搞通了这几个词的含义。但为这短短的几分钟，保荣却花费了多少劳动备课啊！

后来，保荣发觉上自习课的秩序很乱。孩子们不但要在打铃十分钟后才能勉强安静下来，而且有几个球迷还会偷偷出去踢球，留在教室里的人也有看小人书的、弹飞机的……于是她决心和孩子们一块上自习。头一次，她提前五分钟到了教室，首先整理了一下桌面，把花瓶摆正，铃声一响，她就安静地坐下来，用心地备课、看参考书。开初，孩子们很紧张，以为老师一定会严厉地指责他们，可是看到老师也像个学生一样，默不做声地上自习，他们就再不好意思偷跑出去玩了。

春天又到了。保荣从市里参加群英会回来，没回宿舍，先跑到教室里去。孩子们都已散学回家了。可是教室前办公桌上的花瓶里，却依然插满刚开的丁香。保荣坐在桌旁，像第一次到学校一样，心里又翻卷起来。她想起两年来的种种事情。想着想着，她情不自禁地拿出自己心爱的记事本来，用笔在上面工工整整地写了几个大字；永远做一个红色的教师！

1960 年 3 月 10 日《人民日报》副刊

"螺旋桨有什么用处？"

今天辅导员问了我一个问题："螺旋桨有什么用处？"我结结巴巴地答不出来，憋红了脸。

要知道，这是在区少年之家就要公布航空模型得奖名单以前发生的事，而我——大概是可以得奖的，却说不清楚螺旋桨的用处。

前一阵，我是多么焦急地盼望着明天——也就是公布得奖名单的日子啊，我幻想着明天得奖的情形："少年之家"的王叔叔一定会举起我的那架飞机模型对大家说："瞧！多精致！多漂亮！这是王小河做的。"这时大家就会鼓起掌来。而王叔叔就会把奖品——也许是一架铝制的飞机模型——送到我手上……唉！可到了今天，我对这些一点兴趣也没有了。

还是三星期以前，辅导员告诉大家：区少年之家决定举办一次"航空模型展览"，当时大伙听了是多么高兴啊，我也很高兴，我想：要是我能够得到奖品该有多好。我马上想到我叔叔是航空学院的教师，一定可以帮我不少的忙。

那几天放了学，教室就变成了工厂，每个桌上都堆了一摊：木头棍、铅丝、马粪纸，大伙都忙着锯呀、磨呀、糊呀的。独有我一人不慌不忙，别人都在学校里忙着做模型，我却跑去找叔叔，叔叔房间里本来就放着好几架飞机模型，我跟他一央求，就讨来了一架。它可漂亮啦！全身涂成银灰色，翅膀上还涂的有红五角星。我把这飞机模型稍稍加了些工：在它身上涂了好些个花纹，还用红颜料在机身上重重地写上了自己的名字：王小河。

到了学校，大伙问我："小河，怎么不见你做飞机模型？"我就神气地回答："我呀，我在家里做好了再拿来！"上星期，大伙的模型几乎全做好了，我也就把"自己"的模型抱到了学校，大家看见可惊奇啦，李林林拍着我的肩膀说："哎呀，真想不到，原来你一人闷在家里做出这么棒的模型来了。"

模型交上去以后，大伙都肯定我的模型会得奖，我自己也觉得有把握，开头挺得意的，可到了这几天，我才渐渐后悔起来。就在辅导员问完我螺旋桨有什么用处的问题之后，他随手递给我一本书，让我好好瞧瞧。书的名字叫"苍蝇变大象的故事"，是讲一个少先队员为一件小事撒了谎，结果过得很不快活，后来他承认了错误，才变得和大家一样快活起来。我真不敢想，当明天——王叔叔真要是把奖品给我了，我是会快活还是难受。

我想好了，我得马上找辅导员去，把一切都告诉他。我要做一个诚实的少先队员，要做一个快快活活的孩子。至于螺旋桨到底有什么用处，我想我以后通过学习是一定可以弄明白的。

1960 年 10 月 7 日《北京晚报》"五色土"副刊

二敏和大敏

　　大伙都夸大敏懂事，二敏有些不服气，因为凡是大敏能做的事，二敏觉得自己也能做。比如每次这里的放映队到队上来放电影，大敏总是和敬老院的爷爷奶奶们坐在一起，一边看一边给他们讲解剧情。为这事，大伙都夸她。其实二敏每次也总在旁边插嘴呀，虽然有人说她讲得不对，可功劳也不能全算给大敏啊。

　　这天晚上，放映队又来了。打麦场上早坐满了人。二敏呢，照例到敬老院的老人席那儿去找大敏，她打定了主意：这次说什么也不能再插错嘴，把拿两把枪的游击队员都叫做李向阳了。

　　到了老人席，小秀忽然跑到她跟前说："大敏叫我代替她给爷爷奶奶们讲电影，她要干别的事去。"二敏听了一跺脚："哎呀！她又干什么好事去了，老不乐意带着我。"说完转身就去找大敏。据她想，大敏准是帮放映员邓大姐放唱片去了，前些时候大敏放过一次，二敏跟在旁边也忙了半天。

　　二敏到了放映机前，奇怪，还是不见大敏的影子。二敏没精打采地蹓来蹓去，刚蹓到场边上，就撞见大敏了，大敏正和几个少先队员在商议着什么哩。二敏一下蹦到大敏鼻子底下："姐，你要干什么去呀？"大敏笑嘻嘻地说："我们小队要到食堂去帮忙，你也来吗？""到食堂去帮忙？"二敏怔住了，她以为大敏又要去干什么有趣的事呢。大敏解释道："是这么回事，我们刚才跟赵大叔商量了一下，决定到食堂里去替郑大婶、宋大爷干活——大伙都休息了，可是食堂里的人总不能休息。他们要刷碗，还要洗菜……咱们去替他们干活，他们不就可以看电影啦，你去不去？"

原来这样，大敏去，二敏当然也要去啦！——可是，二敏还得仔细想一下。哎呀，到食堂去，那不就看不成电影啦。要搁在别的时候，你叫二敏到食堂帮一辈子忙她都是乐意的，可偏偏在这会儿……

"怎么？你不去，那我们走了。"大敏招呼队员们一起走。二敏急了，"什么，不要我！"她跟着大敏跑去。

到了食堂，赵大叔已经把郑大婶、宋大爷拉去看电影了。碗早刷好，只剩菜还没洗。大敏和队员们高高兴兴地洗起菜来，二敏也帮着忙。洗完菜，大敏又领着大家整理炊具、扫地……他们一直忙到电影散场，郑大婶和宋大爷欢欢喜喜地回到食堂。郑大婶一跨进门就说："大敏，多亏你们啦。"二敏不等别人搭腔，蓦地从大家身后跳了出来，大声喊："我们洗了菜，还扫了地，这有什么，我们要把——反正，把难干的事给自己干。"宋大爷看见二敏那一副认真的样子，疼爱地说："二敏也成了个懂事能干的孩子啦！"

1960 年 12 月 10 日《北京晚报》"五色土"副刊

园园的新衣裳

妈妈带园园去做新衣裳的那天，园园的心里好像开了朵花，她拉住妈妈的手，得意地蹦着往前走。园园的衣服大都旧了，有的改给妹妹穿啦，妹妹刚学会走路，可是园园又会蹦、又会跳，瞧，她一下子就蹦过了人民市场高高的石门槛。园园的事也比妹妹多，她明白，做新衣服，先要去买布，然后还要到做衣服的叔叔那儿去，那儿有高大的镜子，叔叔会拿出一条皮尺，在你脖子上、胳膊上量来量去，多有趣啊！

可是，跟妈妈走进了人民市场以后，妈妈并没带园园到卖布的地方去，她把园园带到了侧面一个高大的货棚里面。园园知道：这是综合修理服务部，她跟妈妈来过好几趟了。那儿的叔叔、阿姨本事可大啦，你有什么东西坏了，拿给他们，很快就能修好。园园的棉鞋、爸爸的旧绒衣还有同院华大婶家的皮箱，不都是这儿给补好、修好的吗？妈妈常对园园说："服务部就像个大医院，不过不是给人看病的，而是给东西看病的……"可是，今天妈妈带园园到这儿来做什么呀？

园园问："咱们到这儿来干什么？"妈妈说："给你做新衣服呀。"

园园把头一偏，笑了起来："你哄我呢，咱们还没买布呀！还有，做衣服的叔叔不在这个棚子里，在那边。"可是妈妈一本正经地把另一只手里提的包袱举起来说："这儿不是布吗？你不是说你挺喜欢绿色的衣服吗？"

园园想起来了，包袱是妈妈出门时带上的，里头是妈妈以前一直拿来垫箱底的绿袍子。园园还想打破沙锅问到底，妈妈却顾不得再跟她解释了，她把绿袍子交给了叔叔,又说了些什么,叔叔看了看,又用眼睛估量了一下园园,说了声"行!"然后给园园量了脖子、胳膊……开了一张单子给妈妈。妈妈对园园说:"一个星期以后,你就能穿上新衣服了,瞧,又省事、又省钱,修理服务部给了咱们多少方便啊!"

一个星期以后,妈妈正把园园从托儿所接回家来,修理服务部忽然来了个阿姨,她笑呵呵地对妈妈说:"现在我们进一步改进工作,实行领活、送活上门和做活上门的方法,以后每星期我都要到你们胡同来串一趟,有什么东西要补要改,能当时做的我就当时做,不能当时做的我就给带回去,另外还有位同志,专管修理钢笔、手表、缝纫机什么的……"妈妈不等她说完,握住了阿姨的手,感激地说:"你们想得可太周到啦!"

阿姨把手里的包袱放到桌上,边打开边说:"我给你家小妹妹送衣服来了!"说着,她把园园的新衣裳拿了出来,抖开举到园园面前,多么漂亮的衣裳啊!园园高兴得蹦了起来。

园园穿着新衣,跑到镜子面前照来照去,忽然,好像想起了什么,跑到抽屉那里拿出一张纸来,跑回到阿姨身边,踮起脚尖把它递到了阿姨手中,一边嚷着说:"我有样东西送给你。"阿姨和妈妈接过来一看,原来是园园的一幅画,上面画的是园园自己,穿着新的绿衣裳,一张嘴乐得能容下个大圆球。

1961 年 1 月 6 日《北京晚报》"五色土"副刊

给胖妞妞看病

胖妞妞是小丽最喜欢的玩具。她是个挺漂亮的木头娃娃，头发卷成一个个小卷，嘴唇红红的，牙齿白白的，耳朵上戴着两个金晃晃的耳环，只要摇摇她，她还会眨巴眼呢，可有趣啦！妈妈带小丽去买玩具的时候，小丽一眼就看中了她，买回家后，她每天给她洗脸、刷牙，晚上还带着她睡觉。

星期天的早上，小丽给胖妞妞穿衣服的时候，一不小心，胖妞妞掉到了地上，右胳膊摔断了，耳朵也碰破啦，耳环滚得老远。小丽望着她，就好像自己给摔伤了一样，委屈得要命。她跑去告诉妈妈。妈妈一看胖妞妞摔成这个样子，也着急了，她说："这可怎么办呀，摔得太厉害了！"小丽听了撅起嘴来说："我要胖妞妞，我要她跟我玩嘛……"妈妈说："木头娃娃贵，咱们别再买新的了，要不，给你买个布娃娃吧？"小丽可不愿意。妈妈想了想，弯下腰对小丽说："别着急啦，来，抱上你的胖妞妞，咱们带她到'医院'看'病'去吧！"小丽睁大眼睛问："真的吗？"看见妈妈肯定地点了点头，她就高兴地穿上大衣，跟着妈妈上街去。

原来妈妈并没有带小丽上医院去，却领着她来到儿童用品商店的玩具修理部。这儿可真是个"玩具医院"，小丽看见好多小朋友也跟着他们的爸爸、妈妈到这儿来了，有的抱着活动小兔，有的拿着会蹦的铁青蛙，还有个小女孩拿来一辆小汽车。原来什么玩具生了病到这儿来都能治啊！

妈妈把胖妞妞拿给修理部的叔叔看。叔叔说："成，给她换个胳膊吧！耳朵也可以重粘一下。你们先在商店里逛逛，一会儿就能修好。"

小丽看见一个小男孩从柜台里的阿姨手里接过来一只腰挎小鼓的小熊，他拧了拧小熊背后的钥匙，小熊摇头晃脑地敲起鼓来，逗得周围的小朋友们高兴地哈哈大笑。

后来，妈妈就带着小丽在商店里转了转，原来不单有给玩具"看病"的"医院"，还有给小朋友的鞋、衣服、帽子"看病"的"医院"呢！妈妈一边看，一边不住地点头说："太好啦！不但方便，还可以少花些钱呢！小丽，下次咱们把坏了的玩具都带来修修吧，不用什么都买新的啦！"

等她们回到玩具修理部的时候，胖妞妞已经端端正正地坐在柜台上了。小丽高兴得蹦了起来。叔叔把胖妞妞送到小丽的怀里，笑着对她说："以后要当心啊，别再让她摔倒啦！"

小丽拉起胖妞妞的右胳膊来看，一点也不像坏过的呀，耳朵也补好了，两个耳环又在耳朵上一摇一晃的了。她在小丽胳膊肘里眨巴着眼睛，那神气好像在说："叔叔真是个好医生！"

1961 年 2 月 18 日《大公报》副刊

"玩具大夫"

云云有一个心爱的小绒熊，可有意思啦！毛茸茸的圆脑袋，黑亮亮的眼睛，脖子上还打着个蝴蝶结，胸前挂着面小鼓，胖乎乎的熊掌上握着两个红红的木槌儿，一拨发条，它就摇头摆脑地敲起来，"不隆冬、不隆冬"，怪好听的。

可是，不知怎么搞的，小绒熊忽然坏了，拨上发条，左手一劲儿地敲，右手却一动也不动。云云急得小脸都红了，撅着嘴跑去找妈妈。妈妈安慰她说："不要紧，星期天我带你找修理组的叔叔去，一准儿能治好！"

"修理组的叔叔"是谁？他们怎么这样有本事，能给玩具治病。

修理组的叔叔是王府井儿童用品商店的工作人员。他们专会修理各种坏了的玩具，孩子们都叫他们做"玩具大夫"。

"玩具大夫"原来也都是售货负，只管卖玩具。好多小朋友把玩具买回去，不小心弄坏了，总是要到儿童用品商店来，请售货员叔叔想办法。售货员叔叔们想，眼看着好好的玩具，就因为断了条腿、掉了个头、缺了条胳膊、坏了个发条，不能玩了，小朋友心里不高兴，也是一种浪费。他们决定收下一些玩具，试着修理修理。他们白天售货，晚上有了空余时间，就和坏玩具打起交道来了，慢慢地，摸清了玩具内部的不同构造，也学会了一些粘补的技术。领导们发现了这个情况，为了满足广大顾客和小朋友的需要，就专门成立了"儿童玩具修理部"，有的售货员就正式当上"大夫"啦！

"玩具大夫"修好的东西可多了。他们不仅能让云云的小绒熊再照样打鼓，也能使不会叫了的鸭子再扇动着翅膀"嘎嘎"地叫着,还能把开不动了汽车弄得"嗖嗖"直跑。

小明有架小钢琴,一按前面的白键子,它就会"叮咚叮咚"地给你奏曲子。有一天,钢琴忽然生了"病",好像嗓子哑了,随小明怎么按,光会"吱啦啦"地响,什么调也弹不出来。小明把小钢琴交给修理组叔叔了,可叔叔们从没治过这种"病"啊。不收吧,你看小明的样子多着急,收下吧,自己确实不会。他们想了想,还是留下来了。他们把钢琴全拆开,仔仔细细研究了半天,最后决定去找乐器厂的同志,向他们请教。过了一个星期,小明又有一架能弹曲调的小钢琴了。叔叔们告诉他,是钢琴的簧坏了,以后千万不要使大劲按。高兴得小明给叔叔们弹了"社会主义好"和"东方红"好几个曲子呢!

小英英的洋娃娃从床上摔下来,头部变成了三瓣了。叔叔们先想给它换个新的安上去,可总没有原来的好看,他们就用了好多巧办法把它补好了,头重新粘过,还新刷了遍油漆,简直跟新的一模一样啦!

修理组叔叔已经有三年给玩具的"治病"经验了,他们每天要收到几十个"病人"。不管小朋友的玩具生了什么病,只要去找他们,他们就会笑嘻嘻地说:"别着急,一定能把它治好的!"

1961 年 2 月 22 日《北京晚报》"五色土"副刊

给韩梅梅的信

梅梅姐：

我早就在马烽叔叔写的"韩梅梅"那篇小说里认识你了。你一定想不到我和我的妹妹翠花以及同伴们对你多熟悉，多热爱吧？我初中毕业时的志愿和你一样，要当一个饲养员，后来根据工作需要，我当了生产队里的会计，没想到我妹妹最近倒要当饲养员了。这些天里，她显得特别高兴。梅梅姐，妹妹一定要我写封信把她的事告诉你，下面就是她要我告诉你的一些事情，她说着，我写的。

我还差一个多月就小学毕业了。前天，我和几个同学一块向生产队申请当饲养员，党支部书记王大叔马上就答应了。嗨！那时我心里就像开了朵大牡丹，那个美劲啊，真没法形容，梅梅姐，你一定想知道我家里人对我要养猪的事抱的什么态度吧？

我家里，除了娘和二姐外，没有别人。想不到在养猪这件事上，我最近对娘闹了一次误会。

王大叔答应我当饲养员以后，我就乐乐呵呵地往家里跑了。我一心要把这事告诉我娘，想让她跟我一起乐乐。这两年里，娘的思想可变得多啦！前两年，我大姐姐一回家就说，等我小学毕业了，接我到县城去念中学，我娘也盼着我去。公社化以后，我娘当上了猪场的饲养员，劳动可积极了，后来压根儿就不提我进城考中学的事了。梅梅姐，你娘那时候不赞成你养猪，觉得养猪没出息；可是我娘自个儿就是饲养员哪，我想她对我的志愿一定也会满口答应的。没想到，娘听了，睁大眼睛把我上下打量了好半天，才闷声闷气地说：好呀！要当饲养员啦！告诉你，好鱼不光会吐泡泡，还得会觅食，你想过没有？光喊点子口号可算不上饲养员。我一听就火了，放开嗓门说：反正我不打算考中学，我的主意是钉子穿墙——定了！我娘说：我现在没工夫跟你多说，这样吧，下午我活多，你先到猪场里帮我一阵忙，然后再说！说完她就走了。

下午，我卷起裤腿，光着脚就到猪场去了。我娘正在草棚边拌料呢，看我来了，也不说话，指了指草堆旁边的铡刀，意思是叫我铡草。我也不吭气，撅着嘴坐下猛着劲铡起草来。铡呀铡呀，手腕子都酸透了。说实在的，我们在农忙时也帮着队里干活，可那干的都是轻活，常换样儿，所以不觉累。这回我可真累，但我想：一定要坚持到底，不能停！我不停地铡呀铡呀，铡出的草越堆越高。这时候饲养员鲁大妈提料来了，她把桶一放，手一拍，说：咳呀！翠花闺女，刚才还听你妈说你要考试了，可你怎么不在学校，倒在这儿干活呀？我望了她一眼，把嘴抿成一条线，没说话，心里想：哼，你们就知道学校，我偏要留在这干活，干一辈子。正想着，忽然听见娘在喊我，我连忙跑了过去。

我跑到猪圈外，看见娘正在食槽边照应一排排大大小小的猪吃食。她还是闷声不响，只是把铁锹递给我，往猪圈里指了指，意思是叫我去起猪粪。平日，拾粪、积肥我都干过，可就没有到猪圈起过粪。我打开圈门，刚往里迈了几步，就禁不住一阵恶心。圈里的猪尿猪粪发出的那股子臭味，可真够刺鼻子的。可我一想：我决心在这儿干一辈子呢，看见粪就迈不出腿去，还算什么有志气？我把辫子往背后一甩，猛地跨进圈去，三铲两铲就把猪粪铲到了一起，铲完一个圈，我又接着去铲第二个，第三个……晚上回到家里，还没等娘跟我说啥，脑袋刚一挨上枕头，我就呼呼地睡过去了。

第二天，我从学校回来，娘走了过来，她捧着一本书，慢腾腾地开口说：翠花，娘替你安排好了，这是给你买的课本……一听课本两字，我又火了，她到底还是不赞成我养猪啊，我"腾"地站起身来，一字一板地说：我不要什么课本，我跟您再说一遍：我的主意是钉子穿墙——定了！我没想到娘反倒哈哈大笑起来，她把书往桌上一放，也一字一板地说："你非得收下这课本！昨儿我考了考你，还够格，我同意你当饲养员啦！"这是怎么回事？我朝桌上那本书一望，原来那是先进养猪法。我一下子明白过来，喜欢得差点噎住。娘拍拍我肩膀说："翠花，娘是怕你光图个光荣、新鲜，没有扎扎实实干活的心。看样子，你倒有股子憨劲，我也就同意了，娘给你买了这课本，你可得好好学啊，学完了教教娘。"还没等她说完，我就蹦起来，搂着娘的脖子撒上娇了。

　　梅梅姐，瞧，年头变啦，为了参加生产的事，咱俩都跟自个儿的娘闹了场别扭，可这别扭有多么大的不同啊！

　　梅梅姐，你又多了一个好同伴了，你一定也和我们一样高兴吧？……致少先队的敬礼！

你的朋友俞翠英

一九六一年五月二十五日

1961 年 6 月 3 日《大公报》副刊

出于污泥而不染

　　荷花，一名莲花，历来就受人们的欣赏和赞美。我国历代许多大诗人、大画家，在他们的作品中就有不少关于荷花的吟咏和描绘。在屈原著名的诗篇《离骚》中，就有这样的诗句"制芰荷以为衣兮，集芙蓉以为裳 [1]"。以荷花荷叶来作为自己的衣饰，可见他对荷花的爱好。

　　历代还有不少文人以荷花自喻，称它为"君子花"，宋代有个周濂溪，他盛赞荷花的"出于污泥而不染"，推荷花为知己。今天，我们也颂赞这种品质，不过角度和态度却有不同，我们赞美"出污泥而不染"，不是颂赞洁身自好的超然处世态度，而是对虽出生于恶势力，但能不同流合污，投身于正义行列中的行为的肯定。如电影《青春之歌》的字幕衬底便是洁净亭立的荷花，其意就在于肯定地主家庭出身的知识分子林道静所走的正确的革命道路。另一方面，"出污泥而不染"的荷花还代表着坚贞不屈和始终不渝的可贵精神，至今的许多革命烈士纪念碑的底座还刻以荷花托边，就是取于此意。

　　人们欣赏荷花，不仅是因为它象征着"出污泥而不染"的品格，还因为它的外形也有着和其他花木不同的独特的美。古代诗歌中描写到美女，常用"芙蓉 [2] 如面柳如眉"这类的诗句。把荷花当做了美的象征。的确，荷花在色、香、态上

---

[1] 芰荷是碧绿的荷叶，芙蓉是荷花的别称。

[2] 芙蓉是荷花的别名，但另有一种真正的芙蓉，是落叶灌木，干高四五尺，叶像手掌，秋天开花，大而美丽。有红、白、黄等色。因荷花亦名芙蓉，真的芙蓉反而被称为木莲、木芙蓉。

都有其独特的地方。尽管荷花的品种很多，诸如白荷、红荷、睡莲、千叶莲、一品莲等等，但无论哪种荷花，在颜色上的特点却都是素雅、清淡，使人感到清新、怡静、脱俗。好花还需叶来衬，荷叶对荷花的衬托作用比其他花木更为强烈，尤其睡莲，若无那碧绿的圆形莲叶配合，怕要大大减色的吧？荷花的香气，不似桂花那般甜腻，也不似兰花那样过于淡雅，而是更清新，更饱含水汽，尤其微风来时，满湖的荷叶微微颤动，几只蜻蜓游戏于荷花之上，扑面飘过来阵阵馨香，使人心神开朗。

1961 年 6 月《中国青年报》

唤起看影片的欲望
——小谈电影海报

好的电影海报，首先是富有号召力和吸引力的宣传品，它能够引起观众去看电影的欲望，使观众对影片能有个大略的了解；同时，好的电影海报往往也是富有教育意义和高度美感的艺术品，它不仅可以和好影片一起给观众留下难忘的印象，而且也可以成为独立的艺术作品供人欣赏。

许多影片早已上映过了，但它们的海报却一直鲜明地印在我们的记忆里。如《白毛女》《祝福》《渡江侦察记》《青春之歌》和《风暴》等影片的海报，它们的共同特点都是画龙点睛地表现出了影片的内容和风格，而且在构图上都各有特色，或简洁淳朴，或线条明快，或色彩鲜丽，都给人一种独特的难忘印象。

看看这两张宣传画，不只引起你看电影的兴趣，也使你越欣赏越有味道。《林则徐》运用了平英团和英舰的对比，强烈烘托出一个民族英雄的崇高气质。而《聂耳》则应用飘扬的红旗和长城，来象征一个革命音乐家在党和人民中间的成长，来象征伟大中国人民的刚强性格。这都是对戏的介绍作了本质的刻画，是富有思想性的。在艺术形式上也都各有创造，虽然二者都是历史题材的影片，但《林则徐》运用了传统的民族水墨画法，构图细致但不沦为琐碎，把鸦片战争时代那悲壮而高昂的气氛，表现出来了。而《聂耳》则独特地采用了木刻画那富有战斗意味的刀法，强烈地体现出"五四"以来民主革命时代的精神，更合乎描绘一个在战斗中成长的人民音乐家。

1961 年 7 月 26 日《中国青年报》

寓言二则

"聪明"的小公鸡

小公鸡听说池塘里住着一种叫青蛙的动物，就决定去拜访。他来到池塘边上，大声地喊："嘿！谁是青蛙呀？"这时候，一只蝌蚪游到了岸边，细长的黑尾巴一甩一甩，摇晃着小圆脑袋说："我就是。"小公鸡望望他，失望地说："原来青蛙就是你这个样子呀，真小得可怜，可怜，可怜。去你的吧。"

隔了些时候，小公鸡又到池塘边来玩耍。他看见水边伏着一个有四条腿、一条长尾巴和一个发绿的尖脑袋的家伙。他好奇地问："喂！你是谁？"那家伙摇摇尾巴说："我就是青蛙！"小公鸡听了，不禁咯咯咯地仰头大笑起来："唉呀呀！你以为我没亲眼看见过青蛙吗？它有圆圆的脑袋，细细的黑尾巴，而且只能在水里待着，不能像你似的游到水边上，你骗不了我！"说着，他就头也不回地跳开了。

小公鸡第三次到池塘边上来的时候，又碰到了一个奇怪的家伙。这家伙正在岸上蹦来蹦去地玩呢。他四条腿长长的、背上是一条条绿色的花纹，鼓着两只圆圆的大眼睛。小公鸡吃了一惊，问道："你是谁呀？"那家伙咽咽咽地笑着说："你怎么不知道，我是青蛙呀！"小公鸡仔细把它端详了一番，摇摇头说："青蛙根本不是你这个样子，再说他也不能跳上岸来呀，你一定是骗我。我可不能相信你，我应该相信自己的眼睛，我是亲眼看见过青蛙的！"

小公鸡摇着头走开了，他坚信自己是聪明的。

玫瑰花和她的影子

玫瑰花生长在小河边。当她低头俯望时，就在小河里看到了自己美丽的影子：鲜艳的面容，娇嫩的皮肤，婀娜的身姿。她十分得意。

可是，她听一只飞来歇息的花蝴蝶说：她之所以那么美丽，那么鲜嫩，完全是由于埋藏在泥土里的根的作用。这使她十分不平。

"我的美丽，我的香气，完全是我自己的，和它有什么关系呢？"她低头望着河水里的影子，影子像跳舞似的摇动着腰肢。她不禁想："但愿我能和影子调换一下位置，我还照样地美，但是根本用不着根，而且自由自在，不像现在这样拴在这里不能动弹。唉！什么时候从这讨厌的枝子上飞开，该多好啊！"

有一天，微风把她一瓣一瓣地从花托上吹到水里去的时候，她真高兴极了，不禁对自己说："这下可好了，我总算可以跟我的影子对换一下位置，跟讨厌的根断绝关系了——我想到它竟跟泥土粘在一起的时候，真是恶心！"当她终于四分五裂地躺到河水里以后，更高兴地发现：影子里的玫瑰花已经不见啦，这不正是让位给她的表示吗？

可是，还没等她构思好讽刺根的辞令，就被河水给冲走了。

1961 年《中国青年报》

气度轩昂与柔情一露
——谈话剧《武则天》中的两个细节

步法

古人作画有所谓"六法","六法"之首便是"气韵生动",演员要塑造活生生的人物形象，看来也首先要表现出人物的风度、气韵，只有这样，人物的性格特点、精神实质才能使观众一目了然，印象深刻。

在《武则灭》一剧中，武则天的第一次出场安排在舞台上的人物和观众的共同意料之外，因此，武则天的"亮相"便具有特别重要的意义。若是戏曲，这一出场便不妨借助于锣鼓的渲染与夸张的动作、表情取得效果，然而在话剧中，这样的处理难免有生硬造作之感。朱琳扮演的武则天是怎样出场的呢？她随着宫娥闪现在太子贤书房门口后，略事环视，便用从门口走至室中的几个步法，一下子把这位不寻常的女政治家的气度点化了出来，刹那间就说服了观众：进来的正是想象中的武则天。这简单的几步，真具有"一锤定音"的妙处，如果不是煞费苦心地加以琢磨凝练，是不可能给人这么丰富的感染的。武则天是持有强烈自信心和饱满热情的女当权者，她举步的步法自然和一般贵妇不同，绝非华靡纤巧，而是款款自如、气度轩昂，朱琳恰如其分地体现出了这一点；但武则天此刻并非临朝理事，而是来探望亲子，所以其步法、态度在端庄之中又要有亲切，在闲散之中又不失严正；及至她和太子贤谈"道德经"，和上官婉儿谈诗，或坐或倚，或举步轻踱，或微微拊掌，朱琳都丝丝入扣地把武则天的品格风韵展现在了观众眼前。

柔情一露

如果说武则天给人的通体印象是气度轩昂、端庄自若的话，那么，第二幕第二场凌波宫殿审问太子贤时，她那柔情一露的表现便特别耐人寻味。

"皇族犯罪与庶民同罪"，这是武则天坚定不移的惩罚原则，然而在实行起来时却不可能从来都是毫无内心斗争的。太子贤的谋反是由于听信谗言，否认自己是她的亲生儿子，这不能不令武则天万分痛心。在高宗愤激训斥太子贤时，朱琳用急促的踱步与频频拊掌来体现武则天心中的悲痛与愤怒；及至最后定下了对太子贤的惩罚后，太子贤忽然跪到了她的面前，似有欲认亲母之意，于是武则天在一瞬间似乎顿失磅礴的气度，低首弯腰，轻抚太子的脸面，两人目光如雷电交接，在几秒钟内似乎有冲破隔阂、抱头一哭之势，然而随即是太子贤的猛然起立，甩袖怒视而去，武则天呢？也便随即恢复常态，刚强地站立起来，铮铮有力地宣布惩治太子贤的命令。这几秒钟的"柔情一露"的场面，非但没有削弱武则天那轩昂的气度，反而使武则天这一人物形象具有了更大的真实性，在观众心中留下了极深的印象，久难忘却。

1962 年 7 月 26 日《北京晚报》"五色土"副刊

小小图画展览会

枝蔓纵横的葡萄架下，现在正举行着小小的图画展览会。孩子们把各家的椅子都搬了出来，拼在一起，牵上线线，把一幅幅五颜六色的图画用曲别针别在上面，嘀，还真像样子呢！

图画的作者——孩子们自己充当招待员，他们拉来了姥姥、爷爷、妈妈、爸爸、阿姨、叔叔……争着要他们先看自己的画，还要他们给提意见。

这些画全是他们在假期里画的，画的全是愉快而有意义的假期生活，看，阿香画的景山，红墙包着绿树，绿树绕着红墙，绿葱葱的山上露出黄橙橙的亭子来，隐隐约约还有飘扬的队旗和穿着白衣在游戏的少先队员……大家看得不住"啧啧"地咂舌头，啊，旁边还有她画的北海儿童温课室，美人蕉在窗户下陪着一群孩子温课，画面当中的那个女孩表情多么专心啊……小建画的"我给全家洗衣裳"吸引了一大群人，小建的姥姥看着直点头，连连说："对，该画上，小建这孩子从前连自己的手绢都懒得洗，这次假期里可真为家里做了不少事！"咦！大家又在笑什么！原来六岁的林林的画也挂在这里了。爷爷问他："你还不是小学生呀，怎么也参加展览？"林林把嘴一撇说："我再长大点就是学生了呀！"原来他画的正是自己背着书包上学的样子。

大家一幅幅仔细看，一幅也不放过，阿梅画的是种白菜，克江画的是放滑翔机，龙龙画的是小小合唱队在表演，小明和小亮画的是"东方二号"上天，路路不但画了画，还在画上写了几句诗……

小小图画展览会，说明了孩子们度过了怎么样的一个暑假。大人们看完图画，再端详端详长高了、晒黑了、变结实了的孩子们，一个个脸上不禁浮起了满意的微笑……

1961 年 8 月 19 日《北京晚报》"五色土" 副刊

从独木成林说起

"独木不成林"，这句俗话道出了一条普遍真理。是呀，一棵树怎么能形成一座森林呢？

但是，世界上却居然存在着一种大树，它就能"独木成林"！这种树生长在印度的山地，被称为印度榕树。它的阴影面积竟可以达到一公顷。原来，这种树有一最大的奇特之处，就是树枝成长到一定阶段就会自行长根深入地下，逐渐长成一棵新的树干。这样，除了主干以外，一棵印度榕树还拥有几十棵、几百棵树干，形成一座茂密的森林。

这就说明了世界的复杂，许多事物除了它们之间相同的共性即普遍性之外，还有各不相同的个性即特殊性。

我们都知道，许多动物是吃草的，这是常识。但是你可知道，有许多种草却是吃动物的。比如在我国广东一带有种叫"落地金钱"的植物（学名叫茅膏菜），它长在原野湿地上，高尺余，上面开着的花和小菊花相似，它就能吃蚂蚁、苍蝇之类的小动物。这些动物落到了它那紫红色的、有毛和黏液的叶子上，马上就会被包起来，不到一两小时就会被消化掉。在东非海岸，甚至还生长着一种会吃人的树。粗大的叶子上满生着尖刺，不论人或野兽，一碰到它的树叶，立刻会被紧紧裹住，越是挣扎，它越缠得紧，直到人或野兽血肉模糊死去为止。

我们知道，一般动物是雌性带子，但是海马却是雄性带子的；一般鸟是会飞的，但是驼鸟却是不会飞的；赤道是地球上最炎热的地带，但是那里有一些山却是终年白雪皑皑。这样的例子是说不完的。

其实，世界上一切事物都是千变万化、各不相同的。西欧一个古代哲学家曾以"一个人不能第二次进入同一条河流"这句话来形容事物的变化和复杂。这种情形，不但在自然界中存在着，在社会现象和思想现象中也是同样地存在着。每一种社会形式和思想形式，都有它的特殊的矛盾和特殊的本质。甚至可以说社会现象和思想现象往往是更为复杂的。世界既然是如此复杂，这就要求我们的头脑也必须复杂化，也就是必须对具体事物进行具体分析。教条主义者是思想懒汉，他们总是想用固定的公式去硬套一切事物，其结果只有碰壁而已。

必须认识事物的特殊性与复杂性，但是又不要迷失在特殊性与复杂性中，看不到它们的共性和普遍性，就好像只见树木不见森林，这样就将成为鼠目寸光的爬行主义者和否认事物客观规律的不可知论者。因为每一个事物内部不但包括了矛盾的特殊性，而且也包括了矛盾的普遍性，普遍性即存在于特殊性之中。中国古代哲学家所说的"毕同毕异"和"相反相成"正是这个意思，科学家并没有因为海马外形不像鱼而把它排斥在鱼类之外，也没有因为文昌鱼外形像鱼而就把它当做鱼，就是因为科学家能在事物的特殊性中认识事物的普遍性。

通过具体地分析具体事物，辨别事物的特殊性，从而去发现和运用事物的共同规律，这是我们的目的。

1961 年 8 月 20 日《中国青年报》

回声及其他

——谈《红色娘子军》的两个场面

影片"红色娘子军"里有许多好场面,给人留下深刻的印象。

洪常青牺牲的场面,是影片中激动人心的场面之一,导演把这个场面处理在大青树下,让红光笼罩洪常青全身,当敌人把他绑在树上,放火烧他时,他激昂高呼:"中国共产党万岁!"口号声未落,却在周围的群山里发出了洪亮的回响——"中国共产党万岁!"这洪亮而雄伟的回声,象征着洪常青烈士的永垂不朽,也象征着"杀了洪常青,还有后来人"。观众在这回声的震动下,看见了琼花那化悲为愤的表情,理解到了革命战士前仆后继的精神来源。当观众走出影院以后,耳边仿佛还响着这动人的回声。

恶霸南霸天最后一次被捕的场面也是深刻有力的,他颓然地坐在椅子上,装腔作势地吼:"我杀身成仁!我捐躯!"仿佛他倒是个顶天立地的英雄似的。但是,当琼花真的把刀子扔给他的时候,他却如瘫痪了一般,目瞪口呆,全身发抖,这就完全暴露了他那"狼心兔胆"的本质。最后,他却又想趁外面炮火最猛烈时拾起刀来,作逃走的打算。这样,他那反动到底的本质也就活生生地揭露出来了。所以,当琼花怀着愤怒与蔑视向他连续射击的时候,观众真是觉得大快人心,一致鼓起掌来。

类似的场面在影片中还有不少。这说明导演对每个场面的安排,都花了一番心血,这种精神是值得称道的。

1961 年 8 月 23 日《北京晚报》"五色土"副刊

窗 影

　　我批改完最后几本作业，站起来挥动了几下臂膀，就推门走到院子里，想清新一下神志。月亮才上树梢，透过树枝像在和我打招呼。深秋的夜晚有了明显的凉意，但空气却格外干净、滋润。

　　忽然，对面小林家的窗户引起了我的注意，玻璃窗上清晰地映着小林和她弟弟的影子，一个坐着，脑袋一动也不动，一个站在后面，两只手在坐着的弟弟的头发上移动着，我正疑惑呢，忽然听见说："姐姐，你到是想怎么着呀？说是要给我剪个小分头，怎么倒剪成平头的样子啦？"啊，原来小林又在练习手艺呢。小林是我教过的学生，今年暑假以后参加了服务行业的工作，成了理发员，没想到她回到家还这么钻研。只听见她说："我都要练一遍呀！先给你剪个小分头，再剪成平头，末了，再给你剃个光头。各样都练练，你就帮助我一下吧！"话没说完，坐着的一下子蹦了起来。只听弟弟大声嚷："我不干！我不要光头，明天到学校同学们会笑的！"姐姐笑了起来，两个影子一下子都消失了，大概是姐姐放弃打算了吧。

　　我不禁又调转身往西屋的窗户望了望，只见一个身影忽大忽小，来回移动着，浓黑的影子旁又逸出淡淡的烟影。啊，西屋的老张又在思考什么生产上的问题呢？也许他在酝酿一件什么革新？我仿佛看见了老张桌上摊开的图样和笔记，以及夹满字条、做满记号的一本本参考书。别惊动他，一个重要的问题正在他脑中盘旋呢……

　　我留心再瞧瞧东屋，东屋的玻璃窗上映出了一幅格外动人的剪影：华大娘侧坐在窗畔，老花眼镜架在鼻梁上，两只手在缝补着什么，这黑影轮廓格外细腻，传达出了华大娘的整个精神，是啊，在她脸上一定浮着自豪的微笑吧？她修补的不只是自己儿女孙辈的衣裳，她是街道邻里服务所的一员，每天都领活回来做，她和所有的服务所的妇女们一起，每天不辞劳苦地替全街居民做着后勤工作。我望望自己的衣裳，那补口处密密的针线不是注满了华大娘和她同伴们的心血吗？正因为她们这平凡的劳动，我才能用最多的时间工作、读书，不用为生活上的这些琐事操心。

　　我挨个看遍了全院的窗户，那窗影是多种多样的。啊，这一扇扇的窗户仿佛是一面面的银幕，上面正放映着一部部动人的电影，我望着望着，就望到了自己的窗户，于是就回到了屋里。是啊，在这动人的夜晚，我不是也应该在自己的窗户上放映出最动人的画面来吗？

　　　　　　　　　　1961 年 11 月 5 日《北京晚报》"五色土"副刊

冬 夜

摇篮曲

冬夜的天空好似布满波折的蓝绸，衬托出那月亮的明亮妖媚的脸庞。月亮从透明的薄云中露出半个脸来，好似含羞待嫁的姑娘。啊，在这静静的夜晚，是谁微吟着优美的摇篮曲？那幽雅动人的曲调在月夜的微风中荡漾，好似蒲公英的种子轻柔地飞向四方……

托儿所里，孩子们熟睡在排排小床上，一张张小脸好像鲜嫩的花朵，含苞欲放。乳白的窗帘透出朦胧的亮光，是阿姨打着电棒在小床间轻轻走动，"睡吧，小宝宝，睡吧……"她在心底里哼着这甜蜜的声音。不时为这个把踢开的被子重新盖上，把那露在外面的手臂轻轻放到被窝里。她细心地巡视着，风斗是不是透风，炉火会不会太旺；再看看墙上的温度计，冷热是不是相当；再检查一遍，窗户是不是透进了寒风，靠窗的孩子会不会着凉……

她仔细地巡视着，每一个细节都不放过。望着一张张带着甜蜜睡意的小脸，温暖和幸福注满了她的心房。

子夜

从北京站，飘来了隐约的叮咚的钟声；北海大桥上，静悄悄地。没有行人。亭亭玉立的灯柱上，倒挂下乳白色的华灯，北海和中南海中，倒映着金色的灯影。啊，冬夜，多么安谧，多么寂静……

从北京站，飘来了隐约的叮咚的钟声，大桥上笔挺的灯柱，陪伴着守卫的士兵。北风在天空高处盘旋，啊，冬夜，多么宁静，多么寒冷……

从北京站，飘来了隐约的叮咚的钟声，北海大桥上的解放军战士，迈着坚定的步伐来回查巡；耳朵在寂静中时刻警惕着，阵阵寒风冻不住他的眼睛，你知道他正为六亿人警卫着中南海，啊，六亿人托付给他的责任有多么神圣！

为了美好的清晨

深夜的柏油路面上，晃动着一个个高大的身影，好似马路的保姆，清洁工们精心地扫除着路面的污秽和灰尘。他们紧握手中的笤帚，一下一下把路面清扫干净；他们喷洒出晶莹的水雾，把路面变成巨大的明镜。看，那沿路的排排华灯像在顾盼自己婷婷的倒影；看，那天上的银河像在嫉妒人间路面的明净……啊，清洁工们在装扮着首都的街道，为了人们能有一个纯洁美好的清晨……

1961 年 11 月 23 日《北京晚报》"五色土"副刊

水仙成灾之类

　　水仙是一种很可爱的花，古代诗词中描写到水仙花时，总喜欢用"冰肌玉骨"、"淡扫蛾眉"之类的词句，形容它的纤弱、娇嫩。西洋也有水仙，译名叫水风信子，叶片攒簇，花从中央诞生，一朵朵如倒挂的钩子，和我国的水仙颇有差异，传到我国来后，曾被人冠以佳名，如紫色的被称作紫云囊，白色的被称作白萼仙……可见也是相当秀丽、娇嫩的。

　　但是，信不信由你，就是这么娇嫩、纤弱的一种花，却曾给人们带来了极大的灾害。事情是这样的：一些旅行者从巴西带回了一些美丽的水风信子种子，把它们播种在刚果的花园里，谁知不到一年的时间，它便盖满了刚果绝大部分的河流、湖泊、沼地、港湾、水塘，甚至于顽强地侵占农田，严重地影响了农业生产和交通运输，酿成了奇特的"水仙灾"。结果，刚果人民不得不花费大量劳动力去打捞，政府也只好派出大量船只，动用大批机械去和这些水仙花作战。结果单是这些就耗费了三十亿左右的美元。你看，水仙花就有这么厉害。

　　这样的事情并非是史无前例的，在上一世纪，一些澳洲人曾从南美洲移植了一些高大的仙人掌到澳大利亚去，为的是组成天然篱笆，以防野兽闯入住宅和畜群，用意也是好的。但是，没想到这些仙人掌也疯狂地繁殖起来，几个月内，便侵占了澳大利亚三分之二的可耕地和牧场。政府为此绞尽了脑汁，想了各种各样的办法，都不奏效，最后，还是有人发现了一个秘密：那就是南美有一种大蝴蝶的幼虫是专门吃这种仙人掌的，于是，政府便专门派人到南美去取得这种幼虫来，加以培养、繁殖，然后放到田野中去，经过一个时期，成灾的仙人掌才逐渐绝迹。

初看起来，这两件事似乎只是极其偶然的"海外奇谈"，其实是有规律可循的。

生物学家达尔文在《物种起源》一书中证明了生物之间的相互斗争、相互依存、相互制约的辩证关系。他指出，各种生物都在不断地以几何级数繁殖，按说世界上的生物总量也应该不断以几何级数向上增加，但是实际情况并不这样，这还不是因为每种生物都有本身的死亡，最主要的是由于生物相互之间、生物与其他自然因素之间是在不断相互影响、作用的。例如有的生物以别的生物为食，如动物食动物、动物食植物，甚至于植物食植物、植物食动物；有的生物却相互依存、你活我活、你死我死，或者有的依别种而活。而所有的生物则又必然与所处的环境发生关系，温度、水分、土壤、气候、气压、阳光、地形……这一切发生变化时，必然要引起不同生物的或大或小、或明或暗的变化。这样，水仙和仙人掌成灾的原因，用蝴蝶幼虫灭仙人掌的妙用，就容易理解了。

可见，水仙成灾这类事情是很值得我们深思的。事实上，世界万物之间也都有着千丝万缕的相互斗争、相互依存、相互制约的关系。当然，在考虑某一事物与其他事物的关系时，必须首先抓住顶重要的、顶关键的几条线，但绝不能不管事物之间的相互关系、不从整体上去看问题，"攻其一点，不及其余"，那样势必在世界客观存在的规律面前碰得头破血流。

1962 年 1 月 1 日《中国青年报》

赏梅迎春

梅树素来与松竹并称"岁寒三友"，然而松与竹只是终年常绿，梅树却能生气蓬勃地在严冬开花："雪虐风饕愈凛然，花中气节最高坚"——陆游的这两句诗很恰当地概括出了梅花迎着风雪开放的坚韧性格。

梅花又是春天的信使。陆游写到梅花时大声发问："向来冰雪凝严地，力斡 [wo] 春回竟是谁？"我们看到屹立雪中的红梅，不禁就会想到那艳杏娆林、缃桃绣野的春天快要到了。

我国人民特别喜爱梅花。它那苍老、蟠然的枝干与清香隽 [juan] 永的花朵，配合得非常巧妙，给予人强烈美感，历史上的诗人、画家，把它作为描绘的对象，人们喜欢把喜鹊登梅的剪纸图案贴在窗上，作为吉祥的象征。《梅花配》《红梅记》等戏曲都把梅花当做坚贞不屈、忠于爱情的少女的名字。我国的人民甚至常常把梅花誉为国花，以它那种不畏严寒、不畏风霜、傲然迎春的姿态来象征中华民族英勇奋斗、意气风发的精神面貌。

梅树也与我国的水土结下了永远的姻缘。说来也奇怪，梅花只生长于我国，除日本有少数移植外，其他国家几乎都没有。梅树在我国可生长几百年，如超山的宋梅已生长了七八百年，今尚屹存无恙，可是一移植外国，即宣告生长不良，或无法成活。美国哈佛大学与德国柏林大学的植物园几乎包罗世界一切花草树木，然而就是没有梅花。

并非所有的梅树都仅是一种观赏植物，白梅的梅子叫做青梅，松脆味酸而汁多，食之满口生津（应注意的是，青梅中含有一种有毒的氢氰酸，所以不可多食）。青梅还可制成乌梅，药用能止泻、去虫、解热、镇呕。梅木也是一种极佳的木雕原料，梅核也可制成工艺品。

我国苏州的邓尉，杭州的超山，无锡的梅园"香雪海"，是江南以栽梅出名的胜地，每逢春梅盛开时，人们就络绎不绝地相携去赏梅。迎春赏梅，已经成为我国人民的一种民族习惯了。

1962 年 1 月 23 日《中国青年报》

直率的批评

一个星期六晚上，和一位同志去看《烽火列车》，回来以后一谈论，两人对它都不满意，后来陆续来了些看过这部影片的同志，和他们谈，也都说"不好看"、"没意思"，这引起我的深思：同志们不满意的是在什么地方呢？

应该指出：《烽火列车》这部影片的题材是有意义的，内容本应该是激动人心的；但是，不能不严正地指出，它在艺术上太粗糙了，艺术感染力太差！首先是剧情的安排，既生硬而又公式化，观众只要看到五分之一的地方，就能猜出以下五分之四的故事发展；人物的性格也不鲜明，只能算是些抽象的概念；演员的表演也太做作（这当然与无戏可作有关）。我不是影评家，也不想在这里对《烽火列车》作全面的艺术分析，我只是想通过它指出：直到目前为止，我们有些电影工作者确实还未能在影片的艺术性方面下工夫，以至远远落后于观众的要求。类似的影片如《铁道卫士》《友谊》《向阳花开》……老实说，也全都不能受到群众的喜爱，甚至使我们发出了惋惜的感叹：这些影片的主题和内容本来应该是极为激动人心的，观众在看它们之前都抱有满腔的希望，但是，由于缺乏艺术性，这些影片的思想内容不能得到生动感人的表达，这是多么令人遗憾啊！

尤其值得指出的是，这些艺术性极为不高的影片，有的并未受到应有的讨论或批评，相反，从某些有关评论文章中看来，还肯定了它们，赞誉为'感人至深"、"具有魄力"甚至"革命激情洋溢"、"革命浪漫主义气息浓郁"等等。很明显，这类影评是很不对头的，不但是一种对影片不负责的表现，而且无形中也就贬低了一些在思想性、艺术性上都达到一定水平的优秀影片的价值，因为这些影评者显然把它们和后者并列到了一起。这样一律"捧场"的态度无疑是有碍于影片的艺术水平的提高的，并且也与毛主席《在延安文艺座谈会上的讲话》中提出的批评标准相违背。他们只记住了"政治标准第一"，而忘记了"艺术标准第二"。

当然，我们大多数电影工作者无论在思想水平上和艺术修养上都在不断提高，这从他们不断创作出的优秀影片就可以看出，这些影片不但有着强烈的革命思想内容，对观众起着极大的鼓舞作用，也有较高的艺术性，能够把革命思想通过生动有力的艺术形象和巧妙而新鲜的构思表现出来，使观众能够永远把它铭记在心中。建国十周年时一批优秀影片且不必再举例，就是最近上映的《革命家庭》《洪湖赤卫队》等，都能算是这样的影片。我和同志们有个普遍的感觉：当我们在假日休息时间看过这些影片以后，不但在思想上得到了提高，而且也得到了很好的艺术享受，得到了真正的、有意义的休息。

我写这篇文章，主要是受到了同志们的怂恿。我们之所以要对一些艺术性太差的影片提出这样直率而尖锐的批评，主要是为了督促电影工作者们在重视思想性的同时，也尽量注重提高一下影片的艺术性。这些意见可能太直率或许不正确，而且缺乏具体的分析，但是希望得到应有的重视！

1961 年《大众电影》杂志 8 月号

和邮票交朋友

端端和爸爸都是集邮的爱好者，每到假日，父子俩总要到集邮公司去溜达一阵。

集邮公司的四壁和方柱上的橱窗里，琳琅满目地陈列着各式各样的邮票，好像花团锦簇的花坛，强烈地吸引着顾客。每次到了集邮公司，端端的爸爸总是专门到各橱窗前去欣赏、挑选关于体育运动的邮票，他是个体育工作者，集邮不但是他的业余爱好，也直接帮助了他的工作呢！至手端端，一到集邮公司，心里就禁不住痒痒。唉，有意思的邮票真是太多啦，本来，端端恨不得什么都要，可是，售货员大哥哥和爸爸都劝他专门搜集自己最心爱、对自己帮助最大的。于是，端端就专门搜集关于各式各样的农作物，以及珍禽异兽、奇花异草的邮票，因为端端是学校里生物小组的组长，大伙都说他知道的生物种类最多，其实，有不少种他都是从邮票上知道的呢！

有一次，顾客不多，售货员大姐姐发现端端对生物邮票感兴趣，但又不认识上面的外文，就一张张地讲给他听：这种尾巴像琵琶的鸟，叫极乐鸟，产在南美洲；那是专吃老鼠的猫头鹰，别看它样子凶，其实是人类的朋友；那又是懒杜鹃，自己不做窠，专把蛋下到别人窠里……端端听完好奇地问："大姐姐，你认识的外国字真多啊！"大姐姐说："我也不认识，不过，为了使顾客能从邮票上得到知识，我们请教过认识外文的人……"的确，售货员大姐姐、大哥哥处处为顾客着想，时常向大家介绍邮票内容以及保存邮票的办法……有一次，集邮公司的大哥哥还到端端他们学校去办了"邮票故事会"呢。

在集邮公司里，端端交上了不少大朋友和小朋友。有个解放军叔叔，他专门搜集各国建军节的纪念邮票。有个大眼睛的阿姨，集邮簿里全是印着演员、作家、美术家、音乐家头像的邮票，以及所有政治纪念日出的邮票……当然，这里最多的还是和端端一样的红领巾，有的和端端一样，迷上了动植物，有的迷体育运动的邮票，有的专门收集英雄肖像……至于建国十周年、党四十岁生日出的邮票，关于长征、二十六届世界乒乓球锦标赛的邮票，那差不多每个人的集邮簿上都有，谁不想把这些具有重大纪念意义的邮票，贴在自己集邮簿最重要的地方呢！……

每当端端从集邮公司出来，心里都不禁说：邮票真是个迷人的、有意思的好朋友！

1962 年 1 月 25 日《北京晚报》"五色土"副刊

邮包的故事

上星期六，我刚走进教室，同学们就一窝蜂地围了上来，抢着对我说："王小斌，有人给你寄邮包来啦！"我猛一听，真是丈二和尚摸不着头脑，懵懵懂懂地问："什么包？谁给我的？"

这时候，中队长陈洪友捧着一个四四方方的纸包走到我面前，把它塞到我怀里，指指包上的字说："瞧，这不是？上面写着你名字呢。"

我一看，果然是个邮包，外面细心地包着厚厚的一层报纸，还用绳子捆了好几道，上面写着："北京铁营小学·王小兵同学收"。"咳呀！这不是我的，我名字最后一个字不是这个'兵'！"我禁不住叫了起来。"我们已经替你问过啦，除了你，咱们学校没叫王小兵的了，准是寄信的人一时马虎，把名字给写错啦，是你的，没错！"陈洪友对我说，还挺好奇地问："是谁给你寄来的啊？快打开吧，小斌，让我们也瞧瞧是什么东西；"

我把邮包三下两下拆开了，原来是五本书！《星星火炬》《王若飞在狱中》《宝葫芦的秘密》《小黑马的故事》，还有《海防少年》！同学们见了都抢着翻看，有的就说："小斌，跟你约好啦，看完借我啊！"我高兴得只是咧着嘴笑。原来是这么多好书！到底是谁给寄来的呀？我连忙对大家说："先还给我吧，到底谁寄来的我还不清楚，没准根本不是我的呢！"这时候，张玉泉捧着《星星火炬》蹦到了我面前："啊哈！怎么不是给你的？瞧，书里夹着个纸条呢！"我连忙接了过来，只见上面写着：

王小兵同学：你还记得我吗？上次我出差到你们这里，由于疏忽，把钱包掉在电车上了，多亏你和售票员同志到处找线索，才在旅馆里把我找到。现在我已经回到了工作岗位，寄上几本书给你，希望你把优秀品质保持下去！

信上的署名是"抚顺煤矿××部张广田"。看完一遍，我又看了一遍，于是，我连忙去把同学们手里的书收了回来，大声地对大家说："错啦！这些书不是给我的！是给另一个叫王小兵的！"张玉泉皱起眉头问："怎么错啦？你上次在电车上拾到钱包的事，我们都知道嘛，这明明是给你的书啊！"大伙儿都说："是呀！"

"不，我记得很清楚，上次我拾到的钱包是一位陈叔叔的，他不是从抚顺，而是从上海来的。真的，我绝对没记错！"我连忙对大伙儿解释。这下大伙儿都怔住了，纷纷议论开："真怪，怎么这么巧？你说这邮包不是给你的，可偏偏跑到咱们学校来了，咱们学校又只有你一个叫王小斌的！"

陈洪友说："这邮包准是寄错啦，'铁营'没准应该定'铁匠营'，或者'铁房营'，也许那儿的小学里有那么个王小兵，是他拾到张叔叔的钱包，张叔叔记错了地址，寄到咱们这儿来啦，偏偏咱们这儿真有个王小斌……"我们一致同意了他的看法。

放学后，同学们就陪我到邮局，把这包书按原地址寄了回去，并且写了一封信给张叔叔，说明这是一场误会。

没想到，前天我又接到了一个邮包，打开一看，还是这五本书，这下可真让我和同学们傻眼了，怎么回事啊？

原来，书里又夹了一张新纸条，上面写着：

王小斌同学：

来信收到了。原来那次拾到我钱包的不是你。真可惜，我把王小兵的地址忘了，只记得有"铁""营"两个字。可是，我还是把书寄给了你，因为你不也有和王小兵一样的好品德吗？这份礼物你是有权利接受的，希望你用这些书鼓励自己，永远前进！

　　　　　　　　　　　　　　你的不相识的叔叔

　　　　　　　　　　　　　　张广田

　　我把书紧紧捧在胸前，心里激动得很。其实，我和王小兵有什么值得夸奖呢？我们只不过做了应该做的事罢了，碰到别的少先队员，他们也会像我们这样做的呀！

　　　　　　　　　　　　　1962 年《儿童时代》杂志第 23 期

"预言家"和钱袋

在北京人民艺术剧院演出的《智者千虑必有一失》中，"预言家"马聂法只露过两次面，第一次，她身披黑袈裟，腆肚昂首，圆睁双眼，嘴里还不断地念念有词。她刚坐下，便双手左右摊开，大声祝福，葛路莫夫马上掏出十五个卢布放在她手中。这时，扮演马聂法的演员用一个鲜明的动作——摊在一边的左手急忙向接钱的右手一扣，随即急急忙忙把钱塞入钱袋。观众明白了：原来这位"预言家"是个挂着钱袋的财迷，葛路莫夫一定是想利用她干什么事，来达到自己的目的。

果然，第三幕中，再次出现的这位"预言家"从容不迫地"预言"出了马宪卡的未婚夫就是葛路莫夫的时候，那位笃信"乖申灵启示"的屠鲁茜娜大为震惊，因为她听说随马玛耶夫来访的正好是葛路莫夫。然而，扮演马聂法的演员却根据人物内心活动，又用一个鲜明的动作暴露了这位"预言家"的真谛。她禁不住得意忘形地拉起拖在脚下的钱袋，隔着袋子抚摸着葛路莫夫给她的卢布。这时，观众们不禁哄然发笑，原来"预言家"的"预言"都装在了这个钱袋里！

1962 年 9 月 7 日《北京晚报》"五色土"副刊

桂花飘香

天刚麻麻亮，曹大爷就起身了。校园里弥漫着乳白色的晨雾。绿色的矮松墙，红色的美人蕉，灰色的小楼房，在雾里显得朦朦胧胧的，像是还没睡醒。曹大爷操起笤帚，扫起校园里的石子甬路来。其实，昨天晚上他就扫过了，可是，夜里刮了阵风，他担心落叶把甬道弄脏了，于是再扫一遍。不让孩子们生活的环境里有一丁点不干净、不整洁的地方，已经成了他的习惯了，何况今天又是开学的日子呢！

他沿着甬道慢慢扫去，心里嘱咐自己：轻一点，老师们还没睡醒呢，今天他们又要走上课堂，可不能把他们吵醒啊！可是，当他扫到教室楼后柳树林边时，不禁怔住了。是谁在柳树林里轻声地朗读？他眯起眼睛一瞅，原来是新来的王老师，正在准备讲课呢！今天就要讲第一课了，心里怎么能平静？曹大爷想到这里，提起笤帚，蹑手蹑脚地走了开去。来到大门口，猛然嗅到一股甜香，啊，原来是放在那里的两盆桂花长骨朵了，米黄色的小花缀满酱紫色的枝丫。他停下脚步，猛吸着这醉人的香气，心里甜滋滋的。是啊，又有一批孩子走进这个大门了。

忽然，大门外有人叫"曹大爷开门"。门一开，孩子们就蹦到了他跟前，这个送他一张假期里画的画，那个递给他一架飞机模型……二年级的王纪明牵着弟弟，指着弟弟身上背的新书包，告诉曹大爷说："这是我给弟弟缝的，从今天起，他是一年级小学生啦！"曹大爷乐得合不拢嘴巴。不一会儿，孩子们的欢笑声、招呼声就把晨雾冲散了，初升的阳光给楼房和美人蕉镀上了金边，学校又恢复了暑假前的热闹……

　　一年级的新生大都是爸爸、妈妈送来的，他们有的活活泼泼，一点不认生，见了曹大爷就叫"大爷"；有的却很腼腆，牵着妈妈的手不放，两只眼睛不住地眨巴。碰见这样的孩子，曹大爷就走过去，弯下腰，和气地说："不怕，这就是你的家啦，瞧，你自己长大了，这里的东西比起托儿所的来，也长大啦，对吗？"孩子睁大眼睛望望四周，可不，操场大了，滑梯高了，秋千也长了。于是，他们感到自己确实长大了，就放开妈妈或爸爸，大方地和别的小朋友一起玩耍起来。

　　一个年轻的阿姨走进校门，手里没牵孩子。大爷问她："找孩子吗？"阿姨脸上泛红，不好意思地说："我是托儿所的阿姨，上班路过这儿，顺便来看看，今天新来的孩子，有好多是我带过的……"曹大爷点点头说："不放心？是吗？也难免，我们不会亏待孩子们的，瞧，他们玩得多欢畅啊！"阿姨顺着曹大爷指着的方向望过去，可不，到处是欢乐的人群，高年级的同学带着低年级的小朋友，老师、辅导员在孩子们中间讲着什么。她深深地吸了一口花香，两只眼睛闪闪地望了曹大爷一眼，喊了声："再见！"就走了。她心里感到像接力赛跑跑完了那样轻松。

　　曹大爷听着小学校里特有的孩子们的喧腾声，感到特别亲切。也许有人嫌这声音太吵人，但是，在这所小学校里工作了二十年的曹大爷，却觉得没有这样的声音就会寂寞。

　　上课了，校园又恢复了平静。曹大爷从传达室出来，操起笤帚，又扫起甬道来。那黄米一般的桂花，飘起更加浓郁的香气。

1962 年 9 月 12 日《人民日报》副刊

不如鸡狗

意大利影片《她在黑夜中》有两个难忘的小地方。

影片一开头，善良天真的卡比利亚被她的"情人"乔其奥推下河去。当她落汤鸡一般回到家中，明白了乔其奥原来是为了抢她的钱包才下此毒手的，她悲愤交集地哭着、骂着，她曾把爱情的希望全部寄托在了乔其奥身上，可是乔其奥竟会为了她的积蓄谋害自己，影片描写卡比利亚懵懵懂懂地走到鸡窝面前，把鸡抱出来，依偎在怀里，仿佛唯有它还能赐予她一些温暖似的。但随即她又把鸡扔掉了。这个微小的细节，烘托出了卡比利亚对人世温暖追求的极大绝望，加深了观众对那唯利是图的黑暗社会的憎恨与对卡比利亚悲惨遭遇的同情。

卡比利亚在绝望中意外地和赫赫有名的大名星巧遇。大明星由于失恋的无聊，把卡比利亚带到了他的家中，卡比利亚受宠若惊，但是大明星的情妇回来了，于是她就被关在储藏室里，她痛苦地抱起了一条关在储藏室里的小哈巴狗睡在一起了。这一细节，又充分地说明了她那如小狗般的可以随时被人玩弄也可以随时被人抛弃的身份和命运。

两个细节虽小，却很能说明卡比利亚这种下层人物，在资本主义社会里就如同鸡、狗一样，任人摆弄、任人宰割。

1962 年 11 月 3 日《北京晚报》"五色土"副刊

播 种

迎着和煦的春风，我把窗户打开。金色的阳光镀到桌上，把玻璃板下的一幅版画衬托得格外引人注目。那是我从一本杂志上剪下来的：在油黑的沃土上，一位雄壮的播种者高昂着头颅，纵情地扬开健美的胳膊，播撒着金星一般的种子；他的背后，是蔚蓝蔚蓝的天空，上面飘飞着朵朵白云……这幅题为"播种"的版画，第一次映入我的眼帘时，就仿佛烙在了我的心上，使我的眼睛一亮。我终于把它剪了下来，压在玻璃板下。每当我坐到桌前，拿过同学们的作业簿开始批改时，就不禁要凝视这图画一小会儿。我感觉到，我所从事的事业和这位播种者一样！不过供我播种的不是那一望无垠的沃野，而是孩子们那纯洁稚气的心田；我要把自己心中最美好、最实在的东西，一点一滴地播入到他们的心田，使那里只生长最美丽、最耐风霜、最茁壮的花木，将来，会从那里结出最丰硕的果实，像玉石一般光彩夺目，像金子一般熠辉灿烂……

我打开作业簿，像辛勤的农民紧紧地凝视着田地，不让一根杂草躲过我的巡查……这里有一个错字，帮他改正！这里要添上个逗点，并且附上：为什么？……一本本作业簿像一只只张满白帆的小船，给我载来了一个个的回忆，孩子们的小脸在我眼前依次呈现，他们的一笑一颦我都是那么熟悉。我精心地批改着作业，为的是播下一颗颗结实健壮的知识种子……

当我站在教室的窗外，等着第二遍铃声打响时，眼前时常浮现出版画上那魁梧雄壮的身姿，我立刻变得更加精神、更加严肃，难道每一堂课不是一次播种吗？

进了教室，望着一排排花朵般的小脸，我的心里荡漾着茏葱的春意。不管窗外飘飞着雪花，弥漫着风沙；不管窗外是冰凝琼枝，还是叶黄枯落，我永远精神抖擞，因为我永远是一个春天的播种者！

窗外的和风拂荡着绽出嫩芽的柳丝，红星星一般的桃花静静地微笑着，散发出阵阵馨香。教室里是那么安静，静得像没有一丝波纹的湖面，只有我，用激动的声音在那里讲着王若飞在狱中的故事。我望着孩子们一对对闪闪发光的黑眼睛，仿佛望着一扇扇发光敞亮的窗扉，窥见了他们一颗颗热烈地跳动着的心。我意识到自己在播种着最宝贵、最重要的种子，这种子会在他们心上开出最艳丽、最珍贵的花朵……

当我在桌旁坐下，又一次凝视着那扬臂的雄姿、豪迈的笑容时，就又感到一阵流过全身的自豪和激动。同时，严肃地再鞭策自己一次：你只能播下纯洁健壮的种子，你要对播下的每一粒种子负完全的责任，只有这样，你才能算是一个合格的播种者，你才能真正领会到播种的快乐与幸福！

1962 年《北京晚报》"五色土"副刊

银锭观山

　　我住在什刹海畔的银锭桥旁,说来值得骄傲,据老人讲,"银锭观山"的景色是与"玉泉清液"、"琼岛春荫"并列的"燕京十六景"之一,我没有查过典籍,无从知道是否有根据,不过我倒的确时常去领略"银锭观山"的情趣。

　　只要天晴,站在桥上朝西望去,那西山的景色是使人迷醉的。如果现在趁着日落之前来到桥上,将会看到湖上结着一层晶亮的薄冰,反射着珍珠色的天光;两岸簇簇垂柳尽作鹅黄色,或深或浅,参差交错;如眉的柳叶袅袅飘落,在冰上跳起芭蕾舞。抬眼向前望去,远远的湖岸边是一线蓊郁的黄绿色树丛,其后是鳞次栉比的屋顶与楼房,再往后,就是如鱼脊似的西山了。那黛色的山影,那山头上的杏色霞云,那从霞云后射出的银色日光,的确令人神往、引人遐想。

　　银锭桥的东头接着烟斗般的烟袋斜街。斜街的"烟嘴"通向鼓楼大街,"烟锅"就正落在桥东。从桥西朝桥东望去,错综复杂的屋脊檐角之后,就是一红一灰、一胖一瘦的鼓楼和钟楼。这一带的民房,是那么整齐,那么清爽,仿佛一切都刚用清水洗涤过。住在这里的劳动人民似乎都有爱花的癖好,你看,一年四季,桥畔的屋檐下窗台上,总种着、摆着各种花卉;春风刚把湖水染得透绿,这里的窗台上就摇摆着紫丁香,放出沁鼻的香气;金色的夏阳在湖心撒下一斛金珠时,绛红的美人蕉就像爽朗的少女,坦然地直立在家家门旁窗下;最逗人爱的还是秋天那吐着金丝的翠菊,仿佛是憋不住的一包笑,总显得那么喜气洋洋的。临桥的那家每逢春夏还搭起瓜棚,绿色的藤蔓不到几周就爬满了棚架,肥硕的绿叶在风中轻轻摇摆，撒下一片惬意的清凉。夏秋的傍晚，这里总聚集着一伙人，白髯的老人在下棋，大妈大婶一边呵呵谈笑，一边甩着蒲扇，孩子们或则唧唧哝哝地围作一伙讲故事，或则吱吱喳喳地东躲西藏地捉迷藏。

可是，旧社会里银锭桥畔的生活犹如一潭死水。我听到过许许多多的传说，据说离桥不远就是《红楼梦》里描写到的大观园遗址。这附近确实曾有几所大王府，而且临桥的几座大院，据说曾是王府奴婢住的地方，在那时，经常有受了污辱的年轻婢女到桥上对月空泣，最后把年轻的生命埋葬在湖水中；在苦难的年月里，不知有多少绝望了的人像她们一样，越过了这矮矮的桥栏，使第二天过桥的人们发出新的叹息……

今天，我又到桥上去，和往日不同的是，桥头人家的屋前院里都挂满了一串一串晾干的大白菜。我悠然地倚在桥栏向西望去，西山隐隐地从云雾中露出，紫蒙蒙的，爽人心目。我望着西山，心里却翻腾着关于银锭桥畔人们生活变化的冥想，是呀，银锭桥下的湖水，你就像一面镜子，如今你映照着多少欢乐和幸福！

1962 年 12 月 12 日《北京晚报》"五色土"副刊

笑从片头起

　　银幕上出现了两个模样相同的解放军战士，一个顽皮，一个腼腆，观众正惊讶呢，俩人说话了，寥寥数语，充满风趣——"他是我弟弟，我是他哥哥。""他是我哥哥，我是他弟弟。"——啊，原来讲的是这哥俩的故事——银幕上哥俩的语音未落，一支看不见的笔早把这俩形象涂成黑底白道勾出的图画，转瞬间，又一挤、一扯，就三个排列不齐的醒目大字——《哥俩好》，观众不禁乐出了声来……

　　然而导演的精心设计不止于此，随着节奏明快、旋律诙谐的音乐，字幕衬底上不断更换着黑线勾成的漫画，看不见的妙笔一忽儿勾出手持弹弓的二虎形象，一忽儿勾出爬在树上摄影的摄影师形象，一忽儿勾出伏桌举笔的作者的形象……最后是导演举指发号的有趣姿态……随着这一切，银幕上更换着演员、美工师、摄影师……编剧、导演的名单。观众虽然还不大清楚故事的详细内容，但已经被浓郁的喜剧气氛攫住。

　　片头之后，第一个镜头是一个笑嘻嘻、胖乎乎的活动人，身穿军装、手持"欢迎新战友"的标语，一摇一晃地像在打招呼，多么有趣味！全场一片笑声。

　　影片《哥俩好》的导演，就这样利用片头渲染出了喜剧的气氛，使观众从片头起就不断发出轻松愉快的笑声，又用第一个镜头一下子把观众带入了喜剧的意境，同时，也用这镜头巧妙地代替了许多累赘的说明：故事发生在部队中，开始在欢迎新战士入伍的时候等等，真是简捷明快、妙趣横生，片头字幕和头一个镜头，只是整部影片极微小的一部分，然而这里面体现了导演别出心裁的创造，作为一个观众，我不能不赞美这成功的艺术处理！

1962 年《北京晚报》"五色土"副刊

孩子在读哪些书

放学后，在教室的一角，两个孩子正在聚精会神地看着什么书，看得是那么津津有味，甚至我走到他们旁边，都没被发现。

书上的安公子、十三妹等字样告诉我，这本书是《儿女英雄传》。我问孩子们，书是从哪儿借来的。一个孩子立即说："不是借的，是我爸爸的。这本书可神啦！"

……

这里，我不想说后来我是怎样向孩子们做工作的。我只想说，孩子们的回答，给了我一个新的提示，我们做了一些调查，发现孩子们阅读的一些不适合他们阅读的书，除了学校和校外图书馆的以外，孩子们的家里也是一个重要的来源。

就拿《儿女英雄传》来说，这是一本内容上有极大糟粕的旧小说，孩子的家长可能了解这一点，但是他们并没有把它好好收起来，或慎重处理掉，或告诉孩子们不要看这类书，而是随意扔在书架上，被孩子们看到了。还有的家长，把一些自己也不看的破旧图书，随便堆在床下或破箱里，而这里面时常会出现引起孩子好奇心的《施公案》《青城十三侠》等坏书。孩子们看这些书，马上被剑侠之类的离奇情节所吸引，毒素无形中注入孩子的心灵，产生了不良影响。

上面说的是坏书。我还以为，即使是一些并非全是糟粕的书，如十八、十九世纪的某些中外古典文学作品，甚至是在文学史上占有相当地位的优秀古典文学著作，由于接受能力的限制，恐怕也是不适合初中以下学生阅读的。

孩子们的求知欲望是相当强烈的。他们看什么书合适，教师和家长都要关心，做正确的指导。作为一个教师，我想提醒家长们都来关心孩子阅读课外书的情况，在给孩子们借好书，买好书、介绍好书的同时，希望家长们也能做好自己家里的图书管理工作。

1963 年 5 月 29 日《北京晚报》"五色土" 副刊

给大院写历史

真没想到，这个暑假，我成了院里孩子们的一个顾问。不信你来看玻璃板底下压的那份"聘书"：孩子们用鲜红的星星火炬装饰了一角，在下面用工整的墨笔字写着："聘请刘老师作我们的顾问"。"大院历史编写委员会"后面还郑重其事地写明了年月日。

这是怎么回事呢？说来话长。记得往年放暑假，每当深蓝色的夜空中星星点起了小灯笼的时候，院当心那株老槐树下，总有一群孩子，围成个马蹄形，听后院文奶奶讲故事。文奶奶是街道委员，又是孩子们校外活动组的辅导员。她给孩子们不是讲牵牛织女，就是讲猪八戒吃人参果，可到了今年，放假头一天晚上，文奶奶却对孩子们说："其实咱们大院，也有不老少故事呢！"孩子们一叠声吵吵："咱们大院能有啥故事呀？"于是，文奶奶摇着蒲扇，不紧不慢地讲起了我们这个大杂院的历史：从前这儿都住着些什么人，从前人们得交多少种税，恶霸怎么到院里来欺侮人；警察怎么三天两头来收自来水捐，可自来水压根没安，大伙怎么在喝臭井水的苦日子里煎熬；还讲了大伙怎么掩护地下党员洪大叔的故事……末了，文奶奶语重心长地对孩子们说："这些事，可就出在咱们落脚的地方，你们听完可得思量思量，你们今天该多福气！"

就打那天起，院里的孩子们在小红、玲玲几个大孩子带领下，叽叽喳喳地商量了一阵，成立了一个"大院历史编写委员会"，决心给大院写本历史。他们决定让文奶奶再讲些，把她讲的都记下来，再分头去访问别的老人，凑成一本，"好让以后咱们院的小朋友永远也别忘了过去的苦日子"，我呢，就被聘请当了顾问，任务是修改他们写出来的文章，提供编写、编排方面的意见。我一嘴答应了。到今天，已经帮他们改了两篇文章，一篇是《大院门外的车祸》，写从前美国兵的吉普车怎么压死了我们院捡煤核的小三；一篇《雷雨中的大院》，写从前一下雨，院里的污水就往屋里灌，大伙怎么在"水灾"中呻吟的情况。我一边读着，一边望望如今垫得又平又硬的院子，望望闪闪发光的自来水龙头，听着满院的欢声笑语，心里洋溢着说不出的又欣慰又严肃的一种感情。

今天早上，文奶奶又被孩子们包围上了，大声地念着什么。大家在向她汇报今天的活动情况呢！我不禁对文奶奶说："奶奶，您可真是孩子们的好老师啊！"文奶奶笑得两眼变成了两弯月亮，说："这暑假，孩子们又多了种有好处的活动，我花点力气引导引导，值不了什么，就盼着大伙都能支持孩子们，让他们多长点见识……"

1963 年 7 月 24 日《北京晚报》"五色土"副刊

幻灯晚会

马缨花飘出阵阵馨香，
小院里闪着一道银光，
幻灯晚会正吸引着全院的人，
小明和小华边演边讲。

老奶奶忘了挥动蒲扇，
老爷爷悄悄把眼镜戴上，
小伙伴们用拳头托住腮帮，
睁圆的眼睛像星星闪亮。

尖鼻子地主引起阵阵轻骂，
小妮子的屈死让人痛断肝肠，
忽然映出解放军的队伍，
小伙伴们巴掌拍得山响……

幻灯晚会在笑声中结束，

小明和小华俩心花怒放，

马缨花树早已闭上叶儿睡去，

他俩还在把下次的节目商量。

1963 年 7 月 21 日《北京晚报》"五色土"副刊

听完奶奶讲的故事

听完奶奶讲的往事，
我慢腾腾地回到屋里，
爸爸正在灯下写字，
粗大的手指捏着钢笔。

我悄悄靠近爸爸的胳膊，
盯着那块伤疤叹气，
原先我以为是爸爸小时候贪玩，
爬树摘枣摔坏了肉皮。

这才知道是地主用滚烫的烟锅，
使劲贴在爸爸的胳膊肘里，
只因为他在地主院外捡了块破席，
风雪天用来遮遮身体！

我猛地靠在爸爸的粗胳膊上，

心里又恨、又急、又喜，

不知道对爸爸说什么才好，

只是紧紧把红领巾握起……

　　　　　1963 年 8 月《北京晚报》"五色土"副刊

鲜花与牛粪

"鲜花插在牛粪上",这话含有无限惋惜的意思,似乎鲜花和牛粪是格格不入的东西。前几天从电台广播里,听到一位林场工人的讲话。他今年七月才高中毕业,乍到林场时,也不禁感到自己是一朵鲜花插到了牛粪上,有说不尽的委屈。但短短的两个月,已经使他感到高中生到林场不但不是"屈材",倒是"缺材"了。他说他要在"牛粪"上生根发芽,开花结果,让自己的青春变得比鲜花更绚烂多彩,馥郁芬芳。

这话说得很好。牛粪在一般人眼中确乎是又脏又臭的东西,林场在懦夫的眼中也确实是又累又苦的所在。但是鲜花离开了泥土粪肥又怎得保其鲜艳?青春脱离了艰辛的斗争又怎能永葆不衰呢?鲜花要从泥土粪肥中汲取养料,青春也必须要从克服困难中获得热力,这位年青人果断地选择了一项艰苦的工作,面对着他的肯定是一连串的困难和问题,但他有扎根发芽,开花结果的决心和毅力,我们相信他的前途将是无限美好的。

仔细琢磨起来,一切鲜艳的花朵都离不了"肮脏"的粪土,荷花是出于污泥而不染,牡丹又何尝是种植在金沙玉粉里的?轻视粪土,正是轻视花之根本,如果一株鲜花非要自拔于粪土不可,想来离枯萎也就不久了。那些轻视、逃避艰苦劳动,贪图安逸的人,常自认为鲜花,但由于他们不甘插到粪土上去生根发芽,往往精神委靡,胸无大志,很早就丧失了朝气与冲劲,实在只能算是秋风中的枯叶,没有多大用处。看来,他们要想改变自己,唯一的办法恐怕还是把自己这朵"鲜花"

大胆地插到"牛粪"上去。

"鲜花"乍插到"牛粪'上，一些眼光不明的人看来当然会说不少闲话。但当你把根须深深地扎下去，从"牛粪"中不懈地汲取养料，成长壮大，开花结果以后，你自己的心情又将如何呢？那时，你将会自豪地对那些人说："我选择的道路是完全正确的。"

1963 年 11 月 22 日《北京晚报》"五色土"副刊

抬头与低头

据雷锋生前的战友说，雷锋每听到别人的表扬时，总是默默地低下头去，每听到别人的批评时，总是抬起头来，注意地听着。这抬头与低头之间，有多少值得我们细细体会的道理。

按常情，听到表扬时低下头去是表示谦逊，似乎不难做到，但听到批评时却抬起头来，有人就不免觉得有些难以学习了。我们有些人听到批评时，心里总有股不好受的滋味，尤其是当着众人，批评得尖锐时，低头仿佛是自然而然的姿势，要抬起头来，恐怕是难上加难的。其原因何在呢？恐怕最主要的，是自己心中的那把小算盘在作祟。人家那边在批评，这边就在用无形的手指拨弄着算盘珠，算算个人的得失，算算个人的面子，算算这批评里有多少委屈，算来算去，头，也许就更低了。

雷锋为什么就不一样呢，看来，只有到他那崇高的生活目的那儿去找答案。他是真正作到了毛主席指出的全心全意为人民服务这一点。而我们有些人却常常不是这样。不能像雷锋那样只长一个心眼，而是在为人民服务的心眼旁边，还暗藏着一个个人得失的心眼，所以，也就不能以雷锋的态度去接受批评。

低头也好，抬头也好，只不过是简单的动作和姿势，要作到也不难。然而，要真的在思想上具有低头和抬头的感情，就不那么容易了。有些人在听到表扬时确乎是把头低下去了，而那沾沾自喜、得意忘形的情绪，即使不外露，也是暗藏于内心的，这种低头和雷锋的低头，岂不有天地之别？要作到雷锋那样的低头，看来也必须努力使自己具有像雷锋那样全心全意为人民服务的精神。

正是由于雷锋把自己一点一滴的成绩都算在党和集体的账上，正是由于雷锋把自己的每一个哪怕是极细微的缺点都看做是对党的利益、集体利益的损害，一句话，正是由于他作到了一切从党的利益出发，从人民的利益出发，所以，他才在表扬面前低下头去，在批评面前抬起头来。我们学习雷锋的抬头与低头也正是要从这儿学起才是。

1963 年 12 月 15 日《北京晚报》"五色土"副刊

上 弦

钟表需要及时上弦，才能永不停止走动，人的思想也需要及时"上弦"，否则就难免停滞和倒退。

什么叫给思想"上弦"呢？简单地说，每到一定的时期，坐下来静静地想想，总结一下这一阶段自己思想上的进步，分析一下这一阶段产生的问题，找出解决的办法，最好能定期征求一下同志们的意见，有意识地阅读一些有关思想修养方面的书籍；经过这样的"上弦"，犹如钟表又获得了饱满的动能，下一阶段的工作必然又能有条不紊地进行下去，而自己的思想也必将在一次次的"上弦"过程中获得切实的进展。

然而，有些人推托于"思想进步是每时每刻都应该注意的，完成每件工作的过程中就有了进步"，不愿意定期"上弦"，这是不对的。思想的提高当然不能只靠总结，但常做思想总结，无论如何对我们是有好处的。既可以巩固住自己的进步，又可以找到思想意识中还存在的问题，有目的有步骤有计划地来逐个攻克。

也有些人懒于做思想总结，把定期检查思想当成一种负担，怕在"上弦"的过程中与自己的"潜在意识"正面交锋，不敢于主动和思想中的非无产阶级思想斗争。其实，这是不够实事求是的态度，你不去触及自己的痛处，不等于说你没有痛处。长此下去，久不"上弦"不求"医"，终有一天"弦"会生锈，甚至于使自己完全停滞下来，远远落在别人后面。

"上弦"全靠自己自觉，敷衍是不行的。如果徒存形式，没有高标准要求自己的精神，那么，即使作出了"上弦"的样子，也不可能获得什么进步的动力。

　　钟表的弦要靠人来上，人的思想的弦不可能完全让外人来上，到底上没上"弦"，到底"弦"上得好不好、紧不紧，只有靠自己自觉。让我们每一个人都经常注意切实地上好思想的"弦"吧！

1963 年 12 月 27 日《北京晚报》"五色土"副刊

京剧不宜表现最当前的现实生活
——并谈韵白、小嗓及小生等行当不应取消

京剧要想很好地为社会主义服务，非演出现代戏不可。

但是，并非任何题材、任何种类的现代戏都适宜用京剧形式演出。有些现代题材，京剧表演起来费力不讨好，不如少去绕些弯子，有些现代题材，京剧表演起来甚至于比别的剧种更具有利条件，那就应该多搞这类题材。

根据已有的实践经验，我们大致可以归纳出三类特别宜于用京剧形式表演的现代戏：（一）反映现代少数民族生活斗争的现代戏。如《草原烽火》《柯山红日》之类。民族服装、民族风俗、特异的情调，往往弥补了古老艺术形式与现代内容之间的差距，演好了，的确可以让人既觉得不失京剧风味，又受到只有现代戏才能给予的较深刻的教育。（二）内容富有传奇风味，虽是现代题材，却可以在服装、场景上有异于观众日常生活所见，如《智擒惯匪座山雕》之类。那传奇式的情节，与观众生活毕竟有一段距离，因此并不与京剧古老的艺术形式发生重大冲突，演出来也能使观众感到比较自然。（三）与观众生活有一定距离的革命历史剧或反映过去革命斗争生活的现代戏，如《八一风暴》《白毛女》之类。这些戏的内容和今天观众所熟悉的生活有那么一段距离，观众看到京剧那种夸张虚拟和严格程式化的形式，表现的是已经过去的时间和内容，就会觉得自然一些。

总结上述，简约言之，就是京剧反映现代生活，范围可以比某些剧种稍小一些，不必像评剧、曲剧那样，也去大量反映最当前的现实生活。比如演雷锋，演《祝

你健康》,固然无不可,然而仔细推敲起来,实在只能说:不大适宜。若让京剧演《祝你健康》之类的现代戏,小生这一行恐怕就得逐渐绝迹于舞台。试问:《祝你健康》里哪个人物真正适用于小生扮演?《夺印》《年青的一代》之类的戏里又有哪个人物适用于用小生扮演?当然你非要用的大学生或穿着军装的解放军突然小嗓尖唱,无论如何观众不会感到自然的。评剧的行当本来简单,演出现代戏反倒使它的行当发展丰富起来;京剧呢,倘若也以《祝你健康》这类戏作为今后演出现代戏的方向,恐怕至少会有一两种行当泯灭,至少会有四五种行当逐步失去其特点而与别的行当合为一种,向简单化发展。倘若最后京剧也发展到本嗓演唱(因为这才接近现代生活),那么,可以想见,今后的京剧与评剧、曲剧、豫剧等等几百种戏曲的区别也不过仅仅是唱腔不同罢了。我们的忧虑不是没有根据的。我们看过京剧演出的《夺印》、《祝你健康》等现代戏,京剧味很差,实在有话剧加京剧唱腔的感觉。尤其是韵白几乎完全取消了,一些角色也说不清是小生还是老生,一些唱腔也说不清是京剧还是评剧,甚至于当剧中一位青年唱起来时,我们搞不清这是表示角色的内心活动呢,还是角色在剧中生活里因为高兴而清唱京剧。再就是身段、台步,也和评剧、曲剧、豫剧或者任何一种演出现代剧的剧种可以说没有任何差异,毫无特色。

我们认为,有些人硬要京剧像评剧、曲剧那样去演出反映当前普通工农兵日常生活、学习的剧目,如《祝你健康》之类的现代戏,是抹杀京剧的特点,是不利于发展社会主义京剧事业,促进京剧迈向演出现代戏的发展大道的。京剧演出现代戏,不能一概取消韵白,不能使水袖功等优美的传统形式变为极为罕见的保留形式;不能按照生、旦、净、末、丑等行当划分。而要想既保留发扬这一切,又演出反映火热斗争的现代戏,就必须为京剧演出现代戏找到合适的途径。也就是说,就必须承认在演出现代戏上,京剧不必向评剧、曲剧看齐,去演《祝你健康》之类内容与京剧形式极难调和的现代戏,而要自辟蹊径,演出适合它本身形式的现代剧目。这样看来,京剧在演出现代戏上范围要比评剧、曲剧等略小一些,但这并不妨碍京剧同样以演出现代戏而积极为社会主义服务、为工农兵服务。

1964 年 3 月 3 日《北京日报》,署名"刘心武 黄得人"

无形的角色

一部影片如果有浓郁的地方色彩，可以增加影片的真实感，扩大观众视野，而且能为刻画人物、交代情节提供许多方便。

《蚕花姑娘》在用优美的江南水乡背景展示故事的时候，特别值得赞赏的，是它有意地使这江南水乡的背景显示出一种强烈的时代气氛。像那一望无际的桑园，那穿梭在大小河道的航船，那充满热烈劳动气氛的水田，那一片欣欣向荣的市集……无一不显露出一股蓬勃的时代朝气，像暖风一般从银幕上散发出来。有些情节其实也可以安排到死板的内景或一般化的外景中去交代。例如小萍无意中用蜡烛使温度计水银柱升高，闹出开窗放热的乱子以后，九龙哥和巧莲找支部书记辩论如何对待小萍的一场戏，似乎把它安排在办公室中去进行也无不可，然而导演有意使这场戏发生在水田边：书记赤脚正在插秧，远近一片沸腾的劳动场面，忽而九龙哥等人走来，引起关于如何处理小萍的一场争论，最后支部书记将帮助小萍的任务交给了巧莲。这样，这场戏不但富有强烈的生活感，而且客观上展示出公社多方面生产的繁荣景象，同时也有助于刻画出深入劳动第一线、平易近人而具有魄力的支部书记的形象。

如果说《蚕花姑娘》用抒情的笔调为我们描绘出了一组当代农村可爱的劳动者的形象；那么，这些美好的形象是在一幅幅绚烂多彩的背景上显现出来的，而这色彩浓烈、充满强烈时代气息的背景本身，也可以说成为了影片中的"无形的角色"。我们闭眼一想，那些活泼可爱的人物——陶小萍、巧莲、支部书记……固然活跃在眼前，而这个无形的角色——富于地方特色和时代特色的江南水乡的故事背景，也历历在目。

1964 年 3 月 15 日《北京晚报》"五色土"副刊

收听兴趣

十五年前，我们大院二十几家人家，只有一家和"电匣子"——收音机打过那么一次交道。

那是郭大叔结婚，铁工厂里的穷哥儿们为了热闹热闹，也不知从哪儿好歹借来了个破电匣子，谁知一扭开，里头放出来的是怪里怪气的洋曲子，郭大叔一生气，咔嚓一下子就给关上了。

十五年后的今天，我们院里：十二家共有多少台收音机呢？据我初步考察，共有二十二台。可是张奶奶笑着摇着头，纠正我说："李有三家的小嘎子装上耳机了，那不也得算，你郭大叔自个儿又安了个什么半导体，不也得算上？"的确，这些个我都忽略了。

我们院家家有收音机，人人听收音机，收听兴趣可不一样。就说郭大叔吧，他买了架六灯的牡丹牌收音机，每天下班回来，吃饭，拾掇屋子，洗脸、洗脚的时候，他总爱扭开匣子听几段戏曲，听得得意了，还晃悠着脑袋哼上两句。可是最近，郭大嫂从邻里服务所工作回来，做饭的时候，缝缝补补的工夫，都惦记着听会儿革命歌曲。一个要听戏曲，一个要听革命歌曲，再加上他家小华又要按时听"小喇叭"，郭大叔想来想去，就利用几个星期天自己安了架半导体，这下子算是各得其所了：郭大嫂在外屋一边做活一边听歌，郭大叔在里屋一边休息一边学评戏《夺印》中那段："我良言苦口将你劝……"强奶奶形容他们说："里屋外屋，满屋是福，听歌听戏，享福不忘毛主席。"

收听兴趣不但因人而异，就是同一个人，收听兴趣也有变化。就拿强奶奶说吧，她老人家是个鼓书迷，扭开电匣子，只要一听是什么奉调大鼓，北京琴书，就一边纳鞋底，一边听得入神，那股子美劲，就别提啦，从前，她老人家最喜欢的段子就是《武松打虎》和《拦花轿》，聊起来，满脸皱纹绽成小花瓣。可是最近，你要再央求她："奶奶，跟我们说说三碗不过岗的事吧！"她可一本正经地说："那故事咱讲腻啦，我倒乐意给你们讲段新段子听呢，你们是乐意听《夺印》，还是《四川白毛女》？"……

二十二家人，百十来口子，人人都有自个儿的收听兴趣，可是这么大院子，这么多人家，也常有那么一两个时辰，几乎家家的人都怀着同样的心情，挨近电匣子，屏住气息，听着，听着，那就是每天的全国各地联播节目和重要文件发表的时候。

院里人聊天，也常用收音机里的材料。院里的人聊起电台，聊起节目，总是那么亲切。记得有一次电台在"听众点播的节目"里播了张奶奶想听的段子，那是我替她写信点播的。事后她乐呵呵地对我说："你先头说写封信去，人家就给播，我还摆手呢，那么大个电台，就听咱老婆子的？没想到，这么灵验，这下，我咂摸着人民广播电台这人民两个字，味儿可浓了！"

1964年4月10日《北京晚报》"五色土"副刊

反对死背书

先请听一位初中学生的背诵:"拦河坎逗号,拦腰把黄河挡住逗号,成为一个又一个人造湖句号……会使人想起引号澄江静如练引号这美丽的诗句所表现的境界来句号……"你如果问他:"为什么把标点符号也背进去呢?"他会理直气壮地回答:"老师判默书卷子时,错一个标点扣一分呀,不这么背怎么记得住呢?"

再请听一位初中学生复习背诵篇目时默诵的"要领":"逗号九个,句号四个,破折号一个,十六个'的'字,两个'了'字……"你如果问他:"算这些个干什么呀?"他也会一本正经地说:"错了标点,少了或多了'的'、'了'、'着'、'地'这些字,都得扣一分呀!"仅此二例,足见我们有些语文老师要求之严格。

要求学生严格本是好事,但如此要求学生死背课文,很难说能起到多少提高同学口头、书面表达能力的效果。为什么有的老师强调标点符号,强调"的"、"了"、"着"的个数到了这种地步呢?说来说去,其目的无非是为了使学生能在升学考试中"吃香"。为了将来考试时答题"万无一失",有些毕业班的老师,不但要求同学背全部语文,甚至政治、地理、历史、生物、数学乃至于理化……都要求同学能背诵默写,结果学生终日丢下书面作业就是死背书,经常被搞得晕头转向。

类似上面这种死背书的做法,我认为颇不妥当。尽管中小学生背诵课文是有必要的,一些经典著作的精彩片段的背诵,也可以提出不许错一字、改一字、换一字的严格要求，但普通的小说、散文、通讯报告……有没有必要要求得那么死呢？如果没有妨碍课文的本意和文字的通顺，少一个或多一个"的"、"了"、"着"或标点符号，也是应该允许的。要求学生背诵的目的，无非是能运熟课文，如果囫囵吞枣，机械地生吞活剥，反倒妨碍了对课文的理解，那又有什么意义？

1964 年 4 月 11 日《北京晚报》"五色土"副刊

眼睛属于谁

这个问题问得好像很荒诞，眼睛嘛，长在自己的脸上，当然属于自己啦！

可是，就因为有些同学只认识到这一点，对于学校老师为保护眼睛采取的措施，颇不以为然——做眼睛保健操时，比画比画，毫不认真，回家照样躺在床上看书，兴致来了，连看三个小时小说也不休息；你要提醒得多了，他甚至会说："眼睛是我的，坏得了坏不了我知道。坏了我自己负责，与别人无关。"

其实，保护眼睛这件事绝非小事。我们想一想，一个真正把自己的一切包括生命都贡献给革命事业的人，他的眼睛难道只属于他个人吗？他一定会说：我的眼睛属于人民、属于革命事业。你要他不爱护眼睛，以致造成近视，他一定会感到愤怒，因为他考虑到的不仅是个人，而是国家的损失。眼睛坏了，许多应该去做的革命工作就做不了。所以我们要做到真正地爱护自己的眼睛，恐怕先得严肃地回答这个问题：我们的眼睛属于谁？倘若认为只属于个人，那么当然有爱护的自由，也有不爱护的自由，倘若认为属于革命事业，那么，只有爱护的责任，而无任何任其近视毁坏的自由了。不知那些认为"眼睛是自己的"而不听劝阻的同学以为如何？

说到对学生的保护视力的教育工作，我看无论家长也好，老师也好，还是多从政治思想入手，先让学生搞清"眼睛属于谁？为谁爱护它？"为好。

1964 年 11 月 6 日《北京晚报》"五色土"副刊

不磨不尖

各行业、各单位都会出现一些在某些方面成绩突出的"尖子"。如何对待这些"尖子",是个很重要的问题。一种态度是严格要求,越是"尖子",越要求他们站到政治斗争、生产斗争、科学实验的最前列,给他们困难的任务、艰苦的环境,教育他们依靠组织、群众,发挥自己应有的作用;另一种态度是表面看来爱护备至,实则纵惯"尖子"的骄娇二气。如把好的机器给"尖子"用,把甜活给"尖子"干,尖子运动员血压、体温稍有轻微变化,便停止训练,给予特殊照顾,甚至有的学校对数学竞赛获奖者竟"照顾"到可以少参加政治活动的地步。当然,适当的照顾和安排是必要的,但决不能纵容"尖子"脱离群众、目空一切,养尊处优,这样就既害了他们,又害了工作。

有人说,你如此磨砺"尖子",岂不越磨越钝?事实并不如此。雷锋成为一面红旗以后,领导们并未将他从平凡而艰苦的岗位上"拔"出来,相反,对他提出了更高的要求,给予他一个又一个更艰巨的工作任务,结果在党和群众的严格要求下,雷锋成长得更快,艰苦的环境,艰巨的任务,才能磨炼出坚强的性格,很多先进人物的成长都说明了这个问题。

煤不烧不红,针不磨不尖,"尖子"必须经受不断的磨炼才能永葆革命的朝气。

1964 年 12 月 12 日《北京晚报》"五色土"副刊

为谁"争气"

徐寅生的《关于如何打乒乓球》里有几句话很发人深省。他说:"我觉得争气就应该目标明确,要为中国人争气。……为国家的荣誉争气,争这样的气才算争对了。"

我们在工作中、学习中也常常有"争口气"的劲头,但到底是为谁争气,却并不一定很明确。

据我知道,有这么一个学生,他的外语老学不好。他出身工人家庭,祖祖辈辈只有他一人上到中学、学过外语,有个别同学讥讽他念外语像"咀嚼舌头"。他听了很憋气,于是便决心"争这口气",别的功课先撂下,整天苦读外语,可是读来读去,抓不到要领,外语仍无长进,其他功课也落后了。结果,由"争气"变为"泄气",自己给自己下了个结论:像我这号人就是学不会外语! 他为什么失败? 就是因为他仅只是为自己不受人讥讽而在"赌气"。后来,他的父亲告诉他:"有人说咱们劳动人民的子弟笨,孩子,你可要为咱们劳动人民争这口气呀! "他听了受到很大启发和鼓舞,劲又上来了,可这次是为了给劳动人民争气,是为了掌握外语好去建设社会主义,所以他冷静地分析了自己没学好外语的原因,决心抛掉个人得失、个人面子,虚心向外语学得好的同学请教,克服了好多困难。现在,他的外语成绩很有提高,看起来,他的这口气争对了。

由此看来,作为一个革命者,不争气是不行的。但不能争个人之气,争小圈子之气，要争劳动人民之气、争社会主义之气、争祖国荣誉之气，有了这种"争气"的劲头，思想、意志、技术各方面就能做到过硬，就能闯过重重难关获得胜利！

1965 年 1 月 22 日《北京晚报》"五色土"副刊

根除思想中的"二亩地"

《矿山兄弟》中的老二曾打算置二亩地搞个人发家致富，在老大与老三的帮助下，他省悟过来，退掉了这二亩地。地是退了，"二亩地"的思想根子却没有挖去，结果，在"一次成巷"的试验中，他那争奖旗、奔奖金、想"升官"的"二亩地"思想成了贯彻党的总路线的绊脚石。

其实，"二亩地"思想决不仅是《矿山兄弟》中的老二有，我们身边的同志、我们自己的思想中，难道就没有形形色色的"二亩地"了吗？不是有些搞设计工作的人，总想搞个堂皇富丽的"高级"玩艺给自己竖个"纪念碑"吗？不是有的青年教师总不安心教学工作，想搞个"创作"而"一举成名"、"跳出教书匠樊笼"吗？不是有些学生家长，总把孩子看做自己的"二亩地"，要"精心耕耘"这块土地，好让他们"升官发财"吗？……"二亩地"思想，知识分子中有，像老二这样挡不住资产阶级思想熏染的工农出身的干部中也有，而不管是谁，一有了这"二亩地"思想，就可能成为社会主义革命阶段中的促退派。

抛弃思想中的"二亩地"，决不能从形式上解决。老二当年的确退掉了二亩地，但并没从思想深处挖出这种资本主义势力的根子，根子未除，一有合适条件，必然又会发芽生长，走上危险的道路。要想真正成为革命者，必须将思想中的"二亩地"从根子上斩除！

1965 年 2 月 13 日《北京晚报》"五色土"副刊

出 题

开学以前，我们几个老师把第一次作文的要求定出来了，我们打算让同学们围绕着寒假参加劳动和过个革命化的春节自己出题作文。所以，开学前我有意到几个同学家去看了看，打算帮这几个同学给自己的作文出出题，开学后好用他们选材定题的例子启发大家。

来到马国馨家，正巧住在附近的邵小琴、邓红也在他家一块做寒假作业。他们几个假期里都参加了背粪劳动。我问他们："劳动当中，哪件事情给你们的印象最深？"邓红抢着说："带我掏粪的张师傅我永远也忘不了！我头一次背起了大半桶粪，他用一只粗大的手掌在我后头给我稳住粪桶，还鼓励我说：'你背的是肥料，是建设社会主义少不了的好东西，它能让你肩膀硬，心里红！'他这么一说，我劲也足了，心也不慌了。等我靠拢粪车，把桶放在架子上，扭头一看，师傅站在我身后五步远的地方嘿嘿笑啦，他冲我一竖大拇哥：'你自己扎扎实实走了五步，好！'您说，他多会带徒弟呀！……"我说："开学第一次作文，你就写《我的师傅》嘛！可写的事一定还很多，你好好琢磨琢磨。"邵小琴兴奋地说："老师，我的题目是《难忘的鼓励》。我那天走在胡同里正巧碰见一位老大爷，他见我拿着粪勺跟着掏粪，兴冲冲地跟着我走了一小段，直鼓励我：'好样的！中学生也来掏粪——对头！'我听了心里有说不出的高兴！"马国馨搔着头犹豫地说："可写的太多啦，我又不知道写什么好……"正巧他奶奶在旁边，插嘴说："老师呀，国馨这孩子这阵可变啦，家里的活包了不少，院里的公共事也抢着干，你们的劳动锻炼真见效！"我忙点头："对对对，你就写《参加背粪劳动回来》，把你在日常生活中坚持劳动的思想活动写写！"马国馨偏头笑了："这题出得好，我有得写！"……

关于革命化的春节，同学们能给自己出些什么题目来写呢？我迈进张勤恩家，墙上的几张新年画立即映入眼帘，勤恩兴奋地告诉我："这张'毛主席和劳模'是爸爸买的，他说看着带劲。'人民海军'是我买的，您说坐在炮架子上的那个小伙子有多棒！春节时，爸爸妈妈一个在工厂，一个在电车上服务，院里几个年青人帮我跟姥姥打扫房间，还聚在我家听广播里的春节文艺节目，可热闹啦！姥姥还说：看着画上的小战士，就像看见了我们的未来。初二晚上，爸爸还给我讲了他们工厂夺高产的事呢！"我高兴地点头说："对，第一次作文你就写《我家的新年画》吧！"……后来我又走了几家，帮助同学们出了不少题目：《我们院的新对联》《革命故事会》《在劳动岗位上过春节》《寒假读红书》……

虽然我不可能事先帮助每一个同学确定第一次作文的内容和题目，可是通过这么一些重点了解，我感到不仅获得了指导第一次作文的丰富材料，而且，使我呼吸到了一股浓烈的劳动化、革命化的热腾腾的时代气息，我相信，时代的脉搏，在劳动中培养起来的新的盛情都将在学生们的笔下清晰而热烈地表现出来……

1965 年 2 月 26 日《北京晚报》"五色土"副刊

巧埋伏

——影片《打击侵略者》中的一个细节

慰问团分团长丁妈妈来到了志愿军前沿阵地，政委陪她走进营地，只见到处打扫得干干净净，搞得整整齐齐……战士们在哪儿呢？怎么连个人影都没有？观众和丁妈妈一样感到纳闷。这时政委一挥手，嗯，只见道路两边的灌木丛忽然翻了个个儿，呼啦一下出现了几个志愿军战士，紧接着，这里，那里，坡上，树下，到处显露出一群群巧埋伏的战士们，他们个个头戴装着树枝的帽子，原来刚才的灌木草丛就是他们！刹那间掌声雷动，欢声四起，丁妈妈环视着神奇出没的健儿们，兴奋地代表祖国人民把那面绣着"祖国信任你"字样的锦旗交给战士们。

这个细节很好。不但使慰问团到达这一场戏变得活泼生动，而且对后面战士潜伏打败敌人的关键情节，也是一个有力的伏笔，潜伏功夫，严格的纪律制度和实战练兵的精神反映了出来，所以后来战友们经受了时间、烈火的严峻考验，像一把尖刀一样插入白虎团心脏，全歼敌人的情节，就愈显得真实可信。从艺术处理上来说，这个细节也可以称作一个"巧埋伏"，通过它更有力地展示了志愿军战士敢于斗争，巧于斗争，敢于胜利、能够胜利的气魄。

1965 年 8 月 9 日《北京晚报》"五色土"副刊

真的无篓可背吗?

　　读了关于房山县"背篓商店"先进事迹的报道，很感动，而且，下定决心要学习他们的"背篓"精神。可是也有些人说：我既不在零售商店工作，又不在山区工作，无篓可背，无山可肥，怎样学习呢?

　　这就提出了一个问题：什么是"背篓"精神? 我们说,体现在房山县"背篓商店"同志们身上的"背篓"精神，正是一种全心全意为人民服务的精神。

　　我们不管在什么部门做什么工作，不也都是为人民服务的吗? 既然这样，"背篓商店"这种千方百计、完全彻底地为人民服务的精神，难道不也是我们所应当具有的吗? 因此，我们学习"背篓"精神，首先应当是，以是否全心全意为人民服务，是否做到了处处从促进生产、从维护群众利益出发，是否真正做到了为革命而生产、工作这把尺子来衡量自己的一切工作。这样看来，不到房山背竹篓，爬山沟，也一样可以把背篓精神学到手。在现实生活中，"背篓"精神也已经先后在许多不同战线上以各种不同形式出现。比如，深入工农兵演出的——"乌兰牧骑"队、直接到劳动现场为农民防病治病的农村巡回医疗队、下乡给农民子女送去文化知识的耕读小学教师……

　　这些同志背的也许不是背篓而是乐器、药箱、书箱、黑板……但他们那种彻底地为工农兵群众、为第一线服务的精神，和"背篓"精神不是一脉相通吗? 有些同志也许确实没有形式上的东西可背，但，完全彻底地为人民服务的"背篓"，却是各个岗位上的同志们面前都有的。因此，让我们都把它高高地背起来吧!

1965 年 8 月 16 日《北京晚报》"五色土"副刊

布机声声抒悲愤

　　影片《苦菜花》有一场动人的戏：母亲包好饺子，热烈地等着星梅和她的未婚夫铁功。左等右等，老也不来。傍晚时分，星梅终于回来了，一看她的神情，一切都明白了：铁功发生了不幸！星梅悲痛地进了屋，合上了房门。正在这时，永泉送来了铁功的遗物，原来铁功正是母亲的大儿子德刚！悲痛涌上她的心头，她踉踉跄跄地朝屋里走去……

　　影片描写到这里，安排了一个动人的细节。母亲推开房门后，观众看到星梅端坐在织布机前，默默地织着布。动作越来越快，那轧轧的织布声，抒发出了她的悲愤，更传达出了化悲愤为力量的崇高精神。

　　影片接着表现：灯光下，星梅从铁功的遗信中，知道冯大娘原来是铁功的亲生母亲，她百感交集奔到母亲屋里，门打开了，轧、轧，轧……母亲和她一样，正端坐在织布机前，倔强地织着布，还用说什么呢？星梅一下子扑进母亲怀里，母亲含着眼泪，坚强地说："他为了咱们穷人得救舍命，值得。"

　　这一组婆媳织布的镜头结束了，但它留给观众的印象远没有结束。这个细节不仅有力地揭示了人物的崇高的精神境界，同时也使人认识到人民是不可战胜的这一真理，使人联想到她们用悲愤和仇恨织出来的仿佛不仅仅是布，而是坚不可摧的铜墙铁壁。

1965 年 10 月 9 日《北京晚报》"五色土"副刊

备课必须从学生实际出发

有时候，我自以为所设计的教学法很够启发式的味儿了，但效果却并不理想。原因何在？主要是因为备课脱离实际。比如，我考虑到必须让学生先明确学习这篇课文的目的，并且对听学课文感到兴趣，便在如何引入上煞费苦心。但下课后，学生提意见说："老师，您为什么要绕这么大圈子来让我们学这篇课文呢？"学生告诉我，有些课文在讲述时是有必要这么做，但有许多课文，学生本来就很愿意学，很感兴趣，没有必要这样做。但由于主观地认为学生可能并不明确学习这课的目的，还不一定感兴趣，便安排了相当时间去阐明学习意义，自认为搞得相当生动，其实成了絮叨。"启发"谈不到，还形成了"多而杂"。有时候，我自认为在这篇课文中该抓些什么，已经够恰当的了，但效果往往不好。原因也在于我的"少而精"脱离了学生的实际。比如我过去讲《周亚夫军细柳》，（北京市初级中学试用课本语文第四册）这篇古文，自认为抓的几个点子都很重要，讲得也很简洁清楚。可是后来发现，几乎一半以上的学生记不住"已而之细柳军"中的"之"字（动词）怎么讲，这是因为"之"字的这种用法他们还是初次碰见，我本应把它讲清楚，却偏偏给"精"掉了。而我"精"讲的地方，后来一了解，有些是学生全无疑惑的。这些教训，使我认识到"少而精"、启发式如果不从学生实际出发，是不可能做到的。

现在，我吸取了教训，每备一篇课文，首先深入学生中了解情况，备课时就在教材实际与学生实际的基础上考虑如何贯彻"少而精"和实行启发式。实行启发式教学在开始备课时便必须将对象——学生充分地考虑进去。这样做以后，教学效果就比较好。

北京市第十三中学刘心武

1965 年 10 月 20 日《光明日报》

身临其境同歌舞
——小谈《东方红》的拍摄特点

佳片初映十月中，

满城争看《东方红》，

身临其境同歌舞，

看罢干劲满心胸！

这是一位同志看了电影《东方红》后写成的一首小诗。我认为"身临其境同歌舞"这句，很好地概括出了这部影片的拍摄特点。我们看电影时，也有同一感觉，仿佛亲身到了人民大会堂，看了舞台演出似的，这说明负责拍摄这部影片的单位与同志真是不负众望，拍出了一部符合广大群众需要的影片。要知道，观众们——尤其是没有看过《东方红》舞台演出的观众们，是多么渴望电影《东方红》能尽可能地使他们得到"身临其境同歌舞"的满足啊！

电影《东方红》的第一组镜头，不是厂徽，也不是烦琐冗长的字幕，而是华灯如昼的长安街、巍峨壮丽的人民大会堂。随着镜头的推拉移动，我们仿佛也进入大会堂。走到门口，当然要抬头瞻仰那闪着金光的国徽啦，嘿！银幕上马上就出现了国徽！我们又仿佛随着那些盛装的观众走过了大厅，登上了楼梯，寻到座位坐下。这时，摄影师像摸透了我们的心思一样，把镜头从下到上照了一遍，让我们看清了周围的壮观景象。紧接着，大型音乐舞蹈史诗《东方红》开演了！观众们不禁鼓起掌来。你看，这样的拍摄处理多么成功地将电影观众引入了人民大会堂的"观众席"中！

电影《东方红》的许多场面，通过电影的特殊处理，使观众看清了细部，变换了观看角度，更富于变化，同时又没有失去舞台演出的特点，还使人有在人民大会堂中观看现场演出的感觉，这是很不容易做到的。

1965 年 10 月 23 日《北京晚报》"五色土"副刊

及时·准确
——评电影《煤店新工人》

年初，华北区话剧歌剧观摩演出时，曾看过天津歌舞剧院演出的小歌剧《煤店新工人》。当时就想：要是拍成电影就好了，可以使更多的青年人看上并受到教育。没想到，现在《煤店新工人》真的由北京电影制片厂拍成了彩色歌剧片上映了。大家看过之后，同声赞好。首先好在及时。中学生毕业以后，有不少人直接参加了工作，当然其中大部分还是能安心工作的，但的确也有一部分学生，搞不清自己工作岗位的重要性，例如，有人觉得修车子、学裁缝、端汤送菜、送煤卖货不是干革命，窝囊得慌。《煤店新工人》及时地抓住了这一问题，通过张大志的转变，教育青年应该去做任何革命事业需要的工作，这是很有意义的。

《煤店新工人》不但出现得及时，它反映问题、解决问题也比较准确。像张大志这样的青年，他们并不是根本不愿意为社会主义事业贡献自己的青春，他们往往都有一颗火热的心，想轰轰烈烈大干一番。但是，他们也往往容易产生一些不实际的幻想，当他的"理想"不能实现时，就灰心丧气，甚至向习惯势力低头。《煤店新工人》比较准确地揭示了这类青年的内心世界，因此，让观众看起来感到真实可信。拍成了电影的《煤店新工人》歌剧感很强。如果能在不妨碍原歌剧风格的基础上，多发挥一些电影的特殊表现能力，把三十八号大院里的某些情况，沈小平的劳动场面以及孙经理回叙往事时谈及的情况适当地穿插进去，恐怕感染力会更加强烈一些。

1965 年 11 月 4 日《北京晚报》"五色土"副刊

结尾应有这杆枪

舞台艺术片《传枪记》里有一杆很重要的枪，这就是那杆刻着"牢记阶级仇"的旧枪。玉成由于"枪术尘锈思想锈"，打靶的成绩急剧下落，把他使用的一杆旧枪也赌气退给了爷爷。这时候，爷爷、妈妈及时对他进行了教育和帮助，讲述了这支旧枪的来历。激情的讲述与严正的教诲使玉成猛省，又从爷爷手中重新领回了这杆枪。影片很有教育意义。特别是小缨领枪一场里爷爷与小缨一问一答的对唱，通过刚强有力的演唱与生气勃勃的舞姿，生动地宣传了毛主席"全民皆兵"的战略思想，告诉我们接枪先要接思想，必须防止思想生锈，要经常学习毛主席著作，做一个思想中有枪的好民兵。

但是，影片有一个完全不应有的疏忽，就是在结尾表现民兵们在练兵场上操练时，玉成并没有握着这杆革命前辈传下来的旧枪，其他民兵也没拿着这杆枪，大家拿的全是一式的新枪。这就使观众产生了疑问：这杆枪不是爷爷当做革命的传家宝郑重其事地传给了玉成，玉成不是万分激动地接过并发誓要紧握这杆枪吗？为什么结尾时突然没有这杆枪了呢？由于影片处理上的这样一个疏忽，无形中削弱了它对观众的感染力。我认为，影片结尾时应该让玉成拿着这杆枪出现在练兵场上。

1965 年 11 月 8 日《北京晚报》"五色土"副刊

该不该抓学习？

有同学常爱说这么一句话，"学习为自己，工作为大家"。因此，他们认为谁要是抓学习谁就是个人主义。

"学习为自己"这样的说法是不对的。对于每个同学来说，学习，是人民交给我们的一个重大的革命任务。学得好学不好，是直接关系到我们能否做好革命工作、当好革命接班人的问题，因而是关系我们革命事业的成败问题。当然，首先是思想要好，要为革命而学。但是仅仅是思想好，还是不够的。要做好繁重的社会主义革命和社会主义建设事业，必须要身体好，必须要有一定的科学文化知识。我们是学生，党目前交给我们的主要革命任务就是学习，学习不好，又怎么能算得上是真正思想好呢？

的确，有些同学的学习目的不够端正，为个人而学习，不顾集体，那自然应当反对。但这首先应当想办法帮助他们改造思想，明确学习目的，引导他们为革命而学习，明确了学习目的，再落实到扎扎实实抓好学习上。这也就是说，要使每个同学在德育、智育、体育各方面全面地、生动活泼地得到发展。

1965 年《北京晚报》"五色土"副刊

评影片《女跳水队员》

《女跳水队员》是一部颇有教育意义的影片。它描写了跳水运动员陈晓虹的成长过程，说明一个运动员必须把革命利益、集体荣誉放在心上，肯于苦干、实干，才能作出成绩。陈晓虹的成长过程是曲折的。一开始，她勇敢，对跳水有兴趣，进步很快，但因此就对基本功的反复训练感到了厌倦。王教练和队长丽平及时对她进行了帮助，本来晓虹觉得自己在一米台上练跳已经几十次了，大可不必再练，可是当她知道丽平已经练过几千次后惭愧了。当她获得了全国少年级跳水冠军称号，回到湛川市时，又骄傲起来，影片用一定分量描写了她如何在教练、老师、母亲及同志们的教育、鞭策下醒悟过来，当晓虹的母亲来电话问王教练她这一时期的表现时，王教练本来不打算马上向家长介绍情况，晓虹却被丽平为了辅导自己而降低了个人成绩的事实深深地感动了，所以她主动从王教练手中接过电话，勇敢地向母亲承认了错误："我骄傲了！"欣然地回到了集体怀抱中。这些描写，都是比较真实可信，而且有教育意义的。

影片还通过新调来的教练周宾的转变过程，批判了个人主义思想，说明了正确的训练方法必须建立在为革命而教、为革命而学的基础上，并结合这一线索，继续描写了晓虹的成长过程。周宾抱着个人出风头的想法进行训练工作，他对晓虹说："一个运动员要是年青的时候不出成绩，那就一辈子都完了。"他不是实事求是地逐步提高运动员的水平，而是总想着能靠侥幸一鸣惊人，所以他过早地要求晓虹在比赛中通过健将级标准，还对她说："你上次是冠军，这次也不能默默无闻。"由于他这种"我"字当头的教育，晓虹开始患得患失，结果在正式参加比赛时动作失败，受到了挫折。通过领导、同志们的种种教育、帮助，周宾才开始有了转变，认识到自己过去是"在时代之外散步"，认识到归根结底还是"为了我周宾自己飞上天"，改变了训练方针；而陈晓虹，也终于克服了畏惧心理，在为集体为革命而跳水的思想指导下，练好了高难动作，为提高我国跳水运动水平贡献出了自己的力量。这些情节，不但对于体育战线上的同志有所启发，对于其他教育战线上的同志也有所教益。

但是，不得不指出，这部影片还缺乏思想深度。大家知道，最近一两年来，在高举毛泽东思想红旗的前提下，体育界贯彻了"三从一大"的训练方针，到处呈现出一片破旧立新的革命气象。体现在运动员身上，就是革命化的热情空前高涨，为革命而打球、为革命为祖国争取荣誉的思想深入人心，不少运动项目方面的不少运动员在这种形势下为祖国取得了新的成绩，争得了新的荣誉，值得我们文艺工作者描写的好人好事情是举不胜举。遗憾的是，《女跳水队员》这部影片未能强烈地传达出这种新的时代脉搏，特别是在对于体育工作者革命化的描写上，显得比较肤浅。陈晓虹后来是怎样把 5311 号高难动作掌握好的呢？影片有这样一个关键性的情节：在郊游中，晓虹发现悬崖下有儿童失足从船上落入深潭中，于是她奋不顾身地从悬崖上跳入水中去救那落水的孩子，在跳水时，她不自觉地完成了这一高难动作，从此以后，她再跳这一动作时便没了紧张情绪，显得比较轻松自如了。影片还通过副市长的话解释说，这是因为她"在崇高的思想指导下跳水"，所以取得了效果。编导者这样安排的意图是好的，但这仅仅表现出了陈晓虹有舍己救人的品质，离徐寅生等优秀运动员那种"放眼世界"、带着阶级感情、敌情观念进行训练、比赛的精神境界还差得远。

我们知道，冒着危险去拯救别人，固然是高尚的行为，但这样的人并不一定就是革命者，肯于冒险去救一个人也并不都是最崇高的共产主义思想的集中表现。所以仅仅用这样一个偶然事件来解决陈晓虹思想上的畏惧情绪，就显得不够有力了。当然，影片也试图说明无论王教练（后来成为王主任）、老师、母亲、战友以及副市长等人都对晓虹进行了帮助，但那帮助也几乎全是一般性的鼓励。影片还表现了陈晓虹读雷锋日记而有所进步，但缺乏激情。一句话，影片缺乏青年运动员如何在劳动中、在与工农兵群众的接触中、在党领导下的阶级教育中加强思想革命化的具体、明确的描写。对于周宾的转变的描写，也是如此。此外，影片中关于运动员生活条件的优越也渲染过分，这些固然或许是出于想反映我国运动员的幸福生活与党对体育事业的重视，但偏于一面，就显得缺乏革命化的气氛。如果影片能适当描写陈晓虹等在轰轰烈烈的政治运动中、劳动锻炼中、阶级教育活动中的进步过程，也许更能体现出我国运动员的精神面貌，使影片具有更深刻的教育意义。

1965 年《体育报》

教师必须向学生学习

　　作为一个老师，要不要向学生学习？向学生学习什么？我对这个问题的认识，是有个过程的。

　　最初，我口头上承认："要做好先生，首先要做好学生。"但在心里却并不以为然。我想，我教的是初中学生，他们知识水平和思想水平都不高，有什么好学的呢？我只是作出一种"学"的姿态，在学生面前说说"我也要向你们学习"之类的空话，表示"谦虚"。

　　后来，我开始发现有些学生知道的事，我不知道；学生会做的事，我不会做。有时，我虽然也真的向学生学，但架子还是不小，总认为不学也照样理直气壮地当老师。就在这时，发生了这么一件事。有次作文，我让同学们写下乡劳动中的好人好事。这次下乡劳动，我也去了，也写了篇《记一个五好队员》。我把几篇学生作文和自己的一比，不得不承认同学的作文，有些地方比我的强。有的取材好，有的对话比我写得通俗、生动。我是个语文老师，这以后，我才开始向学生学起语文来，学词汇，学作文，学朗读……一边教，一边学，一边学，一边教。

　　逐渐地我又进一步认识到，学生的思想也值得我学习。有一次我带着学生们到西颐公路种树，活快完了，但谁也不愿闲着，都要求继续分配活干。分来分去，分到最后一个小个同学时，实在没活可分了，我就分配他去踩树坑的埂。这个小同学并不轻视这件"可干可不干"的零碎活，在凛冽的寒风中，认真地一寸寸地踩着。到收工时，他已经满头大汗了。后来他在作文里写道："我也要做一个像王杰叔叔那样的人，做革命的螺丝钉。"他学习王杰，就落实到行动上。我自己天天教育学生学王杰，我自己学得怎么样呢？难道不应该向这个学生学习吗？

从这一段实践中，我深深体会到：教师肯不肯虚心向学生学习，是关系到教师思想革命化的大问题。虚心向学生学习，就能做到"教学相长"；就有利于调查研究，了解学生情况，就能从"我说你听"的旧框框中解放出来，才能真正有当老师的资格。

1966 年 1 月 3 日《北京日报》

老树新花烂漫开

——谈山东柳子戏《三回船》的艺术技巧

早就听说过所谓"东柳、西梆、南昆、北弋"的说法,可是我从未看过柳子戏。这次看到山东省柳子剧团演出的《三回船》,真是眼界大开。这古老的剧种,在反映当前火热的社会主义现实生活,塑造社会主义时代新人物方面,取得了可喜的成绩。以《三回船》来说,更可喜的是,它以鲜明的思想性与精湛的艺术技巧有着高度完美的统一,真是老树上开出了烂漫绚丽的鲜花。

这出小戏,从头至尾只有两个演员,只用一篙一桨,就演出了满台湖光水色,而且妙趣横生,优美别致。从而在载歌载舞中,使新人物的思想,闪耀出耀眼的光辉。演员运用传统技巧的云步、搓步、轧步以及荡桨、点篙、跳舟、拉缆等步法舞姿,绝不仅只是勾画出了故事的环境气氛,而几乎又完全在为表现主题,揭示人物精神世界服务,因此留在观众记忆中的就绝不只是一个鲜明的主题和几种优美的舞姿,而是活生生的感动人的艺术形象。

剧本写得好。表现人物的先进思想,是层层深入和真实感人的。在剧情安排上波澜起伏,大波澜中又有小浪花,使观众一刻不得清闲,完全被故事牵着鼻子走,戏演完了,还感到余味无穷。小姑娘王秀花,在湖中与张老汉相遇,攀谈之中,知道张老汉所在的生产队要盖仓房,但一时缺货,买不到瓦。恰好秀花船中有为家里盖新房买来的红瓦,秀花在与老汉分手后,考虑到集体的事总比个人的事重要,便调回船头,追上老汉,毅然将自家的瓦让给了别队。故事到此,似乎已可结束，但忽有神来之笔：在秀花陪同老汉去瓦窑取另一部分尚未运走的红瓦时，忽然打听出老汉又名叫张炉匠，恰巧她在瓦窑买瓦时听那里的人讲到有个叫张路江的投机分子，曾贩瓦取利，此人又正好是老汉所在的生产队的，于是秀花姑娘误认张老汉为张路江，后悔上了投机倒把分子的当，觉得不能让坏人再钻空子，她便勇敢地追了上去，拦道挡船，收回了红瓦，二回船头，迅速返航；戏到这里，矛盾不大好解决，谁知剧作者巧作安排，让秀花姑娘的船一下子陷在浅滩中，而此时正值湖上风云突变，张老汉虽然为秀花出尔反尔所疑惑，但考虑到她一个人驾船过险滩实在危险，便毅然拨转船头，追将上来，两人又相会在浅滩中，一个愤怒，一个诙谐，正在不可开交之时，老汉挽起裤腿，下到水中，三推搁浅船，这一行动使秀花姑娘对老汉的看法有了转变，船出浅滩后，她且行且加试探，终于搞清楚老汉真是队里的保管员，张路江乃是另外一个人，于是又欣然三回船头，重将红瓦让给集体，同去瓦窑取瓦。所谓"无巧不成书"，《三回船》的矛盾冲突是够巧的，"巧而易险，险而易偏"，《三回船》的情节虽巧，但处处立脚于生活，所以并不生硬造作，而且从巧妙的情节安排中，层层剥笋地将人物的精神面貌深入地揭示了出来。看了秀花姑娘的一回船，我们对她大公无私的共产主义风格实在钦佩，但印象并不深刻。二回船，我们感到她界限分明，嫉恶如仇，勇于斗争，可爱可敬。三回船，我们感到她有分辨贤愚美恶的阶级感情和眼光，实在是发射着时代的光芒。三次回船，层层深入地将秀花的形象逐次塑造丰满，令人信服。虽然剧作者有意一开头就使观众不怀疑张老汉是一个一心为社、爽朗诙谐的老积极，可是通过他的三回船，更步步提高地揭示出了他那舍己为人、心胸坦荡的精神面貌，特别是三推搁浅船一节，使这一人物成为有血有肉的艺术形象，留在了观众心中。

《三回船》的演出是十分精彩的，与《游乡》一剧有异曲同工之妙，两个演员演满台，时而是风平浪静，时而是狂风骤来，时而是两舟并进，时而是你追我赶，时而是隔舟相望，时而是跳舟相争……人物的精神面貌，性格特点，就在这载歌载舞的表演中显示出来。比如秀花误认张老汉为投机倒把分子张路江后，正想将红瓦要回来，不想来到险滩，几个旋涡将张老汉一下子旋出老远，她焦急万分，便勇敢地追了上去。这时演员用急促的舞步跑着圆场，充分表现出勇敢无畏的精神状态，及至追上之后，她猛挡船头，踢住老汉所驾之船，势不可当。老汉的船撑向前去，又被她踢了回来，一种决不让投机分子挖社会主义墙脚的决心，从演员刚健有力的表演中体现了出来。再如小船搁浅在浅滩中，面对着老汉的幽默打趣，秀花姑娘几次从左右、前后撑篙，企图使小船驶出浅滩的舞姿，也生动地表现出了她倔强的性格，和不在坏人坏思想面前低头的精神。张老汉三推搁浅船的舞台形象也很生动优美，哼着动听的号子，模拟出找缆、结缆、背缆、拉缆、松缆的种种姿式，通过一系列的技巧表演，形象地把他那种舍己为人、胸襟开阔、性格爽朗的特点体现了出来，同时秀花姑娘也以相应的前仰后跌、左右支撑的舞姿和富于变化的眼神表现出了她由惊而疑，由释疑而欣喜的复杂内心变化，为她认清张老汉的"庐山真面目"、三回船的情节打下了真实可信的基础。这出戏给我总的感觉是：清新可喜、格调健康，而且在表现技巧上又继承和发展了戏曲的传统，做到了推陈出新，使形式与内容比较完美地统一在一起。过去看《秋江》，认为在艺术形式上相当完美了，似乎不可逾越，现在我敢说就技巧完美程度来说，《三回船》已超过了《秋江》，更何况《三回船》表现的是崭新的人、崭新的生活、崭新的思想、崭新的风格呢！这说明革命的思想性与完美的艺术技巧统一起来以后所能产生的巨大艺术力量。

我们为革命的戏剧精品喝彩，祝愿柳子戏这株老树上不断开出比《三回船》更鲜艳的新花！

1966 年 1 月 3 日《光明日报》

一锹一镐为革命

阿尔巴尼亚电影《最初的年代》中有一个很激动人的场面，成百上千的劳动人民高举起锹、镐浩浩荡荡向沼地出发，决心以自力更生的精神在较短的时间内，完成反动政权二十几年无法完成的排水工程，变毒气弥漫的沼地为沃土肥田。革命人民在自力更生、奋发图强的大道上迈步前进！暗藏的反革命分子惶恐不安，咬牙切齿。帝国主义以及一切反动派，他们最害怕革命人民这种自力更生的精神，最害怕革命人民这种无所畏惧地用双手改天换地的奋发图强的精神，他们总要想尽办法进行破坏。影片通过改造沼地，生动而深刻地说明：每一项建设都会包含着尖锐的阶级斗争和两条道路的斗争，我们千万不能麻痹。

过去我们在《山鹰之歌》等影片中，看到了英雄的阿尔巴尼亚人民拿枪打败帝国主义的动人景象，如今我们又在《最初的年代》中看到了阿尔巴尼亚人民高举自力更生之镐改天换地的勃勃雄姿，不禁从内心里涌出一股强烈的钦佩之情，我们中国人民誓与阿尔巴尼亚人民永远在一起，一手拿枪、一手拿镐，在共同的革命事业中携手共进！

1966 年 1 月 16 日《北京晚报》"五色土"副刊

西南的三出小戏
——看川剧《管得宽》、话剧《好帮手》、滇剧《厨娘》

看了西南区话剧、地方戏观摩演出大会部分节目来京汇报演出的三出小戏：川剧、弹戏《管得宽》、独幕话剧《好帮手》、滇剧《厨娘》，感到这三出小戏从不同的角度，反映了当前国内国外的革命斗争生活，塑造了一些英雄人物形象，给人留下了鲜明的印象。

滇剧《厨娘》通过越南南方民族解放阵线地下工作者玫姐以"厨娘"身份打入伪郡长府中，利用郡长太太与警卫排长江虎的矛盾，巧妙地将定时炸弹运到餐桌，炸死美国上校军事顾问詹姆斯的故事，塑造了玫姐、三凤伯等英雄人物的形象，揭示了美帝必败，越南必胜的真理。滇剧在清代中叶就形成了，但过去所擅长的剧目也无非是表现帝王将相、才子佳人。滇剧表演以细腻见长，唱腔婉转清丽。这次云南省滇剧院演出的《厨娘》，为了表现出英雄人物有胆有略的精神面貌，表演、行腔上都增添了粗犷豪放的特色。如第三场中玫姐与江虎斗智的戏，江虎这家伙的反革命警惕性颇高，他当场提出三大疑团要玫姐解释，如果玫姐不能随机应变，对答如流，不仅将暴露自己的身份，而且也无法完成任务。玫姐在这种情况下毫不畏惧，侃侃而谈，来了个"请君入瓮"，把江虎问得哑口无言，并利用敌人内部矛盾，使江虎一步步陷于被动，终致惨败。演员在处理这一场的表演时，运用了刚韧的身段、手势与较为粗犷的唱腔表现玫姐的机智果敢，充分说明纵使敌人有再高的"警惕性"，在英勇机智的革命战士面前也只能处处被动，最后一定失败。总的来说,《厨娘》为滇剧反映现代革命斗争生活作了有益的尝试,如果能再深一步地揭示出主人公玫姐有胆有识的思想基础,并能在传统技巧的推陈出新方面再下些工夫,《厨娘》就会更有教育意义。

四川省达县专区演出队演出的川剧、弹戏《管得宽》,塑造了一位大公无私地维护集体利益的老贫农形象。歌颂贫下中农英雄人物,塑造各具个性的贫下中农英雄形象,是文艺工作者当前的任务。《管得宽》就题材来说,与别的一些小戏有些类似,却别具一格,自有特色。它在塑造对集体利益"眼睛里杂不得渣渣"的李大伯形象时,注意了对人物思想品质的深入挖掘。有些类似的小戏注意在突出人物性格时,先用粗线条把人物的性格轮廓给你画出来,然后再引导你去认识人物的精神世界。《管得宽》不是这样,李大伯的鲜明性格,是在展现他的思想品质的过程中逐渐显示的。第一场中李大伯批评只顾多挣工分不顾活路质量的赵二嫂时,那语言是亲切而诚恳的,态度是明朗而正大的,但赵二嫂恼羞成怒,拒不认错,只打发女儿小菊来敷衍一下。演到这里,作者有意安排了一段李大伯教育小菊的戏,表现出李大伯的"管得宽"不仅是"见事管",而且是"见人管";不仅是"管事情",而且是"管思想"。最后,他与老伴给队里"壅"完红苕又去为赵二嫂"壅"窖,却不料赵二嫂"以小人之心度君子之腹",竟主观地认为他们是偷她的红苕出她的气,告到了队长那里,及至回来后听小菊一说,才惭愧万分,无地自容,装病避人。这时李大伯与老伴来到二嫂家中探病,李大娘禁不住趁机讽刺了二嫂几句,李大伯却豁达温厚,不以个人恩怨为怀,耐心地对她讲清"树大叶茂靠根深,社员靠的大家庭。队里富裕人人有份,损害集体害自身"的道理,这就更进一步地揭示出他那坦荡的胸怀和管事管人管思想的"管得宽"风格。《管得宽》对先进人物的先进风格挖掘得深,这是它的特点之一。这出小戏在表演上也有它的特色,风格细腻而明快,小菊对母亲讲述李大伯夫妇"壅"红苕窖情况的一段表演,唱做都好,穿插上二嫂的心理变化,喜剧色彩很浓。

独幕方言话剧《好帮手》接触到了一个比较新的主题:作为干部的家属,应该特殊化呢,还是应该带头遵守制度、维护集体利益?这出小戏作出了明确的答案。剧情很简单:张么娘受富裕中农怂恿,私自捋了队上的胡豆叶来做猪食。这件事被她的儿子、儿媳发现后，展开了一场尖锐的思想斗争。张么娘认为反正自己的儿子是队长，"出工要走前头，收工要走后头"，吃辛吃苦为大家忙，自己特殊一点没有什么。针对她的这种思想，儿子、儿媳对她进行了耐心的说服，终于使她明白了"今天当干部是为人民服务，是人民的勤务员"。这出小戏在反映这个人民内部矛盾和解决这个矛盾的处理上，恰到好处，张么娘并没有被塑造成"管得宽"里的赵二嫂那号人物，她是有相当的思想觉悟的，得了病也不休息，热爱劳动，主观上也不愿破坏集体利益，但她毕竟有私心根子。自从儿子当了干部，"心里有个疙瘩，一直没有解开"，总觉得吃亏。她想：如果儿子不当干部，多挣工分，多分粮食，多得现钱，日子会过得更好。所以，当富裕中农一怂恿，就牵动了她的自私心，特殊化的思想就抬了头。《好帮手》，不但批判了特殊化思想，而且通过张么娘的思想发展揭示了特殊化思想的根子在于怕吃亏、有私心。归根结底是只考虑小家，没有考虑集体和国家这个大家。

《好帮手》，集中力量塑造了群芳这样一个模范干部家属的形象，她处处严格要求自己，而且针对婆婆张么娘的错误思想对她进行了耐心的帮助，群芳帮助婆婆的一段戏写得很精练，关键在于剧作者对张么娘特殊化思想的实质抓得准，所以让群芳对症下药，由过去的苦难生活讲到贫下中农地位的变化，由这变化讲到由谁掌印的问题，由谁掌印的问题再说到特殊化的害处，因而台上张么娘的转变显得非常自然，台下的观众也不感到这段戏沉闷冗烦。《好帮手》，最后用群芳的话点题："我们家属应该处处带头，起好作用，做干部的好帮手。"这就使这出小戏不只是批判了干部家属中的特殊化思想，而且树起了"干部家属要做干部的好帮手"这样一种先进思想，有破还有立，戏的思想意义"更上一层楼"。

《好帮手》的主题严肃，演来却活泼有味，散发着浓郁的生活气息，这恐怕是和剧团的同志们长期深入农村，熟悉生活、熟悉人物分不开的。

1966 年 1 月 29 日《光明日报》

是爱不是害

焦裕禄同志对人民充满了深挚的爱，但对于自己的子女，却似乎十分"无情"。他的儿子看了一次"白戏"，他立即把一家人叫来"训"了一顿，命令儿子立即把票钱如数送给戏院。他的女儿没考上高中，他便叫她到农场劳动，女儿不愿去，他说女儿有厌恶劳动的资产阶级思想，一定要找一个体力劳动比较重的职业来锻炼她。后来女儿到食品加工厂当临时工，他找着厂长交代：一定要把她安排到酱菜组，这样对改造她怕脏怕累的思想有好处。焦裕禄同志就是这样一位严厉的父亲。

他为什么要这样做呢？难道他不爱自己的儿女吗？不，这正说明他对自己的儿女充满了最真挚的爱。

我们有些同志也很爱自己的儿女，但往往不注意在孩子心灵中去扎下无产阶级的根子。听一次"白戏"、找一个轻松工作……这些看来似乎都不是多么了不起的大事，因此，有些同志面对着孩子存在的这类问题，或者百依百顺，或者等闲视之，而焦裕禄同志却从中发现了特殊化思想作风的苗头和好逸恶劳的资产阶级观点，采取了似乎"无情"的严厉措施。焦裕禄同志的做法，才是对革命接班人的真正无产阶级的阶级之爱。

在如何爱护、培养下一代的问题上，焦裕禄同志也为我们树立了光辉的榜样。

1966 年 2 月 28 日《北京晚报》"五色土"副刊

爸爸买了四张票

三年级的曾浩是个圆脸庞、大眼睛的男孩子。头年的讲故事比赛会他得过第二名，所以全校的老师都认得他。

昨天早晨，我快走拢校门口的时候，曾浩从我身后追上来，蹦到我前面行个礼，眉飞色舞地对我说："雷老师，昨天我们全家去看电影，爸爸买了四张票！"

看他那表情，仿佛这是个了不起的新闻。可我只是纳闷——这算啥新闻呀！而且，我教的是五年级，又不是他的级任老师；小学生即使真有新闻也总要先告诉班主任老师的，曾浩这么兴高采烈地见人就宣布"爸爸买了四张票"，究竟是为啥呀？我不由得问：

"昨天你们看的是什么电影呀？"

"《冰山上的来客》！"

并不稀奇。公映有半个多月了，电视上也映过了两次。我于是再问："你们家几口人呀？""四口——爸爸、妈妈、姐姐和我。"

四个人买四张票看电影，平淡无奇的事儿。这个曾浩干嘛那么兴奋呀！

我和曾浩一块进了校门。曾浩逢人便得意地说："昨天我们家全去看《冰山上的来客》啦！爸爸买了四张票！"

多数人都和我一样，不理解他为什么那样自豪、那样高兴。只有他们的班主任范爱玲老师，一听他这个话，乐得两个酒窝又圆又深，扬起眉毛把手一拍说："好！……"

中午放学以后，在食堂进餐的时候，我问范老师这究竟是怎么回事儿，她便一五一十地告诉了我——

两个月以前，有一天课间休息的时候，我听见曾浩得意洋洋地对周围的同学夸耀说："你们都没看上《铁道游击队》吧？可不是——票特难买！我们家昨晚上可全看上啦，爸爸领着我们去的，根本不用买票，爸爸跟把门的倪叔叔可熟啦，他把头一点，用下巴指指妈妈、姐姐和我，好啦，倪叔叔就让我们进去啦！……"

周围的同学，有的羡慕、有的疑惑，有的嘀咕着觉得不对头……小胖子松虎却皱皱鼻子反问道："我不信！电影院客满了，你们进去坐在哪儿呀？你们站着看的呀？"

曾浩涨红了脸打赌发誓说："谁蒙你谁变小狗！我们坐在最后头高台上的那一排——那一溜位子是给服务员坐的，根本不卖票！"

上课铃响了，孩子们上体育课去了。我坐到曾浩吹嘘不买票白看电影的地方，在暂时空无他人的教室里，皱眉思考着。我觉得这件事虽然不大，意义却很重。我应当使曾洁和全班同学懂得——占国家便宜、违反规章制度，是可耻的。如果大家都这样，我们就不但实现不了四个现代化，甚至社会主义制度也保不住。

下午的班会上，我先讲了敬爱的周总理在一九六六年七月，到北京第二外国语学院参加文化大革命运动的故事。周总理到学生食堂吃饭，炊事员看周总理那么大年纪，又很疲劳，便特意做了一碗素菜汤送去。周总理见同学们都没有汤，不愿意特殊，没有喝这碗汤。可是，事后周总理却让秘书专门去补交了五分钱的汤钱。讲完这个故事，我就让同学们讨论：周爷爷为什么要这样做？我们应当怎样向周爷爷学习？这天同学们讨论得很热烈，曾浩虽然没怎么发言，可他脸蛋红红的，一直低着头，像是思想斗争很激烈。

放学以后，我把曾浩留下来个别谈话。他初步认识到不买票白看电影是不对的。我鼓励他回家去给爸爸讲讲周总理的事迹，并且给爸爸提个意见。他认认真真地对我下保证说："我一回家就跟爸爸说——准的！"……

第二天，曾浩见到我，一双大眼睛总往别处闪。放学时，我走到他身旁，他不等我问，便满脸难为情地说："范老师，我还没谈上十句话，爸爸就摆摆手说：'去去去，小孩子管那么多事干吗——带你看电影还不好？傻瓜！'……"

我觉得这事不能这样就算了。曾浩的爸爸是个在综合修理部粘补塑料的工人，工作上表现不错。我想，只要我能把道理讲清楚，讲深透，他是能够克服缺点、重视对孩子以身作则进行共产主义品德教育的。我真恨不得立刻找他谈谈。可是那个时间里他正在上班，而晚上我又要参加党支部组织生活。事不宜迟，怎么办？我就让曾浩先到操场上去玩，自己在办公室写了一封信，很恳切地把自己的意见和想法告诉了曾浩的爸爸。我在信里说："我们应当把孩子们培养成有公共道德的人，我们必须以身作则。被'四人帮'搞坏的社会风气一定要加以扭转，我们老师、家长都应当努力作出应有的贡献。"

第二天，曾浩一到学校就蹦到我面前，满心欢畅地把他爸爸写来的回信递给了我。看了这封信我真高兴。曾浩爸爸虚心接受了我的意见，并表示今后一定注意不再给孩子不好的影响。

可是，半个月以后，有天曾浩跑来对我说："范老师，爸爸去看电影还是没买票。

听了曾浩的话，我心里很不舒服。我教的这班学生，看电影基本上都是在那个"倪叔叔"所在的电影院。我时常听见一些同学议论说："我的爸爸要是认识倪叔叔该有多好呀！""将来我也去电影院当收票的，你们要看电影找我好啦！"……于是，我决定去找这位"倪叔叔"谈谈。

那位"倪叔叔"看来非常年轻，也就二十二三岁。他见我找到他，觉得非常滑稽。"我一不是家长，二不是您教过的学生，您找我干吗？要买团体票你找票房联系，也不归我管。"我说："我要跟你一块研究教学工作。"要不是我一本正经，他准得哈哈大笑起来。可是我终于说动了他。我告诉他："要把学生们教育成有共产主义品德的人，不能光靠学校、光靠老师。整个社会应当成为一所大学校，所有的国家工作人员都应当成为义务老师。你别以为你放进几个没买票的熟人进去看电影没啥了不起，这其实也是在对小学生们上课。这样的事儿看多了、经多了，他们就会对我们老师讲的正面道理产生怀疑，逐步学着干起这类事儿来，一旦养成习惯，就不好改了。我希望你能改变'近水楼台先得月'的观点，当个宣传共产主义道德品质的义务老师。"他听得低头沉思。临告别的时候，他对我说："范老师，想来想去，你说的都对。其实我这个毛病，也是从一些比我更大的人那儿学来的——看起来，这个社会风气都得彻底变变才行……"

我很同意他的话。不把"四人帮"搞坏的社会风气大张旗鼓地扭转过来，我们对学生的教育就不能收到实效。

这一两个月，社会风气又有很大的变化。难怪今天曾浩高高兴兴地来报告"爸爸买了四张票"的消息呢！

听完了范爱玲老师讲的这些，我想了好久。不知道你们听完这个故事，都想到些什么。我们要是能一块儿谈谈，该有多么好啊！

1977 年初《红小兵报》

不熄的火炬

仲春的清晨。由近处的平房、树冠和远处的高楼、搭吊交错构成的天际轮廓线后面，朝霞看如一丛丛鲜活艳美的牡丹花，微风拂来，连润泽的空气仿佛也是芳香的。

我推着自行车出了家门，满心欢喜地深呼吸着。春天啊！多美好的春天！春意荡漾在我的心中。其实，今年——一九七七年的春天，早已来到了，它在一九七六年那伟大的十月里就来到了！那时，尽管大自然的繁花早已随风凋谢了，而伟大的历史性胜利的春花，却在亿万人民心中怒放，并将永远在我们心中盛开。

我心旷神怡地正要驱车出发，忽然，看到对面街道"少年之家"那敞开的铁门内，几个孩子在聚精会神地出壁报。站在凳子上贴报头的小姑娘微偏着头。从她背部的动作，看得出她往这项工作上倾注着多么深沉的感情。瞧，她还背着书包呢。啊，认出来了，这是隔壁院里的冯盈盈，她今天大概轮到上午到校上课，可是，她并没直接去学校，而是利用一大早的时间，来帮着在"少年之家"活动的伙伴们，及时把这期壁报贴出来。我仔细望过去，那报头上端画着星星火炬，下面画着一群红领巾在阔步前进。这并不是什么新颖的设计，但却犹如伸来一只热情的手，拨动了我心上的七弦。我回忆起，就在一年前，"四人帮"在中国大地上搅起股股寒流，无孔不入地妄图扼杀一切革命的、光明的、向上的事物，他们竟曾不许红小兵佩戴红领巾，不许他们使用星星火炬的旗帜。他们把佩戴红领巾和使用星星火炬旗帜说成是"为少先队招魂"，是"复旧行为"——要知道，毛主席他老人家在视察韶山学校时，曾高兴地佩戴上鲜艳的红领巾，同少先队员们合过影，并且多次站在天安门城楼上，检阅过高举星星火炬旗帜阔步前进的少先队队伍。"四人帮"的倒行逆施激起了孩子们对他们的痛恨，你看！现在，孩子们理直气壮地用浓重的红色画出了星星火炬的报头，这不仅是对"四人帮"的有力批判，也是在向华主席为首的党中央举拳宣誓啊……

晨风吹送来电报大楼悠扬的钟声，整整七下。我暂时收回蓬勃的思绪，正要跨上自行车出发，突然，贴完报头的冯盈盈一转头瞧见了我，她像燕子般飞下了凳子，眨眼便飞到了我的自行车前；只见她张开双臂，跳跃着，笑着，不让我上车，她额上的刘海发跳跃掀动着，圆脸庞上那双又大又亮的眼睛热情而期待地望着我，不等我开口，便直截了当地要求说："刘叔叔，您今天去了可得帮我们联系上——我们红小兵大队个个都盼着呢——到纪念堂工地参加义务劳动！"

这个冯盈盈，消息真灵通！不知她怎么打听到的，知道这几天我有机会连续到毛主席纪念堂工地参观访问，所以缠上了我。

我忙向她解释，由于要求到纪念堂参加义务劳动的人太多，又由于施工现场的各项工作都不大适合孩子们来干，所以工地指挥部决定暂不安排中小学生去参加义务劳动。

她把小嘴一撇说："知道！我们去过接待组三次啦，都把我们劝回来了！可你不是能见着总指挥李瑞环伯伯吗？你就帮我们央告央告嘛！"说到这，她又满脸是热切期待的神色，"你点头啦？你答应啦，啊？"

我没点头，也没答应，而是耐心地告诉她，为修筑纪念堂出一把力的愿望是非常美好的，可是如果没有机会直接到施工现场铲一把土、垒一块砖，还可以采取间接的办法来表达心愿嘛，而且，更重要的，是要用我们的实际行动，把毛主席开创的无产阶级革命事业继承下去……

不知不觉之间，我和冯盈盈已经是并排在往胡同外走了。渐渐地，她似乎被我说服了，眨动着睫毛长长的眼睛，自言自语地说："对哇，直接不行，还可以间接呀……"

这个问题解决以后，她便叽叽呱呱不住嘴地打听起关于纪念堂的种种事情来，我便给她讲起了纪念堂工地上的动人的情景和纪念堂竣工后的雄姿……

冯盈盈听着，听着，含着泪水的眼里闪动着幸福的光泽，她自豪地说："我们首都的红小兵多幸福！能比外地的红小兵先去纪念堂看望毛主席！"

我点头说："对！我们住在首都，机会是很多的，以后经常可以去。"

冯盈盈点着下巴，向往着，可是，走了几步以后，她忽然停住步子，偏过头对我说："上学的时候，我当然可以经常去……可我长大了，工作了，那就不能经常去啦！"

我惊讶了。这是为什么呀？

冯盈盈一本正经地告诉我："我们学雷锋小组的伙伴都商量好啦，长大了一准到农村去，到边疆去！我们要像大寨人那么种庄稼，彻底实现机械化！要像大庆人那么开发油田，让石油咕嘟咕嘟往外冒！到了那儿，我还要当个工程师呢，就跟电影《创业》里的姚阿姨一样……你瞧着吧，等我当上了模范，胸口这儿别上了大红花，我一定要回北京来，进纪念堂向毛主席汇报！"

原来是这样！我望望她脸上的自豪劲，望望她颈上结扎得平平整整的红领巾，望望她斜挎着的书包，心里热乎乎的。啊，理想，金色的理想，在这个红小兵心胸里展翅飞翔哩！当然，这理想还比较幼稚，好比仅仅是一个缀满露珠儿的花蕾，还需要在继续生长的过程中沐浴更多的阳光，吮吸更多的养料，来丰富自己，壮健自己；也还需要在与风雨的搏斗中磨炼得更加坚韧，更加顽强，但是，我相信，有了理想的花蕾，就一定能够开出艳红芳馥的青春花朵，结出硕大甜美的革命果实。

同冯盈盈的一番谈话，好比春风掀动了湖水，使我的思绪起伏奔涌。我想起在"四人帮"猖獗一时的那些岁月里，每当我在胡同口遇上一两个嘴叼烟卷、目光空虚的男娃娃时，心里就像刀割一般地难受！唉，这些迷了路的孩子没有一个振奋心灵的革命理想啊！本来，在仍然存在着阶级和阶级斗争的社会里，个别的孩子被资产阶级思想腐蚀以至于堕落，原不是什么值得大惊小怪的事情；更何况我们还可以大张旗鼓、千方百计地来把这些迷路的孩子挽救过来。要解决这些问题，纵使会遇上困难，原本也并非什么天大的难事。但是，"四人帮"这些"庞然大物"横在那里充当他们的教唆者和保护人呀！"四人帮"把冯盈盈这样的服从革命纪律、认真上好社会主义文化课、尊敬老师的娃娃咒为"小绵羊"，却把破坏革命纪律、破坏公共财物、抽烟打架、侮辱老师、考试交白卷……恶劣表现奉为"英雄行为"！他们喷出的毒雾使一些孩子的眼睛失去了青春的光泽，心灵失去了向上飞翔的羽翼，全然不懂什么叫革命理想！他们比传说中专以吞噬孩子为乐的妖怪——"海乙那"更歹毒！"海乙那"不过是单纯地吞噬肉体，"四人帮"却专门吮食孩子们的灵魂，不但从精神上戕杀着好孩子，而且还按他们的模式蕃孳着坏孩子。他们更打出"保护儿童团"、"支持反潮流"的唬人旗号，不许我们去挽救那些被他们这些恶鬼迷了心窍的孩子。一句话，他们妄图用夜枭的翅膀去掩盖党这颗光芒万丈的红星，用鬼蜮的手段去扑灭革命事业的熊熊火炬。这一切，怎能不令我们痛心疾首、怒火中烧啊！……想到这儿，我眨眨眼，眼前是金晃晃的阳光、翠盎盎的春色，再扭头望望冯盈盈，心里顿觉轻松、喜悦。我意识到，打倒了"四人帮"，才不过半年多的时间，在华主席为首的党中央"抓纲治国"的伟大方针指引下，对孩子们进行教育的路线对了头，加上农业学大寨、工业学大庆的时代气息的熏陶，随着向雷锋同志学习的革命群众运动的迅猛进展，尽管今后我仍可能在某一个角落，发现一些尚未树立革命理想、行径荒唐的落后孩子，但从整体来说，下一代的精神面貌是能够而且已经在大大地向上飞跃！那少数仍然没有树立起革命理想的娃娃，我们在教育他们的时候，再不用害怕飞来"九斤老太婆"的帽子，抡来"压制新生力量"的大棍子啦！从一朵鲜花能窥见满园春色，从一个冯盈盈，我不是已经看到了新的一代"祖国花朵"，排除了毒虫的咬啮，正在革命理想的指引下，苗壮地成长吗？

同冯盈盈分手后，我骑车来到了纪念堂工地指挥部。负责同志给我们来自不同单位的几个访问者提供了一个难得的机会，乘汽车去参观各地给纪念堂送来的一部分树木花草和种子。在西南郊苗圃，当我面对着装有各色土壤的玻璃罐时，我本已激扬不已的思绪更加沸腾起来。这些土壤大都是各地的少年儿童们寄来的，有赣江流域的黄土、吕梁山上的赭土、黑龙江畔的黑土、娄山梯田的银土、洱海边上的红土……我望着、望着，刹那间，这些土壤在我眼前幻化成一片壮美的山河，似乎上有万朵红霞，下有锦绣田原，从那蓊郁的山林中，从那银练似的江河边，从那楼宇林立的城市，从那梯田如画的山乡，四面八方传来孩子们真挚的心声，汇成交响乐般的轰响。祖国的山山水水啊，永远连着北京城！我们革命的下一代啊，永远沿着毛主席指引的道路前进！……我真想飞进这幻想中的境界，寻找到那些寄献土壤的孩子们，同他们亲切地会见、倾谈，可惜我无法真切地想象出这些远方孩子的面容……这时候，冯盈盈神采飞扬的面影陡然跳现在我的眼前。是呀，一滴水能映照出长虹的绚丽光彩，通过一个冯盈盈，我们也可以体味到远方那千千万万关怀着纪念堂工程的孩子们的心意神情，他们一定都有着冯盈盈那样的闪烁着青春光芒的眼睛，并且也都在渴望着为革命早日建立功勋，计划着满载成绩来到北京，进纪念堂向毛主席汇报……

祖国各地的孩子们寄赠给纪念堂的珍贵物品是说不完、看不够的。陪同前往参观的接待组同志告诉我："孩子们的想象力真丰富，办法真多。韶山学校全体红小兵寄来了毛主席旧居前的土和一大匣松柏子、葵花子！山东泰安中学的红卫兵登到泰山之巅，精心选出了一块泰山方石寄来，山西太原大众机械厂职工子弟学校的红小兵寄来了一大堆针线包，说是给工地的叔叔阿姨们用……最有意思的是旅大市四十六中学的五百名同学，他们精心选送来了五百颗卵石，这些卵石大小像眼睛，形状像心脏，象征着他们眼望北京城，心向毛主席！"

我不禁要求说："这礼品现在存放在哪儿？能让我看看吗？"

他们说："已经同其他一些最有保留价值的礼物一起，送交历史博物馆了，将来公开展出时你再看吧！"

我又遗憾，又不遗憾，遗憾的是没有立时目睹这五百只眼睛、五百颗红心；不遗憾的是我已经从参观和听介绍中，感受到了全国少年儿童千万双眼睛的光芒和千万颗红心的跳跃。

参观访问完毕，已是暮色苍茫了。离开纪念堂工地前，我再一次登到高处，纵览工地全景。只见晚霞敛去，纪念堂工地上灯光与焊花相辉映，巍峨的主体结构在紫罗兰色的夜空衬托下显得更加雄伟壮丽，恍若一朵硕大无朋的金莲花，正被亿万双人民的手深情地托起；在这亿万双人民的手当中，也包括有千万双孩子的手啊……

我带着强烈的印象，怀着激昂的心情回家来。在胡同口，我又遇上了冯盈盈。这回不是她一个人，还有另外两个乐呵呵的小姑娘。她们不是背着书包，而是每人都提着个菜篮子，正往胡同里走去。我一眼瞥见冯盈盈手中那元宝形的菜篮里，搁着莹碧的圆白菜和顶上挂花的鲜黄瓜，不禁问："这是给哪儿买的菜呀？"她们三个交换了一番顽皮的眼色，冯盈盈便靠拢我身边，兴奋地说："刘叔叔，我们不跟你保密！我们打听出来啦！咱们胡同里就住着两个最幸福、最可爱的人——修建纪念堂的伯伯，他们两家都是双职工，忙得顾不上买菜，我们学雷锋小组打今天起，要天天帮他们买菜！您说，这算不算间接为修建纪念堂出了把力呀？"

我刚点头说了声"算！"冯盈盈已经一甩头发，领着那两个伙伴跳着踢连步，哼着歌朝前跑去。我正激动地望着她们的背影，冯盈盈又猛地煞住脚，扭过头冲我嚷："对了，刘叔叔，今晚我们红小兵大队在湖边进行接力赛，您来看吧！"我一边愉快地答应着，一边想，亿万人民对纪念堂工程的深挚感情，不但可以通过参观访问感受到，就是在日常生活中也随处闪现着深情的火花啊。毛主席纪念堂的位置，的的确确是在亿万人民心房的正中央！……

回到家，顾不得吃饭，我扑到桌前，展开稿纸，提笔要倾诉我的见闻和感受，但一时却又写不出来。我觉得自己好比是一只被花海迷醉了的蜜蜂，飞翔在孩子们赤诚的心花之上。一时反不知该从哪一朵花采起……

晚饭后，我一边构思着关于纪念堂的散文，一边往绿树环绕的湖边走去。走到湖边，我被一种奇妙的景象惊住了！那惊喜的感觉，好比目击到节日的夜空炸出了第一束璀璨的焰火，或者是在春天的晨曦中，发现果园里一夜之间开出了千树梨花……我看见了什么？在对岸那白杨护卫的马路上，分明有几支高擎的火炬在迅速飞跃着，恰如不知陨落的灼灼流星，又似获得神力的凌空红莲！那通红透亮的火炬光芒闪映在湖水之中，仿佛有一条火龙急游而过，使湖中的灯影黯然失色……这时，耳边炸响了聚集在湖边的孩子们的大声呼喊："加油！加油！"啊，原来是冯盈盈他们红小兵大队的火炬接力赛已经开始了。

不一会儿，举着火炬的孩子们转到了湖的这一面，几个等着交接的孩子穿着运动服，双脚蹦跶着，右臂高伸着，扭头朝后望着，迫不及待地准备接过火炬继续朝前迅跑……冯盈盈一定也在运动员之中，哪一个是她呀？高举火炬的孩子从我眼前飞速掠过，转瞬就将火炬传给了跑下一段的孩子。我没看清哪一个是冯盈盈，但又觉得每一个孩子似乎都是冯盈盈，他们有着同样的目光、身姿和步履……我想起早上凝视过的那个报头，眼前的情景，不正是它的活现吗？而且更生动，更令人激昂感奋！我同站在路旁观看接力赛的大人孩子们一样，双眼全神贯注地紧跟着火炬向前奔进，心，仿佛也在向着一个灿烂的目标飞跃、飞跃……

猛一抬头，我看见了挂在白杨树之间的横幅："继承毛主席的遗志，向二〇〇〇年进军！"我心里猛地一动。原来，冯盈盈和她的伙伴们，从现在起就把毛主席提出的在二〇〇〇年使社会主义祖国实现四个现代化的宏伟目标揣进了胸怀，难怪她立志长大去边疆，难怪她说要作出一番事业以后回北京进纪念堂向毛主席汇报！冯盈盈和她的伙伴们，以及全国各地的少年儿童们，他们对毛主席纪念堂的关怀和向往，包孕着多么丰富的含义、多么远大的抱负、多么豪迈的英雄气概啊！"四人帮"妄图让孩子们离弃灿烂的红星，扔掉革命的火炬，真是痴心梦想！冯盈盈他们这一代新人，将在华主席为首的党中央领导下，永远高擎无产阶级革命事业的光辉火炬，奋勇前进！

我盯住那奔飞的火炬深思。火炬像电影上的特写镜头一般推到我的眼前，充满了我的视野。几天来在毛主席纪念堂工地参观访问的种种感受，被冯盈盈同她的伙伴们进行的接力赛点化成了一个坚强的信念，我在心里大声对自己说：写下来，写下来——毛主席亲手点燃的革命火炬，是永远、永远也不会熄灭的！

1976 年年底，收入北京人民出版社《我站在毛主席纪念堂前》

盖红印章的考卷

洒满晨光的楼道里，回响着脆亮的电铃声。

合欢树把长枝伸向窗户，马缨似的红花往教室飘送着阵阵清香……

今天，初三(1)班头两节课是数学开卷考试。

文老师来到教室，一眼就瞅见了教室当中两个并排的空位子，不由得眉尖一跳："周小琴和高桦怎么没来？病啦？有事？"见同学们都在摇头，她脑子里像塞进了个闷葫芦。

这是怎么回事呐？

一

周小琴是初三(1)班的团小组长，红卫兵中队委员。在班里是个德智体全面发展的"三好"学生，在同学中很有威信。有一件事曾经给文老师留下很深刻的印象。

四个月前，春风像一把灵巧的小剪子，剪碎了湖里的残冰，剪出了串串嫩绿的柳叶儿……

文老师接过初三(1)班的数学课不久，就领着同学们到建筑工地结合实际上测量课。

迎着春风，和文老师并肩前进的，是个扛着三角架的女同学，一头黑压压的厚头发，剪得跟耳根平齐；圆圆的红脸庞上，有一双长长的亮眼睛。她就是周小琴。

到了工地，在工人师傅辅导下，测量课上得很顺利。周小琴把他们那个小组的同学组织得格外好，就连平时比较粗枝大叶的高桦，在她带动下也专心得像个雷达兵。测量课上完以后，师生们进行了一个来小时的义务劳动——搬砖。

大伙搬得正起劲，文老师忽然发现高桦跟周小琴在待运的砖堆旁争论起来了——严格说来，是高桦一个人在对周小琴进行质问。周小琴红扑扑、汗津津的脸庞上，两只长眼睛带着笑意，她只是简简单单地摇头、点头，并不解释什么……文老师就走了过去。

高桦晃着头数落她："你怎么一次才搬两块砖？人家文老师年龄是你的两倍，每次搬的砖可比你多一倍！你呀你呀，是测量的时候把劲全使光了，还是怎么的？"

周小琴两手背在身后，抱歉地笑着，但又轻轻地摇着头。

"这多现眼！"高桦跺下脚，朝穿梭的运砖行列一指："看人家组，男生一次五块，女生一次四块，多带劲！你还是咱们组组长，这么没拼劲还成？你就不能多搬两块吗？"

周小琴咬着半个下嘴唇，微笑着点了点头。

文老师一走过去，就把手贴到周小琴脑门上，关心地问："不舒服啦？要不，你先歇会儿；再不，你早点回去。"

高桦这才想到，周小琴可能是病了。他挠挠小平头，赶忙从衬衣兜里掏出一包人丹递过去，有点不好意思地说："喏，给你……我还当你光是累了呢！"

周小琴笑着对文老师说："我脑门温度正常吧？确确实实，我没病，您放心！"说完，就弯腰搬起四块砖，冲高桦眨眨眼，飞快地朝前跑去了。

没想到，这趟以后，周小琴又变成每次只搬两块了，高桦冲她失望地咧咧嘴，再没有去说她。文老师发现，高桦开始把自己搬运的块数从五块增加到了七块，于是，就过去对他说："太多了，没必要。"高桦甩甩额上晶亮的汗珠，闷闷地说："我帮她把数补上，要不，我们组该落后了……"

离开工地以前，各组坐在地上围成小圈，进行小结。文老师走到周小琴那一组，只听高桦正扬着声给周小琴提意见，说她缺乏拼劲，带头作用不足……周小琴低头作着记录，默默无语。

各组组长汇报的时候，周小琴把一份名单递给文老师，说："我们组一致建议您表扬这些同学，各人的优点都写在后面了……"

文老师拿眼睛一瞥，名单上没有周小琴自己，就问："你呢？整个测量过程里头，你表现很好嘛！"

周小琴笑着说："好，那应该。可我搬砖的时候，搬得少……反正，就这样吧！"

事情也就这样过去了。谁知当天下午，高桦忽然激动地跑进办公室，胳膊一挥，对文老师说："嗨！我错怪周小琴啦！人家昨天放学以后，主动跑到我们胡同的街道工厂里，帮着安装新锅炉去啦！干活当中，她把右手腕子戳了，怪不得呢！到医院看过以后，大夫给她开了暂免劳动和体育的假条，她掖在兜里不当回事儿，要不是刚才她掏手绢把条子掉出来呀，大伙到现在还得蒙在鼓里呢！"

文老师心里一动。她想，是什么念头支配着周小琴，手戳了还要坚持去工地上测量课呢？后面的搬砖劳动姑且不论，在整个测量过程中，她主动拿着三角架、标杆什么的跑来跑去，又作记录，又打旗语，那手腕子也会很疼的啊！

第二天课上，文老师大大地表扬了周小琴一番。听见文老师的表扬，周小琴微笑地望着前面，轻轻地摇头。她是谦虚，还是不好意思呢？

二

考试的前一天，夕阳射到办公桌上，给摊开的作业本镀上了一层亮铜。

文老师停下批改作业，靠到椅背上出起神来。

忽然，耳边传来一声轻唤："文老师！"

文老师扭头一看，身后站着微笑的周小琴。看来她刚从操场活动回来，厚厚的短发全捋到了耳后，圆圆的脸庞显得格外红。文老师不由得拉过她一只手，指指桌旁的椅子，亲热地对她说："坐下！你找我有什么事？"

周小琴直率地问："文老师，我瞧您在这儿出神，是为明天的考试担心吗？"

文老师惊异地看了周小琴一眼，暗暗赞赏这个学生的眼力。的确，想起第二天的考试，她就挺激动、挺紧张，好像她并不是出题考学生的老师，反倒是考场上准备不充分的学生。

初三数学考试的题目，前两天已经公开：让大家根据学过的数学知识，结合实际画出多面体的侧面展开图，并用硬纸壳或黏土制出缩小的模型……

尽管文老师这几年在开门办学、开卷考试这些教育革命的重大问题上，一般来说是不甘落后的，可是面对眼下的开卷考试，她心里的小鼓还是比以往哪一次都敲得紧。以往的开卷考试，至多只作到考试时可以翻书查本，总还维持了个考试的"样子"嘛；可是，这次的开卷考试，不光是题目事前公开，考试的时候，学生们还可以交头接耳、讨论商量，甚至可以下位子互相观摩、帮助……总之，是不打一点折扣的开卷考试。这会不会形成学生们不复习、不钻研、不动脑筋、不守纪律的混乱、散漫局面呢？

对周小琴这样的学生，文老师觉得不必有什么顾虑，她就坦率地把自己的担心和盘托出了。

周小琴听完，诚恳地说："文老师，您甭担心。这几天，同学们凑在一起，净议论开卷考试的事儿。也有的同学眨巴着眼问：这么考像不像'样子'啊？没准有人干脆不复习了吧？那定理、公式还要不要记呀？……议论来议论去，大伙还是说：这么考好！这么考，该记的还是要记住！考试不是为了'过关'，不是为了得个分数嘛，考试是为了进一步明确学习目的，促进理论更好地联系实际，查查自己学习当中的优缺点……要说'样子'，反正一个阶级喜欢一种'样子'，咱们搞批林批孔，不就是为了批倒剥削阶级的'老样子'，闯出咱们无产阶级的'新样子'来吗？"说到这周小琴搓着手笑了，"其实，这些个道理，您比我们懂……"

文老师也笑了，她感慨地说："是呀，讲起道理来，我能讲得比你还透彻呢！可脑子里的旧影响，我比你们深得多啊！你说得很好，看来，对旧教育制度留下来的陈规陋习，我破得还很不彻底！"

周小琴扬起眉毛说："文老师，您瞧明天同学们的表现吧！考场上准特生动，特活泼！"

文老师沉思了几秒钟，才说："小琴，对你，我比较了解。你这样的红卫兵干部，我是信得过的。可是，其他同学，比如高桦吧，这次开卷考试的方案公布以后，他那个手舞足蹈的高兴劲，真没法子形容！我担心这种考法对他那样的学生没什么实际收获！"

周小琴缓缓地摇头说："不，文老师，您不光不了解高桦，您也并不了解我。比如，为了那次我戳了手还去工地上测量课，您可真没少表扬，可您的表扬，没有一条说到我心坎上……"

文老师心里一震，她顺手拿起一支粉笔，轻轻地敲着桌面，忍不住激动地问："是吗？我表扬你轻伤不下火线，心里想着红卫兵干部得起模范带头作用，难道不对？"

周小琴点头说："嗯，不对。当时，我心里可没想这个。"

文老师不自觉地用粉笔在桌上轻轻地画着问号，接着问："我表扬你心里想到要不怕苦和累，越是艰险越向前，也不对？"

周小琴还是点头："不对。那天有啥苦？有啥累？我也没感觉到艰险嘛！"

文老师撂下粉笔，眉尖紧皱："那你心里想的是什么？我还表扬你遵守纪律，心里有集体，别人误会了你也不解释，心里时刻提醒着自己要谦虚……全错啦？"

周小琴微笑着说："是全错了哇。文老师，所以说，您对我也不是完全了解啊。那天我心里头，其实就装着一个念头——"

文老师望着周小琴一双闪光的长眼睛，焦急地等着她亮出"谜底"，可偏在这个时候，红卫兵总部的一个男同学跑进办公室来，气喘吁吁地招呼周小琴说："快去！外校来人了，等你去介绍你们红卫兵小组结合批林批孔学马列的经验呢！"

周小琴敏捷地站起来，抱歉地对文老师一笑，跟那个男同学一块走了。

三

考场里出现了一派新气象，文老师很不习惯。

她教了二十年书，少说也主持了几百次考试了。以往的考场呀，论安静——那真是地上落根针也能听出来；论紧张——有的考生额头上直往外冒黄豆那么大的汗珠；论严肃——不，应该说是森严，考生不但不敢斜视，就连咳嗽、打喷嚏，都要尽量压制住自己别发出太大的声音……

眼前的场面可大不相同了。

同学们三三两两凑在一起，你帮我检查一下画出的展开图，我给你的模型提几条意见；这个在查阅书本，那个在翻看笔记；这个刚回到自己座位，那个又站了起来……

文老师微微摇了一下头，这太不像考试的"样子"了！

可是，她又微微点了几下头，眼前这些学生们，全在钻研自己公布的题目啊！……

踱来踱去，文老师一眼望见教室当中并排的两个空座位，唉，心里就像扎了根竹刺似的。她心想：周小琴为什么不来？这么一个开卷考试的积极分子，临到考试的时候却没有来！一个人不来倒也罢了，还带着个高桦！她心里究竟想些啥？原来好象还清楚，经过昨天那场未进行完的谈话以后，却又糊涂了；今天她的无故缺席，就更让人如堕五里雾中。连她这样的红卫兵干部都对这种考试掉以轻心，又怎么能说这种考试有促进学生学习积极性的作用呢？

班主任张老师——一位高个子的男老师，来到了考场。

"周小琴和高桦，不知怎么没来！"几个同学争着告诉他。

"是吗？"张老师是最了解周小琴的，这个消息却也叫他感到意外："事先也没跟我请假呀！这是怎么回事？"

文老师不满地对张老师说："真没想到，偏偏他们会缺席——"

"不，他们不会无故缺席的，一定是发生了什么突然事故。"张老师愣神琢磨了一下，对这两个学生充满了信心。文老师无可奈何地说了句："等他们来了，再补考吧！这种考试，反正……"她没再说下去，但，她咽进肚子里的话张老师猜得出来，准是这么一句："这种考试，反正来不来关系也不大……"

"这样吧——好在周小琴和高桦的家离这不远，我去看看是不是出了什么急事！"张老师匆匆地走了，文老师摇摇头，好几分钟以后，才提起精神去参加一些同学的讨论、检查一些同学画出的展开图和制出的模型……

四

张老师到了周小琴和高桦家，都碰了锁，又回到教室。文老师听到这个情况，叹了口气。张老师对她说："咱们先不忙下结论，我想，他们早晚会来的。"文老师苦笑一下，没吱声，心里想：当然会来，可那时恐怕考试也该收场了！

果然，考试的两节课快结束的时候，周小琴和高桦才兴冲冲地赶到。

周小琴又高兴又坦然地望着大家，她掏出手绢一个劲擦汗。

高桦却是满脸兴奋、自豪的神情，顾不得擦那一头的汗，只是咧着嘴，笑嘻嘻地望着走到他们跟前的文老师和张老师。

"你们俩……怎么啦？"张老师问，"是在路上恰巧碰见有人需要你们帮忙，就做好事去了？"

"没有！"高桦脆嘣嘣地回答，"不是！"

"那你们俩干什么去了？家里也没有！"文老师拢紧眉头问，"为什么对考试这么不重视？开卷考试，就可以随便不来吗？"

"我们怎么不重视考试？文老师，您多主观呀！"高桦大声地辩解。

文老师少有地生气了，她语调生硬地问："我主观？你倒客观地说说，你们俩不来考试，干什么去了？"

"我们就是来考试嘛——"高桦抢着回答。

"你们呀！"文老师憋不住了，她那平时对开卷考试的担忧怀疑，对同学们不放心的情绪，一股脑都冲着这两个没来考试的学生发泄了出来："你们心里净想些啥？嗯，你们一定认为，现在可是开卷考试啰！开卷考试嘛，反正轻松愉快，来不来，不吃劲；考不考，无所谓；反正缺了考将来还可以补考，反正分数现在也没啥用处，反正——"

"反正不是那么回事儿！"高桦突然狠劲插进这么一句，截断了文老师的话，反驳说，"反正我们心里装的不是那些个乱七八糟的思想！"

"文老师，确实不是。"周小琴发了话，她心平气和地说，"我们想的、做的，您都估计错了！"

"那你们俩为什么现在才来？"文老师问，"瞧，你们不光自己不来考试，把别的同学也都搅乱了。"她的气还没平下来。

不错，满教室的同学们都朝周小琴、高桦和两位老师那里望去。大伙也都想知道，周小琴他们究竟是怎么一回事儿。

张老师虽然没说话，但他向周小琴投来了充满信任的眼光，好像在鼓励她：说吧，别着急！

"文老师，张老师，同学们！"周小琴往前迈一步，"我想把我们刚才经过的事儿，跟大伙汇报一下，因为——我觉得这件事，太值得跟大伙说说了……"

同学们纷纷表态："说吧！说吧！""我们都做完啦！""反正剩的时间也不多了，说吧！"

张老师用眼光征求文老师的意见，文老师的气消掉了一些，心里的疑团可没解开，她勉强地点了点头。

周小琴就走到讲台旁边，兴奋地讲述了起来……

五

周小琴和高桦家住同一个院，早晨，他俩一块走出院门，边走边聊。

"高桦，你打算画什么东西的侧面展开图？"周小琴问。

高桦挠了挠小平头，为难地说："我打算画个圆柱体为主的东西，好比——铁壶、炉子……啥的，可是，一画起来，到了变形部位就乱了套！昨天我在厚纸上画了个暖瓶的侧面展开图，剪下来一卷、一对，瓶口部分满不是那么回事……唉！"

"要真能做几个暖瓶壳就好了！"周小琴热心地说，"你别紧张嘛！"

"怎么不紧张？"高桦顺脚把一粒石子踢得好远，挥一下手说，"文老师以为一搞开卷考试，咱们就不用功了；她哪知道，越这么考，我越觉着自己分析、解决问题的能力太差，越想实践，越想提高！"

周小琴点着圆圆的下巴，兴奋地说："是呀！这么考，好处不少，可细一想，也还是不过瘾，还是纸上谈兵嘛！要真能做点实际的东西，那就不一样了，概念一定特别清楚，一辈子也忘不了！"

俩人说着出了胡同，来到大街。

大街上，新开张了一个金属加工厂的修配部，俩人走到修配部跟前，高桦还只顾说话，周小琴却细心地倾听、张望起来。修配部里传来阵阵敲打金属和焊接金属的"当当当"、"嗞嗞嗞"的声音，隔着玻璃窗，可以看见里头有个工人师傅正在紧张地制作煤炉烟筒。

"咦，为什么不……"周小琴把背着的书包朝身后一甩，就跳上了水泥台阶，又对高桦把高举的右手一挥，意思是："进去！"

高桦就跟她推开门走了进去。

嘿！那里头尽是"多面体"！有简单的圆柱体——煤炉烟筒、提水的铁桶……也有稍微复杂点的圆柱体——铁水壶、铁炉子……还有各式各样的"综合多面体"……

周小琴兴致勃勃地指指这个，看看那个；高桦开头不好意思，后来，也不客气地研究起"多面体"来……

"嘿！同学，你们要修配什么黑白铁家伙呀？"离他们最近的一位工人师傅停下手里的活计，问他们。这位师傅有四十岁上下的模样，身板结实，宽脸膛上，浓眉下一双有神的眼睛，含笑地盯着他俩呢。

"我们不是来订活的，"高桦解释说，"我们看看就走。"

"嗯，明白啦，你们把这车间当成本'活书'，研究多面体呢！"这位工人师傅一边继续敲打手里的铁板，一边笑着对车间的其他工人师傅打招呼说："这两个红卫兵来咱们这儿读'活书'，咱们可得欢迎啊！他们问啥，咱们就告诉他们啥，人人当个'活注解'吧！"

各个工作点上的师傅都感兴趣地抬头望望周小琴和高桦，笑着呼应："行呀！老潘，咱们就当'活注解'！""欢迎欢迎！有问必答！"……

周小琴和高桦就兴高采烈地在车间里转了一通，他们对一位青年工人正在制作的"虾米腰"式通风管最感兴趣，那个工人师傅严肃地对他们说："别以为这通风管简单，其实，里头包含着一套函数关系呢——"接着就边干边讲起来……

转了一圈以后，周小琴只觉得眼睛看不够，耳朵听不够，平时书本上学的一些东西，在她脑子里都"活"了起来。她很快地产生了一个愿望，这个愿望来得如此强烈，以致她顾不上和高桦商量，就几步跑到潘师傅面前，恳求说："潘师傅，今天我们考试，老师让我们画一个多面体的侧面展开图，我想，干脆我们就把这儿当成考场吧——"说着，指指地上的取料板，大胆提出要求："能让我们在取料板上，试着画画烟筒拐脖的侧面展开图吗？"

高桦被这个提议激动了，他跟着说："就画一个，还不行吗？"

"嗬，你们是想亲口尝一尝梨子的滋味啊！好，真有股子钻研劲头！"潘师傅用布满厚茧的大手摸摸下巴颏，笑着说，"学校里搞教育革命，各行各业都该支持啊！你们要理论联系实际，实打实地干干，这个路子对！"接着一边摆平取料板，一边放大声音对车间里的同志们说："中学生跑到这么个地方来考试，工人师傅当上了老师，这，确实是以往没有过的新鲜事儿！要是孔老二和他的徒子徒孙们见了，怕又得跳起一丈高，说这是'礼崩乐坏'吧？哈哈！咱们工人阶级，就是要带头破孔老二、林彪他们的'礼'和'乐'啊！"

潘师傅一番话，说得满车间活跃起来，到处响起这样的声音："画吧！""试试吧！""能画好！"

于是，潘师傅就亲自指导周小琴和高桦在取料板上画起来。其他师傅们也不时送过鼓励的话语来……

终于，他们一人画出了一个展开图，修改过几次以后，潘师傅高兴地对大家宣布说："成！不赖！"

高桦高兴得自己拍起巴掌来。他想，要是能把这图形拍成照片，送去给文老师看，她该多么高兴啊！

周小琴也高兴，可是，她还不满足；在一片鼓励声中，她鼓鼓勇气，进一步提出要求说："潘师傅，让我们把它从取料板上剪下来，做两个烟筒拐脖吧！"

"对！对！对！"高桦跟上去，拳头捶着胸脯说，"一定仔仔细细地做，一定不出废品！"

潘师傅一双明亮的眼睛充满了热情，他望望用期待的目光盯着他的周小琴和高桦，果断地把大手一挥，大声说："好！我领着你们做！咱们说什么也不能出废品！"

周小琴和高桦是多么高兴啊！

就这样，他们俩亲手做成了烟筒拐脖，经过检验，完全合格！

"啊呀！都快十点了！"高桦望见了墙上的电钟，就像猛然从兜里发现了一张过时忘去的电影票，叫了起来。

"我们误了学校里的那场考试啦！"周小琴用又遗憾又愉快的语气说，"不过，没关系，我们在这里也是考试嘛！只要我们把这两个烟筒拐脖带到教室去，文老师一定会理解我们的——"

这下潘师傅可为难了，他摸摸下巴颏说："烟筒拐脖得送到我们的成品门市部去啊，这是国家财产，怎么能拿到你们教室去呢？"

"那可怎么办呀？"高桦急了，他说，"光凭嘴说，我们文老师可不一定相信！"

"这样吧，你们跟我来——"潘师傅和几个师傅小声商量了一下，就让周小琴和高桦跟他到了里面的办公室，郑重其事地开了一张证明，递到周小琴的手中。

原来，潘师傅就是修配部的革委会主任啊。

六

讲完了晚到的原因，周小琴从兜里掏出潘师傅开的证明，递给文老师。文老师和张老师一同看去，只见证明上写着：

兹有红梅街中学初三年级学生周小琴、高桦二人，于今日上午来我处，运用所学数学知识，在取料板上画出民用煤炉烟筒拐脖侧面展开图，并剪料制成烟筒拐脖两个。经鉴定，完全符合质量标准，现已送往门市部作为正品出售。周小琴、高桦同学这种大破旧的考试制度，大胆创新的革命精神，我们坚决支持！欢迎您校革命师生今后常来我厂搞开门办学、开卷考试，帮助我厂改进工作；今后我们也愿进一步用实际行动支持学校教育革命，望常联系。

红梅街金属加工厂修配部

在落款上，盖了一个朱红的大印章，上有"红梅街金属加工厂修配部革命委员会"字样。

看完，文老师把证明递给了张老师，一句话也说不出来。

张老师把证明读给同学们听了。大伙全都快活地笑了起来，有的还拍起了巴掌。

"文老师，您那么怪我们，对吗？"高桦偏着头，嗔怪文老师说。

"文老师，您要是知道我们心里都想些什么，那就好了！"周小琴微笑着对文老师说，圆圆的脸庞光彩焕发。

"是呀！是呀！"文老师难为情起来，嗫嗫地说。

<h2 style="text-align:center">七</h2>

事后，文老师把周小琴请到办公室，诚心诚意地问她："小琴，先把你昨天没说完的话说完，那回你带伤去工地上测量课，究竟心里是怎么想的？昨天和你谈话后，我琢磨了好一阵，既然我原来对你的表扬全不中肯，那么，你也许是光凭着一股子图新鲜的好奇心，才去的，可是，刚才你的行动又否定了我这个想法。"

周小琴边笑边摇头："是啊，文老师，您越想越偏了。其实，那天我坚持去，心里就有一个念头：可不能错过这么好的一课！理论联系实际，真刀真枪地干，多好呀！"

文老师深思地点着头。多么朴素的念头，可又是多么美好的念头啊！

她忍不住又接着问："那，围绕着这次开卷考试，你究竟想到些什么？"

"我呀！"周小琴开朗地望着文老师，眼里闪着动人的光芒，大声说，"我想到：照毛主席的指示做，要前进！要革命！要把孔老二、刘少奇、林彪他们搞复辟倒退的那一套旧规矩踩在脚底下！要为革命学到真本领，理论联系实际，把分析问题解决问题的能力练得棒棒的，将来接好革命的班，去实现共产主义！"

"小琴，你的想法——真好！"文老师望着周小琴朝气蓬勃的圆脸，点着头。

她和周小琴谈了很久……

周小琴走了以后，她把那张盖着红印章的考卷——潘师傅写的证明拿出来，读着，想着……

她感到，需要立即行动起来。

现在是新学期了，红梅街中学的教育革命，早突飞猛进、发展到更新的阶段了，又涌现了好些特棒的革命小将和好些更新鲜的事儿。不过，大家时不时还要拿出那份"盖红印章的考卷"来看看、议议，好比登山运动员回头观察自己身后的脚印：这对继续前进，确实是很有好处的呀！

收入《盖红印章的考卷》，北京人民出版社 1975 年 6 月第一版

睁大你的眼睛

1. "孩子头"方旗

翻开这本书的同学，跟你认识，我挺高兴。

我给你讲个发生在我们大院里的故事吧。

我们这个大院，嗬，真叫大！你要能变成只老鹰，飞到天上朝下一望，那就能看出来，它好比是个用房子和墙砌出的"国"字，横卡在两条大胡同之间，好气派！七十年前，这个大院还是清朝一位王爷的王府呢，瞧，历史的车轮转得多快，原来住在里头的那个王爷早成了粪土；现在，住在里头的五十多户大多是劳动人民，王府已经变成一座漂亮、热闹的社会主义大院啦！

我们大院有两块比较大的地方：前头垂花门里头的方院子，因为有四棵垂丝海棠，大伙都叫它"海棠院"，院里大人们开会，常用这块地方；后头西北角有片空场，长着一棵老粗老粗的大槐树，大伙管它叫"槐树地"，那是我们小孩子的"花果山"。

我们院有多少小孩？人家中学生，一个个走路模样都跟咱们不一样了，不算他们；那些罩衣上别手绢的小"嘎嘣豆"，走起路来还一蹦一跳呢，也不算数——光算我们小学生吧，就足足有三十六个！

我这故事的主角方旗，是我们这个大院的"孩子头"。

你准得问：方旗凭啥当上了你们三十多人的头头？他有啥能耐？

"槐树地"的那棵大槐树，从根底下到分权，足有一丈来高。我搂定了往上爬，吭吭吭，至少得八下才能骑到分权那儿，坐定了还得呼哧呼哧且喘一气；人家方旗两胳膊一抱，脚底下蹭蹭蹭，你打"一"还没数到"四"呢，他已经坐在分权那儿，两只脚荡悠悠，捋下个槐树豆儿扔到你鼻梁上了。就从这一件事，你琢磨琢磨：要是掰腕子，你能不能轻易掰倒他？要是跑百米，你能不能轻易超过他？

那么，方旗就凭这两下子成了"孩子头"啦？当然不是！你别急啊，听我把"幻灯事件"一讲，准能明白。

打去年春天开始，批林批孔运动掀起了高潮。我们大院里，批林批孔也搞得热火朝天。

五月里的一个晚上，小风吹得白杨树哗啦哗啦拍巴掌，满院流动着大人小孩的欢笑声。

那天晚上，大院里有个批林批孔会，定好在"海棠院"举行。

开会前，有群孩子在"海棠院"里足折腾。男孩子们在垂花门里外，抄手游廊左近，穿过来、跑回去，玩"打游击"；女孩子们在海棠树下跳猴皮筋、拽包儿；还有些个"嘎嘣豆"啥也不正经玩，光各处瞎凑热闹。

你该发话了："这么乱乎，可怎么开会呀？"

甭急，这就显出方旗的作用了！

"笛——笛——"垂花门那儿，响起了清亮的哨声。

吹哨的就是方旗。只见他站在垂花门外的石礅上，举手招呼孩子们："'槐——树——地——'集——合——！"

刷刷刷、噔噔噔，一阵脚步响。不一会儿，"海棠院"安静下来了。

大人们陆陆续续拿着板凳、马扎坐到院心，方大妈——方旗的妈妈，居委会治保主任——稳稳当当地走到前头，开始组织当晚的会。

那次的会，是请工厂理论小组的同志给系统地讲儒法斗争的历史，我们小孩子听着太深，所以方大妈没让我们参加。

方旗把我们拢到后院干吗？光是为了不妨碍大人听讲吗？才不呢。他是组织我们一伙孩子，用我们喜闻乐见的形式，搞批林批孔、学习儒法斗争的历史经验！

看吧！"槐树地"西边的大墙上，用整开的大白纸糊出了一块"银幕"；一排排的小板凳、小椅子，面对"银幕"，排成折扇形；尽后头，大方桌上，摆着伸出"炮筒子"的黑匣子——哈，你当然知道，那是幻灯机。看来，要开幻灯晚会啰！

当然，准备这个幻灯晚会的不是方旗一个人，不光他们几个五年级的大同学花了力气，像我这样的四年级学生，张翠翠那样的三年级学生，也都没少张罗。幻灯机是我们自己做的，幻灯片是我们利用碎玻璃裁的；学校里的语文老师帮助我们编脚本，美术老师指导我们画的画。节目有《孔老二求官》、《西门豹治水》、《陈胜吴广起义》，还有根据方旗他们大同学搞社会调查编的《贺姥姥家史》。大伙顶感兴趣的是最后一部，因为这部片子用具体的事儿说明了：林彪搞"克己复礼"如果得逞，会把我们劳动人民推到啥样的火坑里去。再说军属贺姥姥就住在我们大院里，我们平时都特爱听她给讲故事。

我们小个在前，大个在后，坐得整整齐齐。方旗指挥，大伙先唱了支《三大纪律八项注意》。我带头噼里啪啦拍上了巴掌，催放幻灯的人快点对光。我想，等对光"试镜头"的时候，我可得举起手来，捏个兔子头的剪影，映到"银幕"上去，那多有意思呀！

可是，方旗挥手制止我们鼓掌，他宣布说："天没全黑呢，现在演瞧不清。我先教大伙唱支新歌——《批林批孔当闯将》吧！"

大伙学得真带劲。不知不觉，歌学会了，天也黑了。该开演啦！

方旗他们家就在"槐树地"的北屋。教完歌，方旗招呼正在他家赶画新片头的大乔，赶紧把装幻灯片的木盒拿出来。大乔在里边嚷上了："还差两笔就画完了！盒子在东边窗台上，我把盖打开散潮气呢！"听了大乔的话，有个同学就走去取盒子。

"唉呀！"那同学生气地叫了起来，"咋搞的！谁往盒子里泼水啦？"

这一叫，"槐树地"顿时乱了起来。

好些孩子站起来往窗台那儿跑，他们要亲眼看看是怎么一回事儿。

我也跟在方旗后面，跑了过去。

方旗打起手电一照，呀！盒子里还有小半下子水。幻灯片算是完了。你想，自造的简易幻灯片，哪经得住水泡？

真好比骑车去香山，刚出西直门就崩了带，可怎么办哪？

方旗、大乔他们几个大同学凑拢一块，大概是在商议。

我们三、四年级的还沉得住气。一、二年级的可就哇啦哇啦嚷开啦。有的喊："谁使的坏？找他算账！"有的叫："这下还怎么演幻灯呀？干脆到'海棠院'听会去吧！"……

更糟糕的是，有些没上学的"嘎嘣豆"下位子追打吵闹起来，有几个干脆顺着甬道朝"海棠院"跑去；一个小姑娘摔了一跤，哇哇地哭开了……

当时我心里鼓槌子乱颠，没个主张。

在这关键时刻，"笛——笛——"方旗又吹了两声哨子，大声命令："各——就——各——位——！"

两个五年级的女同学，赶紧去追拦往"海棠院"跑的小娃娃们……

我和同年级的几个伙伴，赶紧带头回到位子上坐好。"还看得成幻灯吗？""咱们干啥呀？"……对这些提问，方旗先不回答，只是把手有劲地一挥："来，复习一遍《批林批孔当闯将》！"

雄壮的歌声响起来了。这一遍大伙唱得特快。

歌声一停，方旗严肃地问大伙：

"咱们这里头，有没有人不小心，把水溅到盒子里？"

"刚才谁在'槐树地'玩来着？有没有看见谁往窗台那块泼水？"

大伙七嘴八舌，都在回答，总起来是两个字："没有。"

方旗和几个人同学又仔细询问、分析了一番。看起来确实不像是我们群里的人干的。我们里头虽然也有爱开玩笑，甚至搞点恶作剧的伙伴，可从来没有人拿批林批孔这样的正经事开过玩笑；再说，我们每一个人都盼着快点看上幻灯，谁会去有意毁幻灯片呢？"准是有人捣乱！""非把他查出来不可！"大伙的想法一集中到这一点，个个心里开了锅。方旗跟大乔他们又议论了一下，就大声对大伙说："幻灯片给毁了，究竟是什么人干的、为什么这么干，现在一时还弄不清，咱们大家都要长个心眼，好好琢磨一下。眼下幻灯是演不成了，大伙说，咱们能乱起来，去冲击'海棠院'的会场吗？"

"不——能——！"大伙心齐，声音也就特齐。

另一个女同学接着说："幻灯演不成，咱们也不散！我们几个，给大伙讲批林批孔的故事。我先给大伙讲《老师傅三批'克己复礼'》，你们听不听？"

一阵响亮的掌声，代替了回答。

她讲得还真生动，我听得入了神！忽然，方旗轻轻地扽我衣袖，小声对我说："来，你给我当助手！"

我随方旗来到他家窗台下，他让我蹲下打起手电照地。

原来，他要检查窗根下有没有脚印。

方旗家窗外是潮湿的泥土地，很容易留下脚印；但它不当路，没有特殊原因，又不会有很多脚印。

在离窗二尺外的地方，我照出了一片重重叠叠的脚印，那显然是刚才大伙围过去的时候踩出来的。再往前照，除了拿盒子的同学留下的球鞋印，再找不出啥明显的脚印了。

我微微叹口气："唉！"

看来，是找不出啥线索了。

方旗拍拍我的膝盖，让我注意力集中。我眯眼细看，啊，在那簇月季花边，有一道自行车轱辘印！

我咬着嘴唇正琢磨呢，方旗已经掏出张纸来，用炭笔描下了那车轱辘印的花纹……

两天以后，我到方旗家找他玩，问起车轱辘印的事，他打开书桌抽屉，让我往里看——呀！也不知他用什么法子，在几张旧纸上留下了几个清晰的车轱辘印。

我兴奋地问他："浇咱们幻灯片的人，能由这车轱辘印追出来了吧？是谁？什么时候你领着我们找他算账去？"

方旗把抽屉关得紧紧的，反过来问我："凭它，就能算账啦？"

方旗以为我遇事还像过去那么光知道作加减法呢！其实，我琢磨两天啦！"怎么不能？"我急着谈出了自己的看法，"你们后头这几个套院里，八户人家一共有十辆自行车，这些个车的轱辘印，总不会都是一个样吧？咱们顺轱辘印找车，顺车找人，不愁破不了案。那干坏事的人准是一手扶车把，一手拿盛水的杯子，溜着自行车挨近了窗台，趁没人注意，哗啦——把水泼到了里头……"说完，我盯着方旗，心想：怎么样，遇事我也能分析一气了吧？

方旗笑着看着我，忽然说："小凡，我破个谜你猜：房子里有帐子，帐子里有胖子——是啥？"

我不满意地说："这时候破啥谜！再说，你也没说对，应该是：麻房子，红帐子，里头有个白胖子——这才是花生！要不，猜啥不成，核桃、栗子……哪个没有房子、帐子、胖子？"

方旗点头说："对哇，一个道理，光凭手里这个车轱辘印，能下结论吗？"

我叹了口气："合算这车轱辘印，没用哇？"

方旗捅了我一拳："你呀你呀！尽荡秋千，一会儿东一会儿西！现在还不能说它没用。究竟谁泼的水？为什么要泼水了？还得做很多调查研究工作才能弄清楚。其实，我原来也有你那种简单想法，是妈妈纠正了我。她说：别以为搞调查研究跟你爬树似的，三下五除二就能解决问题；要多问几个为什么，要扢扢阶级斗争这根弦。小凡，咱们可得好好下工夫啊！"

我明白了，使劲地点头。

最后，方旗郑重其事地说："车轱辘印的事，暂时得保密，谁也不许告诉！"

我握住红领巾说："保证！"

方旗使劲拍了一下我的肩膀，我们俩全快活地笑了。

介绍到这儿，你该知道我们为什么都服方旗了吧。

不过，我们院的孩子里也有跟方旗"顶牛"的，那就是惹人生气的郑可意。

要问他怎么惹人生气，好，我就举个例子说说吧，你听了准也得气歪了嘴！

2. 一张票和二两糖

去年夏天的一个星期日，我正在家里帮妹妹修理玩具拖拉机呢，方旗挥着两张电影票跑了进来："《艳阳天》！八点五十的，快走！"

我高兴得心里顿时开出朵花儿，把拖拉机往妹妹怀里一送，蹦起老高。早听说《艳阳天》这电影特棒，可我老没看上，这回，总算达到心愿啦！

我和方旗连蹦带跳地往院外跑，刚跑到前院的合欢树下，迎面撞上了郑可意。

郑可意跟方旗一个年级，身量可比方旗矮小。他脸上抹着几道灰，抱着个小足球，一见我俩就煞住脚问："干嘛玩去？"

我得意地告诉他："看电影去！《艳阳天》！"

他一听看电影，咳，就跟牛皮糖似的粘上我俩了，死乞白赖地要我俩让他一张电影票。

"让我看去吧！让我看去吧！"他用可怜巴巴的调子对我俩说："听说特冲，比打仗的还来劲哩！我老没看上，你们匀我一张票吧！"

我是坚决不干。方旗先头也舍不得，后来，看他真是想看，就掏出票来，痛快地拍到他手里说："成，你先看吧！"

郑可意把票往兜里一揣，一家伙把球抛得比房高，蹦起来接住以后，欢呼着回家推自行车去了。

我快步走到电影院，还好，刚放音乐，还没放映呢。

咦呀，郑可意怎么还没来呢？他骑自行车，半道就能赶上我呀。

黑灯了，银幕上出现了"请勿吸烟"的幻灯字幕。我望望身边还是空着的位子，心上像坠了个闷罐子。

不一会儿，服务员阿姨用手电照了照我身边的位子，啊，来啦！我不由得招呼了一声："可意！这儿！"

他不答应我，倒也罢了。奇怪的是，他怎么突然变成了个黑糊糊的大胖子？

原来，坐到我身边位子上的，根本不是郑可意，而是个胖叔叔。

方旗那张票，明明是挨着我的嘛，怎么这位胖叔叔跑到这儿来坐了呢？

我小声招呼他说："同志，这位子有人！"

胖叔叔偏过头，好像不懂我的话，他点点头说："是呀，人就是我啊！"

我不得不放大点嗓门说："您坐错啦，这儿是五排七号，我们同学的位子！"

胖叔叔有点生气地问："你的同学？是不是尖鼻子、圆眼睛的一个红领巾？他叫什么名字？"

啊，敢情他俩换位子啦！不过，换位子就换位子呗，打听名字干啥呀？

见我没答话，胖叔叔接碴说："他真不像话！把张一毛钱的学生票，当成三毛钱的成人票卖给我了！进门的时候，收票员查出来，批评了我一顿，我转身找他，没影儿了！又去补了两毛钱票，这才进来！"

当时，我气得差点蹦到电影院顶棚上去！

你说郑可意干的是什么事儿？亏他还系着红领巾呢？真给我们红小兵丢脸！蒙人骗钱，这不就是往资本主义道路上迈腿吗？多可耻！多危险！

我站起来，要冲出电影院找郑可意算账，胖叔叔按下了我，拍拍我肩膀说："算啦！你先看电影吧！回去再跟你们老师反映一下。几毛钱是小事，蒙人占便宜是资产阶级思想作风，这可是大毛病呀！"

开始演《新闻简报》了，好半天，我都不知道银幕上是些什么。直到正式演《艳阳天》，我被它抓住了，才渐渐忘记了郑可意。

电影演完了，灯又亮起来，我起身随着人流往外走。刚出电影院，被金闪闪的阳光一照，我猛地想起郑可意卖电影票的事来。就像吃花生吃到最后一颗，偏碰上是个发霉的，那股别扭味儿，就别提了。

我想找着那位胖叔叔，把兜里的两毛钱给他，补上他的损失。可是，晚啦，在来往穿梭的人群里，哪儿寻得着他呀！

回到院里，我径直往方旗家跑，刚拐进"槐树地"，好险！差点跟一个人撞个满怀。

定眼一看，嘿，正是方旗！

方旗一把扶住我肩膀，大声地说："小凡，我正找你呢！"

我气喘吁吁地说："我也正找你呀！有件可气的事，我得告诉你……"

没想到，方旗紧皱眉头，一点不像开玩笑地对我说："我也有件可气的事，想告诉你啊！"

我赶忙提高声音说："让我先说！我要说的事，准比你那事可气！"

方旗摇摇头，声音不高，可语气十足地说："那可不见得——我这事呀，特、别、可、气！"

我不禁一愣，可是仍然强调说："我先说吧！"

方旗直冲我眨巴眼，让步地说："你就先说吧！不过，我这事不能耽搁——我要借你们家的秤使使哩！"

方旗干吗借秤？难道那可气的事还得用秤约约？

我眼睛睁得溜圆，望定他说："你可别跟我逗啊！"

方旗用拳头把我肩膀一捶，郑重其事地说："没跟你逗啊。你遇上啥可气的事了？告诉我吧！"

他这么一来，我倒不想先说了，连忙摇晃他胳膊，催他："你先说吧！快说吧！"

方旗搂着我肩膀，往我家去取秤，一边走一边讲他遇上的事儿："你们前脚看电影去，我后脚就上街买白糖去了；刚才，我打开纸包，往糖罐里装白糖，往常呀，一斤糖恰好装满糖罐。这次呀，你猜怎么着？"

"准是不够数，罐没满，糖就尽了呗！"我随口应着。

"不，你说反了。这次呀，糖罐装得平口了，纸包里还剩下茶壶盖那么大一堆糖！"说到这儿，方旗拍拍我肩膀，语气里透着不满意，"瞧，多给了我这么些！"

我煞住脚，不理解地问："这有啥好生气的呢？"

方旗轻轻弹了我后脑勺一下，提醒我："多给顾客东西，谁受损失呀？"

"当然，那国家就受损失了！"我赶忙说，"多的糖不能要！给送回去吧！"

方旗搂紧我肩膀，继续带着我往前走，对我说："进嘴的东西，出了商店可不兴再往回退啊！那多出来的糖，得约约有几两，折合成钱，把该补上的钱送去……"

我使劲点头，可忍不住还问："售货员同志约错了东西，你干吗生那么大气呢？"

方旗解释说："要是因为当时太忙，不小心约错了，咱们当然不该生人家的气，可这次根本不是那么回事儿。你猜是谁给我约的白糖？就是咱们院那个'5号'——"

啊，原来是她！她的丈夫郑传善是个资本家，公私合营前，她一直是当老板娘，我们都不乐意管她叫阿姨，因为她现在在食品店当售货员，大伙就按她工作服上的号码叫她"5号"——可她干吗要给方旗多约白糖呢？

方旗接着说："她是存心多给的。刚买回来我也没在意。半个钟头以前，我正在院里跳绳呢，她们家那口子——就是那个郑传善，跟我搭话说：'邻居邻居，秤头富裕——还是认识个售货员好吧！'……"

我一时还没琢磨透那句话的意思，已经走到我家了。取了秤，我随方旗到了他家。拿秤一约，多出来的白糖恰好是二两。

方旗把那二两糖用纸包好，搁到了方桌正中央，对我说："等妈妈回来，我得让她瞧瞧。"

我望着方桌中央的糖，不由得想起前些时的一件事：方大妈把街道上一些积极分子请到她家，指着方桌中央的一篓鸭梨对大伙说："这是胡同里新搬来的孟家给我送来的，说是慰劳我这个街道干部，求我今后对他们'多多帮助'——她家的老头子，是个几次被公安局拘留过的家伙，在原来那条胡同臭了，这才换房搬进咱们这块——我把这篓鸭梨留下了，为的是约大伙一块对着它，再体会体会党的基本路线里讲的那些个意思……这鸭梨里有阶级斗争哇！"当时，我和方旗坐在屋子一角，倾听着大人们激动的议论；方旗两眼闪闪发光，好像心里充了电似的……嗯，难怪方旗把糖也放在当天搁鸭梨的那个位置上。别看他没说啥，我可知道他心里打着啥闪、响着啥雷！

方旗拉开桌子抽屉找零钱，好凑足二两糖钱给送去。

我思量了一会，就站过去对他说："嗯，我明白啦。他们两口子，是想用这号法子，跟你们家拉近乎呢，怪不得你生那么大的气哇！"

方旗点头望着我说："就是那么回事啊！他们以为，借他们手，让我们占国家点便宜，我们就能忘记他们是资产阶级，对他们不要讲原则……哼，想得倒美！"

我觉得心里顿时豁亮多了，把拳头一握说："二两糖，真不是小事啊！"

方旗刚想往外走，忽然把头一晃，冲我嚷："咦，别光顾跟我生他们的气啊——你为啥事生气来着？该给我说说啦！"

我这才又想起那张可气的电影票，于是，就一五一十地把事情跟他说了一遍。

方旗气得捏紧拳头，一个劲咬牙。他说："走！咱们先找郑可意，完了再送钱去！"我完全同意。我俩就找到郑可意家。

3. 第一仗

一进郑可意家，就见他正坐在桌边吃饭呢。嘿，一大碗油晃晃的葱花蛋炒饭，一大碗榨菜肉丝汤，全都冒着热气儿。

我几步跨到桌边，不客气地说："你呀！没羞没臊！你干吗蒙人骗钱？把多要的两毛钱交出来！"

他埋头往嘴里扒拉炒饭，打嘴角滋出不少蛋花和饭粒，脸蛋红得像樱桃，显见是心里有愧。

我一捶桌子、一跺脚，不留情地说："说实话！你是不是把一毛钱的票当三毛钱的票卖了？"

他使劲咽下一大口饭，结结巴巴地说："没、没那回事儿！我跟、跟人家换了位子，看、看的电影！"

咦！他还好意思谎上加谎！我正要大声呲儿他，方旗扽了扽我衣袖，让我冷静。他问："可意，你说说，肖长春给马连福忆苦的时候，坐在什么上？"其实，这个镜头剧照上就有，方旗就是打剧照上看到的。

郑可意喝了口汤，眨巴几下眼以后说："坐在什么上？板凳上呗！"

"可见你没看电影！人家是坐在碾盘上忆的苦！"我叫了起来，"你甭狡辩啦！交枪投降吧！"

郑可意一慌，噎住了，打起嗝来。

方旗对他说："这事你抹也抹不了啦！办了错事，咋办？改哇！改得越快，越好！"

郑可意揉着胸口，不敢抬眼皮，估计是在心里盘算：认错，还是不认错？

我催他："蘑菇啥？还不快认错！"

方旗说："可意，犯错误并不可怕，可怕的是没认识，赶明儿还接碴犯，往大了犯……这事你已经干了，一时也找不着那位叔叔赔钱道歉，咋办？就该分析分析，自己为啥干出这号事来？"

郑可意把吃完的饭碗一推，眨巴了几下眼睛，绕着弯子说："就假如我干了这么件事吧，你给分析分析，究竟是怎么回事儿？"

我不满地大声说：“假如？你就是干了嘛！”

方旗却坐到他对面的椅子上，帮他分析起来了：“依我看呀，你今天蒙人占便宜，好比‘金刚’变蛾子，不是啥偶然的事！平时你在家里，你奶奶惯着你，把你当宝贝捧着，你饭来张口、衣来伸手，到了学校连扫除也不爱做……老师说过，人要是不爱劳动，光知道享受，打这‘懒’字上就得变，从‘懒’到‘馋’，从‘馋’到‘占’，从占小便宜到犯大错误……发展下去可危险啊！”

真的，是像方旗说的这样，可意的爸爸妈妈都在青海工作，平时就他奶奶带着他过日子。郑奶奶常说：“可意这名儿是我取的，我六十开外才有了这么个孙儿，可心可意嘛！可意是我们郑家传了三代的独苗儿，我能不疼他吗？再说，他又得过大症候，现在也不准断了根，你们要说我护犊子，我也不辞！”把个可意娇着、惯着，不爱劳动、不合群、不关心集体……

我正在琢磨着方旗的分析，谁知郑可意咬咬嘴唇，挺不痛快地反驳说：“你干吗把我说得那么坏？合算我成天净想着怎么占便宜了？”

方旗说：“谁也没说你现在已经那么坏了啊！你干出这号事来，就我知道还是第一次哩。可这蒙人赚钱的事还小吗？你怎么会想出这样骗钱的坏招来呢？”说到这里，方旗思索了一下，问道：“我问你，你去电影院的半路上，碰见了谁？他跟你聊了好一阵，都聊了些啥？”

郑可意不由得眉毛一跳，他抬眼偷看了一下方旗的神色，挺没底气地说：“我谁也没碰见、啥也没聊……”

方旗就明点出来：“你骑车出院门以后，我紧跟着上街买白糖，老远我就瞧见，胡同口有个人把你叫下了车，跟你谈了好一阵话，直到我都快走到胡同口了，他才把你放走……有这事没有？”

我忍不住问方旗：“那人是谁呀？”

方旗告诉我：“就是咱们院的郑传善！”

他呀！我正寻思这事呢，郑可意赌气地说：“人家又不是反革命，我跟他说话犯法了呀？”

我立刻提醒他：“他可是个资本家！”

郑可意挺直脖子跟我辩："人家自己说啦：早没资本了，白丁一个，如今也没花天酒地，跟咱们一样过日子；再说，人家还是个半身不遂的瘫子，怕啥？"

听了这话，我心里丫丫杈杈好别扭，可一时又不知该拿啥话驳回郑可意。

方旗心里可有准谱，他搓着拳头挺动感情，但说出话来还是有条有理："可意，你脑子里是盆糨糊啊！资本家要看他是不是接受改造，郑传善表现咋样？他可不乐意接受改造了，自打七一年他坐上手摇自动椅，退职到咱们院来，街道上组织的学习和大小会，他从来也不参加；批林批孔起来以后，他更消极。打上个月，我就瞅见他时不时到你家来；不是说不能理郑传善这号人，可咱们是无产阶级的接班人，得提防着不受他那个资产阶级思想的腐蚀呀！"

我逼到郑可意身边，紧钉着问："卖电影票是不是他给你出的点子？是不是？"

郑可意两手直揪上衣的纽扣，看起来他思想上斗争可激烈啦，他紧了紧嘴唇，似乎眼看就要把实话说出来了——咳，偏偏这时候，郑奶奶端着洗衣盆打院里水管那儿回屋来了。

郑奶奶一进屋，看到可意的那副样子，就把洗衣盆往凳子上一放，赶紧问我们："小旗！小凡！我们可意招你们惹你们啦？干吗把他弄得愁眉苦脸的？"

我想，别的事郑奶奶也许会护着可意，这件事，郑奶奶总不能也帮他遮掩吧，就把事情原原本本跟郑奶奶讲了一遍。

谁知郑奶奶听完了，轻描淡写地说："可意呀，你想要两毛钱买啥？跟奶奶要不结了？干吗蒙人家大胖子去呀？"

郑可意有了奶奶当靠山，顿时打消了认错的主意，他委委屈屈地说："我谁也没蒙嘛。"

郑奶奶一边往铅丝上晾可意的衬衣和红领巾，一边半安慰可意半埋怨我们地说："我们可意虽说淘气，蒙人骗钱的事可干不出来，小旗、小凡许是错把香瓜认成西葫芦啦……"

你说她护孙子"短"到了啥地步！我可不依，连忙不喘气地把可意卖票前郑传善在胡同口和他嘀咕那段，叨登了一遍，谁知郑奶奶非但没有引起注意，反而赶忙解释说："小旗呀，小凡呀，你们的好意，奶奶领了！可你们也太多心啦！人家郑传善常来我们家，常问候着可意，那是做好事啊！"

"做好事？"我不禁大声问，"他做了啥好事？"

"咳，你们不都知道，可意打小就有那么个怪病吗？……"郑奶奶这话一出口，我就想起了大前年夏天的一档子事儿。天还没亮呢，我爸打工厂下夜班回院，路过他们家门口，发现郑可意枕着个小板凳，睡在廊子地面上！爸爸吓了一跳，赶紧抱起他来，进屋叫醒郑奶奶。原来，郑可意是得了夜游症。这种病可古怪了！得病的人，半夜里能起来活动，有时转一圈能回到床上接碴睡，有时就不定在什么地方一躺……醒过来你问他，他一点儿也不记得自己做过的事！不过，经过在医院一年多的治疗，打前年夏天以后，郑可意不就很少犯这病了吗？郑奶奶这阵提起这病，是啥意思呢？

只听郑奶奶接碴说："……人家打听来几个治夜游症的偏方，来告诉我们，这不是一片善心吗？那里头有几味补药买不到，他又驾着车椅满处寻，虽说这药方治病不见灵，可这心意咱们能不感激他吗？"

方旗发话了："郑传善也给我送过药，说是关心革命接班人的成长，可他真是关心我健康成长吗？今天，他就借个机会跟我宣扬什么'邻居邻居，秤头富裕'……"

郑奶奶一时听不清那八个字的意思，我就把话接过去，干脆把关于二两糖的事细细跟她和郑可意讲了一遍，还作了个对比说："瞧人家方旗，送上门的便宜也不占；瞧可意，变着法儿找便宜——俩人思想差多远！"

郑奶奶也不由得表扬方旗说："小旗好！是该把钱补上！"可她却又为郑可意辩护说，"可意办的这事是不对，兴许是一时糊涂，跟那大胖子开个玩笑嘛！"

方旗摇摇头说："这可不是开玩笑的事啊！郑奶奶，您可得警惕有人明里给可意下补药，暗里给可意下毒药啊！"

郑奶奶竟没明白方旗这话的含意，她摆摆手说："郑传善开的那些药方子我拿去请医院大夫验过，里头可没一味有毒的药！"

咳！这老太太真叫人哭笑不得！

郑可意这时候已经从紧张变成轻松了，他从桌上的水果盘里抄起个苹果，咬了一口说："成啦！我该午睡啦！"说完就想往里屋钻。

方旗张开胳膊在前头拦，我拽住衣襟在后头拉，把郑可意给截住了。

方旗说："可意，还是把事情弄清楚再午睡吧！"

我说："可意，你想混过去，那可没门！"

郑可意气得直晃头，哇哇地嚷："你们干吗没完没了缠着我呀！"

郑奶奶赶紧走拢来抹稀泥："小旗呀，小凡呀，别生他气啦！我替他作个检讨，成了吧？"

我忍不住冲郑奶奶说："检讨也有替作的呀？赶明儿您替他到学校上课算啦！"方旗站到郑奶奶面前，指指晾在铅丝上的红领巾说："郑奶奶，可意的红领巾脏了，应该叫他自己动手洗；可意的思想脏了，更应该让他自觉斗私批修，您这么娇他、纵他，不是疼他，是害他啊！"

正在这时，屋外响起一串车铃声。大伙朝门外一望，哟，是郑传善来了！

郑奶奶赶紧到屋外去迎；郑可意趁这机会往里屋一蹦，"哐当"关上了门，"咔嗒"插上了插销，嚷了一嗓子："我午睡啦！"就再也不露面了。

方旗捅捅我腰，冲门外给我使个眼色，我明白了他的意思，就随他出了屋，站到郑奶奶身边。

郑奶奶和郑传善互相乐呵呵地打招呼。郑传善有五十多岁，是个虚胖子，出出进进老坐在手扶自动椅上，不分冬夏总爱满处逛。他嘴角两边的脸包子肉往下耷拉着，车子一动，那两块囊肉就不住地晃荡。只见他满脸是笑地用痰音问郑奶奶："婶子，前儿抓的那服药，您煎给可意吃了吧？咋样？晚上鼻息稳当多了吧？可意这病，一受刺激准犯，您可别把他剋得太紧啊！"

郑传善一见我俩，就又热情地招呼我们说："小旗！小凡！找可意玩来啦？小旗你妈咳嗽好点了吗？你每晚给她炖点糖枣吃，一准管用！小凡你妹妹得常吃'宝塔糖'才成啊，我估量她肚子里有虫！……"

方旗截断他话碴说："你倒挺会给人看病啊！"

郑传善拍拍两条套着厚裤子的瘫腿，笑着说："'久病成医'嘛。"紧接着，他话题一转，满脸堆笑地说："小旗，你妈是'大忙人'，你是'小忙人'，整天为公家的事操心。赶明儿呀，要买啥日用东西，就别自己往街上跑啦，给我递句话，由我这'大闲人'给你们买去——我们家那'5号'又恰好在店里，有多方便！……今儿你买白糖了吧？这号绵白糖就是比砂糖强啊！"说完，直冲方旗眨眼。哼，他以为方旗会收下那多给的二两糖呢！

方旗冲他一撇嘴，亮开嗓子说："白糖刚才我约过啦，整整多二两——你们拿国家的白糖拉拢人，还说什么'邻居邻居，秤头富裕'，真没羞没臊！"

郑传善满脸硬挤出来的笑纹顿时僵住了，想变成别的模样也来不及——看上去又讨厌又好笑。愣了一愣，才解释说："小旗，我刚才那句话，也不过是开玩笑嘛！谁知我那'5号'是怎么约的，多了少了，我又不是店里的人，你可别找我算这笔账！"

方旗把眉毛一扬，咬着他话音说："好，咱们先说别的。昨晚上在'海棠院'开批判《三字经》的会，你怎么不去参加呀？"郑传善叹口气说："心有余，力不足啊！我倒是想去来着，可临到开会那阵头晕目眩，支撑不住，只好躺下了。下次，我一定去！"

方旗可不是那么好糊弄的，他说："开春以来，咱们院开过十多次批林批孔会了，你统共才去过几次？合着一开会你就头晕目眩？要说是身体不好，白天净看见你车出车进，胡同外头都去，还能往远处的药房跑——那么大的活动量你都经受得住，到'海棠院'坐在那儿听听发言、受受教育，就至于累趴下呀？"

郑传善听了这话，两只肥手直抓挠车椅扶手，可脸上还挂着笑，嘴不由心地说："小旗说得对！真是'有其母必有其子'，你妈是大院的'大拿'，你就是大院的'小拿'，有你们母子的督促，大院里哪个大人小孩敢不上进？佩服！佩服！"

方旗顶他说："什么'大拿'、'小拿'！批林批孔，用马列主义、毛泽东思想占领大院阵地，靠的是毛主席革命路线，靠的是广大革命群众。不用你佩服！"

郑传善点头说："对！对！今后我一定积极参加批林批孔！'人心向善'嘛，谁甘心当死落后啊？"

我正琢磨"人心向善"这句话不是滋味，方旗响铮铮议论开了："'人心向善'这话不对。资本家对工人能善吗？啊！你这话，跟《三字经》上说的'人之初，性本善'是一路货！……"

哦，这是句馊臭话！方旗一点，我心里亮堂了，就抢着说："孔老二、蒋介石、刘少奇、林彪……他们是人，可他们的心特坏，可见'人心向善'是瞎说！"

郑奶奶赶忙打圆场："行啦！行啦！话多的人都是漏瓢嘴，今后开会，老郑你得勤出席学习。"

郑传善稀眉毛下的小眼睛一阴，假笑着说："小旗！你真有耳力！我更佩服你了！看来，没参加批判《三字经》的会，真是个大损失呀！好，再开会，我头晕也去！"

说着，摇着身前的手柄，驾车溜了……

我和方旗又跟郑奶奶说了会儿话，就跑到食品店去，找到一位负责的叔叔，不光补上了二两白糖的钱，而且，还反映了情况。他听了特重视，说要向上级汇报这档子事。

当天下午，方旗和我把一张票和二两糖的事跟方大妈作了详细汇报。方大妈听了，高兴地轮流抚摸着我俩的脑袋，鼓励地说："你们做得对啊！对郑传善这号人扔过来的糖衣炮弹，就得随时警惕着点！郑奶奶那儿，我们要找她谈谈，是不能让她再这么溺爱下去啊！对可意，你们还得耐心地帮。"

方旗答应了一声"唉"！拉着我就要去找郑可意，我一想起中午郑可意的那股顽固劲，气就上来了："还找他呀？可意是个榆木疙瘩，没治！"

方大妈见我不想去了，亲切地拍着我脑袋说："怎么，泄气啦？可意的问题，一有郑传善熏着，二有他奶奶护着，要解决是不易呀！小旗，小凡，这是一场抵制资产阶级思想腐蚀、反对旧习惯的战斗，今天，你们才打了第一仗，哪能一仗就打赢呢？还得接碴打下去啊！你们不是都学过党的基本路线吗，怎么认识这场斗争的长期性和复杂性？我建议你们联系这场战斗的实际，再好好学习学习，把头脑武装武装。"

方旗也一个劲地给我打气："刚上阵就泄气，还算什么毛主席的红小兵啊？来，咱们先坐下来学习。"

是呀，要让郑可意从资产阶级思想腐蚀下觉悟过来，不打几场硬仗可不行啊！

4. 算不出重量的小木箱

前院棚架上的玫瑰香葡萄，渐渐由绿变紫；几家门口的金菊花，绽开憋不住的一包笑。秋天到了。

随着批林批孔运动的深入发展，我们大院又出现了一串子新鲜事：办起了街道政治夜校大院分校；建立了大院理论队伍；为双职工子女设立了大院代营食堂；欢送了三名中学毕业的大哥哥大姐姐到远郊农村插队……还有一件大事，就是在居委会党支部的领导下，大院的小学生正式组成了"儿童团"，按年级编了组，每天放学回院坚持进行集体活动：编写革命儿歌、听讲革命故事、举办图画展览、开展体育活动、玩有意义的游戏……不用说，大伙推选方旗当了"团长"；我呢？大伙也挺信任我，选我当了光荣的图书管理员！管理啥图书？除了居委会赠给我们的五十本书以外，还有大伙根据方旗建议，自愿借给集体的革命图书。我按种类登上记、编上号，统一管理起来。大伙可以用借书证跟我借书，让每一本有意义的书，都能充分发挥它的作用。

被选上图书管理员的当天，不光我高兴，爸爸、妈妈听了也高兴，连上幼儿园的妹妹也逢人就说："我哥当上管理员啦！"别人还没送书来呢，她先把几本《看图识字》抱来了，我跟她说："这号小儿科的书，不要！"她急得差点哭鼻子，没法子，我只好收下了。

一顿饭的工夫，我就收到了一大堆书。这么多书，巡回出借，可怎么拿呀？

正发愁呢，大乔来通知：方旗让我这就到他家去。

我拔腿就跑，还没跑拢，就闻见一股热馒头的香味，钻进他家厨房一看，嗬，方旗正从蒸锅里往外捡馒头呢。方旗的爸爸是个建筑工人，整天不在家；方旗的哥哥两年前参军了；方大妈搞街道工作也很忙，家务事全"下放"给方旗操持，从蒸馒头炒菜，到洗被褥刷墙，方旗样样都能独当一面，不像我们只能给家里大人打个下手……

方旗见我来了，在热腾腾的蒸汽里对我说："快进屋看去，我给你准备了样好东西！"

我扭头就往屋里跑，刚进外间，头一眼就瞧见了方方正正的一个小木箱，旁边散发香气的刨花还没撮走呢，显然是方旗刚做得的。我蹦过去蹲下，摸摸边，抚抚盖，打开一瞧，嘿！不光有搁书的格子，还有存放登记本、借书证的小抽屉——多妙呀！

再仔细一瞧，箱子盖上用铅笔道勾出了一颗五角星，还有"读革命书，做革命人"八个隶书字；箱子边搁着红漆。我操起笔，蘸着红漆描上了五角星和字……

方旗从厨房回来，一边问我收到了多少书，一边拿了一堆旧布，坐到缝纫机前，蹬起机器来了，好像是要干什么急活儿似的。我描完字，看了看他家墙上镜框的新相片——是方大哥方刚从部队寄回来的，嗬，手持钢枪，眉平目正，多严肃、多威武！相片下头空白处还有工整的题词："为毛主席革命路线站一辈子岗，放一辈子哨！"我又看了看方旗床头新贴上的水粉画：金色的田野，巨大的高压线铁架，远处的梯田果园……把正当中开拖拉机的小伙子衬托得格外豪放！哈，下头还有诗："早晨起，望彩画。我呀我呀快长大！长大要到农村去，广阔天地把根扎！贫下中农好老师，三大革命锻炼咱；誓让农村现代化，遍地盛开大寨花！今天就要作准备，天天向上大步跨！"

我正对着画儿出神呢，方旗把一样东西搭在了我肩膀上，我仔细一看，哟，原来方旗蹬缝纫机不是给自己补衣裳，他是用好几层旧布轧出了一条长长的背带哇！

方旗量准了长短，就把背带牢牢地钉在了木箱上。当我背起木箱试试时，心里真激动啊！

方旗把自己的好小说、好歌本和全套《十万个为什么》全搁进了木箱，又拿过一捆没解绳的新书和一卷牛皮纸，晃晃说："我爸他们组的工人，听说咱们要开展读红书活动，大伙凑钱给咱们买了这些书，还有这些牛皮纸——你给大伙的书都包上书皮吧！"

"好嘿！快给我的书穿大衣！"一个清脆的声音在屋门响起，随着是一阵风卷进来，眨眼间，一个浓眉大眼，两根小辫在耳边乱扑腾的小姑娘已经站在我们眼前了，她就是上三年级的张翠翠。谁都知道她这人特冲：跟人辩论从来不带脸红气短，见了蝎拉虎子都敢伸手拿。

她把一大叠书搁到木箱里，爽快地对我说："原来你在这儿！这是我跟弟弟的，全拿来啦！给你保管，比搁家里强！叫大伙儿都能看到，也省得让磊磊糟害了！"
我知道，她弟弟磊磊最喜欢看书，可是也最不善保护书，一本新书看不上几天就
卷角掉皮；院里这号伙伴还不少哩，我这个管理员可得好好帮他们克服坏习惯！

我还来不及答话，张翠翠把拳头一挥，生气地向方旗告状说："嘿！你管管郑
可意吧！我抱着书上小凡家去，他拦住我问：'个人的书，拿去集中，这不是变相
没收吗？'我说：'这叫啥话！个人的书，拿给大伙看，这叫共产主义风格！'把
他驳得咧着嘴一愣……"

她话没说完，我已经气得肚子里咕咕叫了，忍不住冲他家住的方向一耸身子
说："呸，胡说八道！跟大伙讲得好好的嘛：每本书全给保护好，将来是谁的还给谁，
怎么会是'变相没收'！"

方旗眉头拧成俩疙瘩，他寻思说："'变相没收'——郑可意咋会想出这词儿
来？别是有人把他当'八哥'耍吧？"当晚，方旗帮我把装满革命图书的木箱背
到肩上，陪我挨家挨户去送书。嗬，个个伙伴拍手笑，多少大人点头夸！

天擦黑的时候，方旗和我正兴冲冲地路过"海棠院"的垂花门，斜里忽然传
来痰音挺重的声音："你们俩受累啦！"

我俩偏头一看，原来是郑传善。他把自动椅滚到我们身前，眯着眼冲我身上
的书箱打量了一番，啧啧连声地说："这书箱很沉吧？你们何必背着它满院跑呢？
让大伙找你们借去不结了吗？"

我理直气壮地对他解释说："我是图书管理员，为人民服务嘛，就应该送书
上门！"

他连连点头，腮帮上的囊肉一阵晃荡，捧场说："你们思想境界真高啊！其实，
我对你们宣传革命图书，一百个支持！我是怕这书箱压坏了你们革命接班人的肩
膀，影响你们发育啊！"

我本以为他会来几句酸臭话，没想到他却声声吐蜜，一时不知该咋样对付他。
方旗可没被他的甜言蜜语糊弄住，立即对他说："我们书箱没上肩呢，就冒出了什么
'个人的书拿去集中，是变相没收'的怪话——告诉你吧，开展读红书活动，这也好
比打仗！我们革命接班人的肩膀上要不压着点刀枪的分量，那才叫白长个儿呢！"

郑传善直搓两只肥手，惊讶地说："'变相没收'？好家伙，谁敢说这么反动的话？该死！该死！"

方旗冲他一扬鼻子说："你甭着急，早晚能刨出这话的毒根儿来！"

说完，拉着我就走，把郑传善干在那儿——我扭头一瞧他那没趣的呆相，忍不住咯咯咯地笑了。

方旗和我到了郑可意家。

方旗让我放下书箱，掀开盖子，指着琳琅满目的图书对他说："可意，挑本你喜欢的吧！"

郑可意不由得欠过身来，两眼下跳棋似的从左到右扫视了一遍，看得出他是多么想挑本最精彩的看看。可是，他咽了口唾沫，挺直身子，干巴巴地说："我没入伙，我不借书！"

"你呀你！"我冲他一甩头，"我又不是办食堂的，非得入了伙才给饭吃——我管的书，咱们院的孩子个个都能借！"

方旗就问他："可意，你哪来的那么多名堂？'变相没收'，这是你跟翠翠说的吧？现在又是什么没入伙不能借书——这些话都是苍蝇屎！我不信是你自个儿想出来的，是不是有'苍蝇'咬过你耳朵？居委会党支部召集咱们'儿童团'开会不是讲了嘛：革命图书大家看，这是发扬共产主义风格，宣传马列主义、毛泽东思想，你怎么没听进去呢？"

郑可意脸红了一下，犹豫地说："我可想看书！谁知你们的书有没有意思呢？"

我扽扽方旗的袖子说："他不看算了！走，咱们给别人送书去！"

可是方旗不但没往外走，反倒坐下了，他让郑可意和我也坐下，然后冲郑可意说："你愿意听个解放军捉特务的故事吗？我刚知道的！"

谁都知道郑可意顶爱听故事，尤其是情节惊险的故事，不管谁讲，他总要挤到最前头去听。

方旗这话一出，他抓抓耳朵，就说："好，你讲讲试试——"

方旗就讲起了故事。嘿，真是活灵活现，不但郑可意听得两眼滴溜溜打转转，连我也入了迷。

可是，讲到一个最关键的地方，方旗突然停了下来，站起身对我说："小凡，咱俩走吧，还得给大乔送书呢！"

郑可意一下子跳起来，跺着脚埋怨说："你干吗不讲完！你别走，讲完了再走！"

方旗就从书箱里抽出一本书来，举起它，把封面亮给郑可意看，宣布说："我讲的故事，就是这本书里写的——你向小凡借来看吧！"

郑可意"扑腾"一声跳过来，伸手要拿那本书，可是方旗踮起脚，把书举得特别高，郑可意几蹦也没拿着。

"你干吗存心气我！你给我嘛！"郑可意直捶他肩膀，看样子真的生气了。

"你得答应我，认认真真地看！"方旗提条件了。

"准的！"郑可意擂着胸脯起誓。

"你别光看故事，看完得向里头的英雄人物学习！"方旗继续提要求。

"没得说！我准向英雄人物学习！"郑可意满口答应。

"那好！"方旗这才把书递给他，严肃地说，"等你看完，我和小凡可要来找你一块聊感想啊！"

郑可意一边点头，一边迫不及待地翻看着书里的插图。

我们"读革命书，做革命人"的活动才开展了几天，就有了挺可喜的成绩。

几个二年级的小娃娃刚要爬到房上往下跳，"比比谁胆大"，立刻就有同伴提醒他们：革命小说里的英雄人物为了抢救战友迎向危险，那才叫勇敢呢，这么瞎胡闹可算不上胆大，于是，他们就把上房往下跳改成"挖地雷"的军事游戏了……两个小姑娘为跳猴皮筋的芝麻小事拌了嘴，背对背，嘴巴撅得能挂油壶；于是，另外几个小姑娘就把她俩拉到一边，大伙轮流朗读一篇描写工人叔叔团结战斗、打倒阶级敌人的短篇小说，那正是从我这儿借去的一本小说集里的，念完了，在兴奋的议论声里，闹别扭的双方对望着，忍不住都笑了……

傍晚树荫下，时常传来伙伴们这样的议论声："书里的小英雄身边有坏蛋，所以他斗争起来那么棒；咱们身边没坏蛋，跟谁去斗哇？""你可别那么说，坏蛋脑门上都贴着标签吗？得跟人家小英雄似的，好好学基本路线，去把那混在好人里头的坏蛋查出来呀！"……

这还是一下子能瞧出来的效果。通过革命图书播到大伙心里的那些个金色的种子，将会生根、发芽、开花、结果……那长远的效果，可不是这么几个例子包括得尽的啊！

第五天晚上，方大妈代表居委会党支部来找我这个管理员了解情况，我叽叽呱呱跟她汇报了一大通伙伴们读红书、学英雄的好事儿，她听了，兴奋地说："开展读红书活动，这是关系到用马列主义、毛泽东思想占领思想文化阵地，在上层建筑领域对资产阶级实行全面专政的大事，咱们可得把它坚持搞好啊！"

我把书箱往肩上一挎，豪迈地说："那还用说！"

方大妈走过来按按我肩膀，严肃地问我："小凡，这箱子有多重，你清楚吗？"

我胡拉胡拉脑袋，不好意思地说："嗯，这个，我没约过——总有十几斤吧！"又悄悄踢踢身边方旗的脚，希望他提示我一下。

方旗没帮我答题，他只是注意地望着方大妈。

方大妈给我理理背带说："我们党支部研究过啦，有个一致的看法：现在咱们'儿童团'开展的这些个活动，特别是这读红书的活动，不是没有明里暗里拆台、泼凉水的啊。这书箱，有人把它当成眼中钉、肉中刺，指不定会兴出啥花样，把它从你肩膀上拽下来呢。咱们可得有阶级斗争的观念，才能把这些革命活动坚持下去、发展起来啊！"

听了方大妈代表党组织讲的这些语重心长的话，我心里直擂鼓，正想说点什么，还没想好呢，方旗伸手抚摸着箱子上的红星，说了句我永远也忘不掉的话："这里头装着那么多团结教育我们、打击消灭坏蛋的武器，它的重量是算不出来的呀！"

我昂起头，顿时感觉到肩膀上的分量加重了。我像一个战士一样，双脚一并，跟方大妈打了个敬礼，说了声："我出发啦！"就在方旗陪伴下，大步走出了屋……

5. 十二个向日葵

可是，就在第二天，出了一档子怪事。

那天一清早，满院的小孩们都吵嚷开了：快去瞧吧！不少家种的向日葵，一夜之后，全被斩掉头啦！

张翠翠站在她家屋前，望着三根光秃秃的向日葵秆，气得跺一阵脚，骂一阵"坏蛋"。要知道，她那三棵向日葵长得特别好，盘大子饱，是专门为完成红小兵中队向国家献油料的计划种的啊，这一下子叫人砍了，怎么能不生气啊！

方旗领着我在院里转圈统计，不多不少，一共有七户人家丢了十二个向日葵花盘。看样子，全是被人在夜里用剪刀剪下去的。

是谁干的？不光小孩们炸了窝似的猜测，大人们也皱着眉头纷纷议论。

那天早上，大伙都是心里挽着疙瘩去上学的。只有郑可意，他单拨一个人出的院门，好像心中有数，用一种得意的目光向我们一扫，然后放开喉咙，仿佛是在对胡同里的电线杆子说话："逮贼凭赃！哼，咱们瞧吧，打谁家找出来葵瓜子皮儿，谁就是贼！"

十二个向日葵的事，把我们"儿童团"有些人的心搅和得稀里糊涂的。当天下午各个校外小组活动的时候，一些个伙伴既没心思编批林批孔儿歌，也没法集中精神完成作业，净叽叽喳喳议论这件事，有几个伙伴在猜测当中还争得面红耳赤，伤了团结。

天黑那阵，爸爸妈妈都上夜班去了，我和妹妹在代营食堂吃完晚饭，刚回屋不久，忽然听见郑可意在我家屋外大喊："嘿！逮住贼啦！大伙快来看呀！"

我撂下正整理着的图书，三步并成两步跑出屋去，只见郑可意指手划脚地正对几个小朋友说："瞧！搜出贼赃了吧！""贼赃在哪儿？谁是贼？"我跑过去，瞪大眼睛问郑可意。

"哼！还有脸问我！"郑可意故意不回答我的问题，继续大声嚷，"快来看呀！搜出贼赃啦！逮住贼啦！"

转眼间，各处的孩子们几乎都拥到我家门口来了，小个儿的直扳前头人的肩膀，伸长脖子往圈里看；大个子踮起脚在后面嚷："嘿！谁是贼呀？"

我和郑可意恰好面对面处于人圈中心，多一半的人都把我当成逮住贼的人，一个劲催我："小凡，谁呀？你快说呀！"

我莫名其妙地望定郑可意，问他："谁是贼？你倒说呀！"

就是郑可意突然变成了一只山羊，也不会让我那么惊讶——他竟指着我说："你就是贼！"

我本能地大吼一声："你少胡说！"

他指着我家的土箱，振振有词地说："谁胡说？你不是偷向日葵的，那为什么土箱里有这么多葵瓜子皮？"

我朝土箱里一望，脑袋瓜不由得"嗡"的一声响——确确实实，在脏土上头，撒满了一片葵瓜子皮！

见我一时舌头打了结儿，郑可意就得意地让大伙都去"参观"那片葵瓜子皮，还大声补充说："你们再抬头望望：多少家的向日葵都遭了偷，唯独他们家的六棵向日葵，棵棵还是满盘儿——这不就更说明问题啦！"

郑可意的宣传引起了爆炸性的反应，我耳边响起了一片打翻核桃筐似的声音。

当我气得发愣的时候，只听大乔提醒大伙说："这葵瓜子皮儿没准是别人栽脏，撒在这儿的嘛！"

郑可意故意尖声地说："你们问小刚、大毛，我们仨一块来的嘛，一来就有了——谁给他栽赃？就是他自个儿嗑完了扔的！"

又听见张翠翠脆亮地说："我不信！小凡不是那号人！"

郑可意怪腔怪调地说："人心隔肚皮哟！"

我从气得发晕的状况里醒过来，在混乱的人声里清晰地辨出了人群外层妹妹的哭声——这哭声一下更把我对郑可意的仇恨增加了十倍，我二话没说，挥起捏紧的拳头就朝他胸脯揍去——

"小凡！"随着一声喊，我那眼看就要砸到郑可意身上的拳头，被一只有力的手打腕子那儿攥住了。

偏头一看，是方旗，他目光炯炯地盯着我，我挣了几下，收回了拳头。郑可意就趁这机会挤出人群，溜了。大伙围住方旗，七嘴八舌地问他："到底是怎么回事哟？""乱七八糟的，谁对谁错呀？"……

方旗爽利地说："大伙先散开，动脑筋想想今天的事儿。等一会听见吹哨，到'海棠院'集合开会！"

伙伴们散了，混乱的局面顿时就结束了。方旗搂着我肩膀进了屋。

妹妹还在抽抽搭搭地哭呢，张翠翠她们几个女同学哄着她玩去了。

我气呼呼地说："向日葵准是郑可意偷的！瓜子皮准是郑可意撒的！他干了坏事还栽赃，坏透了！你干吗不让我揍他？"

方旗心平气和地对我说："刚才我跟街道居委会到红松街道的先进大院学习去了，还来不及细琢磨这瓜子皮的事儿。不过，说郑可意又偷向日葵又搞栽赃，目前证据还不足。还得把情况弄清楚，动拳头能解决问题吗？"

我想了一下，觉得方旗说得有道理，气消了一多半。

正在这时，上二年级的小刚忽然跑进来，抓耳挠腮地说："嗯，我想，把我那三本书，要回去……"

方旗问他："咦，这是为啥呀？"

小刚望了我一眼，两只鞋的鞋尖互相搓弄着，吞吞吐吐地说："有人说，能偷那么一堆向日葵的人，准也能贪污一堆书……反正，我不入这个伙，也能有书看，还是特棒的！……嗯，给我吧！"

一听这话，我那才平下去的气猛地又蹿到了脑门骨，我从书箱里抽出他那三本小人书来，"啪"地扔到离他最近的桌子角。

小刚拿过书，又小声说："还有大毛的四本，他让我一块捎走……"

我毫不迟疑地抽出大毛那四本书来，又是"啪"的一声扔过去，暴躁地说："还有谁要把书收回去？说吧！你全给捎去！"

方旗问小刚："你刚才说的那话，是谁对你说的？谁要借你特棒的书看？是啥书？"

小刚垂下眼皮儿，为难地说："我跟人家起了誓，得保密，要不——"

"要不就揍你！"方旗盯着他问。

"嗯，要不就揍瘪了我——"小刚的鞋尖搓弄得更加激烈。

方旗没再说啥，让他拿着书走了。

"小凡！"，方旗一拳捶到我肩上，站起来，严肃地说，"好哇！包子露馅啦！"我一时没明白他的意思，只是不住地眨巴眼。

"你忘啦？昨晚我妈妈讲的，她们党支部的分析……"方旗这么一提醒，我脑子里的念头来了个"三级跳"，啊，这事并不是单冲着我来的，敢情是想用这法子把书箱从我肩膀上拽下来、搞垮读红书活动呀！不过，郑可意是怎么回事呢？他不是头两天才还了那本写解放军捉特务的小说，而且刚跟我们聊过感想吗？他还说要向书里的英雄人物学习呢！怎么他今天竟办出了这种事！是郑传善给他出的鬼点子么？可郑传善今天在院里坐着车椅来去去，也啧啧摇头地说："如今的孩子真是淘得出了圈，以往的孩子哪敢这么恶作剧啊！"你又凭啥能说这事跟他有关系呢？唉，真复杂呀！

"会搞清楚的，别着急！走，陪我上居委会去！"方旗一挥手，领我往外走。

我们到了街道居委会，数豆儿似的把刚才发生的一串事汇报了一番……

半小时后，哨声响了，孩子们从大院各个角落汇拢到了"海棠院"。

集合起来一点数，只有郑可意、小刚和大毛仨没来。

"把他们拽来！"张翠翠晃着小辫嚷："三大纪律头一条都不执行，算什么红小兵？"不少人争着要去执行"拽"他们的任务，方旗摇摇头说："怎么能去拽呢？大乔，你去找找他们。"大乔很快就回来了，报告说："全不在家！"大伙议论纷纷，方旗打个手势，让大伙安静下来，宣布开会。

唱完了《批林批孔当闯将》，方大妈作为街道党委委员，代表街道党委给大伙讲话。在一片孩子气的带节奏的掌声中，方大妈走到了大家前面。

夕阳把方大妈头上的几绺白发镀成淡红色，又给方大妈硬朗的身板勾了道金边。她用浓眉下一双亮闪闪的大眼睛望了我们一遍，就兴奋地对我们说："告诉大伙一个好消息！从明天起，咱们街道也要向先进街道学习，搞社会主义大院的活动。咱们这个大院，是这一片的试点单位！"

我们早听说过先进街道办社会主义大院的一些事儿，特羡慕他们。我们大院批林批孔以来虽说有了不少变化，可是还没成立大院管理委员会；"儿童团"虽说组织起来了，也还没办起活动站来……现在我们也要办社会主义大院了，欠缺的东西，很快就能齐全起来；社会主义的气氛，该比以往更浓了！大伙想到这儿，不由得心里敲锣打鼓，高兴地拍起巴掌来。

方大妈用通俗易懂的话，把办社会主义大院的重大意义给我们讲了一遍，她强调指出："这是无产阶级文化大革命和批林批孔运动结出的果子。你们想想看，在城里头，工厂、商店、机关、学校……哪行哪业都是有组织地在搞社会主义革命和社会主义建设；咱们这号大杂院，可就差点劲了，大伙下班、下学回到这儿，'老头拉胡琴——自顾自'，搞点资本主义的'自留地'，也不那么容易觉察出来。如今，咱们办社会主义大院，就是要组织起来跟大院里的资本主义倾向斗争，用马列主义、毛泽东思想牢牢占领大院阵地，也就是把巩固无产阶级专政的任务，落实到最基层。怎么办社会主义大院？头一条就是狠抓批林批孔，狠抓阶级斗争。咱们大院有没有阶级斗争？你们孩子群里有没有阶级斗争的反映？希望你们回去再学学党的基本路线，想想，议议，调查调查，研究研究！办社会主义大院，你们'儿童团'的头一个活动，就安排讨论这一串问题……"

当晚，我们散了会，大人们又开了个会。最后，产生了大院管理委员会，方大妈是主任委员，方旗作为我们"儿童团"的代表，是六个委员里的一个。

你可能忍不住要问了：办起社会主义大院以后，那毁幻灯片的案子、向日葵事件……以及郑可意究竟是不是受郑传善挑唆去倒卖电影票的这些个死疙瘩，总该一下子全解开了吧？

是的，会解开。可是又没那么简单。我们解疙瘩，暗地里就有人系疙瘩；疙瘩解开了一部分，又可能再结上；只有经过反复斗争，疙瘩才能彻底解开啊！

6. 丝瓜架下

阵阵西北风，刮得黄叶满院舞。我戴上栽绒帽，拿着本新小说去找郑可意。你准得奇怪了：咦，向日葵事件里，你跟郑可意不是结下疙瘩？吗了怎么你还给他送书去呀？

开头，我当然不给他送书，连过他家门口，都要绕个月牙弯。

有一天，方旗拿着幅才画得的画儿来找我，我接过来一看，心里又甜又热，敢情画的是我背着书箱，在院里红枫树下招手哩！

方旗问："像不像？"

我乐了："连我下巴上这颗痣，你都画上了，还能不像？"

方旗却摇摇头，点点画下的诗句，让我读。

我就大声朗读起来："图书管理员，身背大书箱。个个小伙伴，全都去拜访。红书送上门，宣传推荐忙。阅读阵地来占领，毛泽东思想放光芒！"

方旗不眨眼地望着我。我脸上发烧，难为情地说："我不像这画上的人，没作到'个个小伙伴，全都去拜访。'……"

方旗把我帽檐往下一拉，笑着说："把这一条补上，那不就像啦？"见我低头沉思，他又严肃地补充说："你不把红书借给可意，他没得看了乱找书，遇上黑书中了毒，那不是害了他吗？对有缺点的伙伴，咱们只能拉不能推啊！"

听完他的话，我把书箱提起来一背，大声说："走！咱们找他去！"

谁知，我们是一团火，人家可是一块冰。郑可意根本不答理我，光跟方旗说话。哼，你不理我，我还不理你呢！我把书箱"咚"地往椅子上一放，撅着嘴，眼珠只盯着桌上的金鱼缸；方旗向他推荐了一本书，他接受了，我就把书拿出来递给方旗，让方旗给他；他在借书证上填完书名书号，也通过方旗再交给我。

后来好一阵，都是方旗陪我去给郑可意送书，场面几乎都是这模样。虽说我能送、他能借了，可两人之间的关系，还是好比冻豆腐对冰凌。

方旗找我谈，找他谈，都不算太难；把我们俩找到一块谈，可把他难坏了。方旗好几次约我俩同时到他家去，不是我去了郑可意不到，就是我刚走到窗外，一见郑可意在窗里翻白眼，便气得扭身跑掉……

那一天，是个星期日。我正在扫屋门前满地的小黄扇子——银杏叶儿，大乔跑来告诉我："快去！方旗在贺姥姥家等你哩！"

我心想：准是他又要帮贺姥姥拆洗被褥，让我去当个帮手。撂下笤帚我就飞跑而去。

贺姥姥屋门前搭了个丝瓜棚，满架的叶儿一半绿一半黄。耷拉着不少梢上变色的老丝瓜。

我刚跑进丝瓜棚，一眼就瞅见了坐在小板凳上的三个人——贺姥姥、方旗和郑可意。

哟，怎么郑可意也在这儿？瞧他那张脸，拉得比丝瓜还长！我正想扭身跑掉，贺姥姥大声把我叫住了："小凡，不许溜！我找你有事！"

为军属做事，是我们红小兵的光荣义务。她这么一叫，我还能跑？

可是，古怪！贺姥姥有啥事，非得让我们仨一块帮忙呀？

方旗递过一个小板凳，让我坐下，挽住我胳膊说："我求贺姥姥给咱们讲讲八年前，咱们仨一块经历的一件事……"

八年前？唉哟，我才三岁，他俩也不过四岁，我们除了用小铁铲挖土、骑上小椅子开汽车玩，能经历啥值得一提的事儿呢？

贺姥姥理理鬓边的白发，开始讲了："八年前，一九六六年十月十八号那天，毛主席坐着敞篷车，绕着城圈检阅了咱们首都和外地的革命小将。那时候，方旗的哥哥方刚是个初中一的红卫兵，一早起来就满院跳着、笑着嚷：'毛主席要第五次接见红卫兵啦！我又能见到毛主席啦！我又能见到毛主席啦！'小旗呢，舞着面纸糊的小红旗，跟在哥哥身后跑，一个劲地念叨：'我也要见毛主席！我也要见毛主席！'方刚集合去了，当然没带小旗去。小旗急得小脸透红，跑来拽住我裤腿，央告说：'贺姥姥！您用小车推我去见毛主席吧！'周围的大人听见了，个个都夸他聪明。他知道自己妈妈正忙着接待来北京串连的外地红卫兵，顾不了他；又知道我闺女刚把小外孙接走，家里有辆闲着的儿童车，所以求上了我。我也想借这个机会见见毛主席他老人家啊！就抱他上车说：'成，咱们去试试！'刚把车推到院门口，恰巧碰见小凡、可意你俩正在玩皮球，听说我们是去见毛主席，你们俩一个左一个右，争着往小车里爬，好在那阵我力气还大，就把你们仨全推到长安街马路沿那儿去了。咱们四个虽说是待在标兵线后头，可那天的检阅组织得特有秩序，接受检阅的红卫兵小将全整整齐齐坐在马路上，没挡住咱们的目光……毛主席站在敞篷车上，招着手来了！我想起好些个事，高兴得眼泪一个劲往下流。你们仨呢，差点没把儿童车蹦散了架，拍着小手大声嚷：'毛主席，毛主席万岁！'……"

啊！我们八年前一块见过毛主席哩！我不由得望了郑可意一眼，他也正在望我，我俩的眼光撞在一起，像打火石迸出了火花，我只觉得心里的冰疙瘩抖了一下，开始滴水儿了……

贺姥姥轮流望望我俩，语重心长地说："当时你们年岁太小，现在怕回想不起来了。我可记得真！小旗前天来给我读报，我提起这事，他挺动心。他把你俩如今成了死对头、谁也不答理谁的事告诉了我，让我用这事促促你俩的团结。我今儿就来数落数落你们：你们当时虽小，可打心眼里热爱毛主席，懂得要听毛主席的话。如今你们大了，应该对毛主席更热爱；对毛主席的话，更应该照办。毛主席领导咱们搞了无产阶级文化大革命，打倒了刘少奇、林彪两个资产阶级司令部，如今又领导咱们批林批孔，进一步巩固无产阶级专政；社会主义的香花，满处开放，就拿咱们胡同来说，自打搞起办社会主义大院的活动，一些个原先闹冤家的革命群众，搞了批评自我批评，团结起来了，那散资本主义毒气的人，原先有缝可钻，如今再找空子就难了……你们俩别嫌姥姥我絮叨，我得挨个训训你们：小凡呀，可意是让人熏迷了心窍，有不老少毛病，可咱们不能把病人当仇人呀，咱们的仇人是刘少奇、林彪，还有那号像钱守维那样的家伙，得把你们红小兵的扎枪对准他们戳啊！可意，我得多说你几句，你经常不参加'儿童团'的活动、净跟郑传善那号人泡，思想上长了疮还当是贴了朵花，悬啦！要再这么下去，你对毛主席的感情会变，对毛主席的话也会不入耳，到那时候，成个啥样的人了？还不快改！……"

贺姥姥一席话说得我心里暖烘烘的，心上的冰疙瘩化开了，一时不知说啥才好，心里只翻腾着一个想法：我，三岁就接受过毛主席检阅的红小兵，今后说什么也不能再辜负毛主席的期望，在眼下的批林批孔战斗中，一定要认准敌人狠狠斗争！一定要热情耐心地帮助掉队的伙伴！

郑可意低着头，两手紧抱膝盖，虽说没吱声，可胸脯大起大伏，显然也挺动心。

方旗两只手分别搭在了我和郑可意的肩膀上，眼里闪着激动的光，大声说："咱们从小就在毛主席身边生活，多美气！没有毛主席，咱们仨的爸爸妈妈不准能活到今天，有没有咱们就更难说啦！咱们可得抵制那股把咱们从毛主席身边拉开的邪劲，一辈子紧跟着毛主席朝前迈啊！"

我使劲点头，郑可意也低下了头。

贺姥姥出去买东西了，我们仨继续留在丝瓜架下。开头，光是方旗一个人说；后来，我也发了话；最后，郑可意也开了腔。我们仨回忆起好多同样激动过我们的事儿；第一次戴上红领巾的情景；头一回到近郊学农的印象；在香山进行的一次格外有趣的军事游戏……越说，我们仨的心靠得越近。

郑可意忍不住在回忆中插进这么句话："小凡，向日葵根本不是你偷的！明天我要跟每个伙伴讲清楚！"

我也禁不住对他说："我以往对你态度不好，赶明儿一准改！"方旗望着我俩，乐呵呵地端起小炕桌上的一杯凉茶，我俩都以为他要喝呢，没想到他望望杯里的水，皱皱眉头说："呀，落上一层土，没法儿喝了！"说着，扬杯朝右前方丝瓜叶之间的一个空当往外一泼——你猜怎么着？随着水响，只听传来嘶哑的一声"唉哟！"我们赶忙跑出丝瓜棚去看，哈！原来郑传善在那儿呢，那杯茶水正好泼了他满脸。

郑传善掏出块手帕左右擦脸，腮帮子上的囊肉像通了电，正要发怒，方旗大大方方走到他跟前，指指他车椅旁边的脏土箱说："我可真没想到，您会跑到这么个放垃圾的死角来窝着啊，我以为往这儿泼水不碍事呢！"

我仔细一瞧，是哇，他怎么跑到这么个旮旯来啰，那脏土箱里还撂着一堆腥臭的带鱼头呢，他待在那儿也不嫌熏得慌！瞧着他那副在垃圾箱边咽闷气的怪模样，我不由得捧着肚子大笑起来，连郑可意也忍不住捂着嘴乐了。郑传善嘴里含含糊糊地嘟囔着，赶紧摇动手柄，开动车椅跑了。

我笑得前仰后合，郑可意指着方旗边笑边摇头，方旗却着没乐出来，他追上去用最正经的语气大声地说："我没想到您在脏土箱那儿休息呢，不小心泼着您啦，您看，我是不是在今晚的全院会上，当着大伙公开给您道个歉哇？"

郑传善一个劲摇头，连说："不用！不用！"一溜烟回家去了。

等郑传善拐了弯，方旗这才跑过来搂着我们笑个不停，好不容易才喘过气来说："可意，躲在垃圾堆旁边偷听别人说话的家伙，是不是有点邪？"郑可意也不由得哼了一声说："真不怎么样！"

这时，我才知道，方旗是故意泼郑传善的。在谈心的过程里，方旗透过密密层层的丝瓜叶之间的空隙发现了郑传善，见他老也不走，就知道他准是见我们找了郑可意，躲到那儿去偷听我们谈话的。方旗这一泼真让人痛快，搞小动作的家伙就得让他"哑巴吃黄连"！

可是，干革命可不像逛中山公园那么轻松顺当；帮助一个犯糊涂的伙伴转变，光靠几次谈话也不行——郑传善底下究竟搞了些啥，我们并没有马上弄清楚；郑可意的问题，也并没有彻底解决。

真是一波刚平，一波又起，而且，后头的浪头比前头的还大呢！

不信，你就再往下看吧！

7. 奇怪的外号

隔了几天，我拿着本新小说去找郑可意，进到他家，见他正靠在枕头垛上看着本啥书，一听见我的声音，他赶紧把那本书掖到了棉外套兜里。

我问他："嘿！上回借你的书，看完了吧？我又给你带新的来了！"

他从抽屉里把书取出来交给我，我一看，咦，新崭崭的，连翻过的痕迹全没有，不禁问："你看完啦？有意思吗？"

他淡言淡语地说："一字没看。你拿来的这本我也不要。"

我就盯着他棉外套那鼓鼓囊囊的兜，好奇地问："原来你有看的。那是啥书？哪儿借的？干吗秘起来？让我翻翻成吗？"

他一闪身子，倒像我会伸手抢他似的！撇撇嘴说："你手里那么多书，反倒问我借起书来了！我这不是书，是个笔记本。"

"我不信！"我摇头说，"你刚才还看得津津有味呢，准是本小说！"我可知道他的"底"：迷起小说来，能一夜不睡觉地看；要他复习课文，白天都会打瞌睡。今天可真稀罕，大白天怎么看起笔记本来了？

"你瞧！"他爽性从兜里拉出半截，让我看个仔细——果然是个黑塑料皮的笔记本。见我没话说，他把那本子又往里一塞，得意地晃着头笑了。

我就对他说："活动站正安炉子呢，你还不去帮忙！"

在大院东北角的小套院里，代营食堂隔壁，大院管理委员会给我们腾出了一间房子，作为"儿童团"活动站。这些天里，一放了学，方旗就领着大伙去收拾屋子，糊顶棚、刷墙、擦玻璃……他一次又一次地把郑可意找去，让郑可意跟大伙一齐干。郑可意头几回转悠几圈、比画几下就溜；后来，逐渐能留下来干点比较轻松的正经活。

可是他一听这回是安炉子，又累又脏，就伸个懒腰说："你们那么多能人，还要我去干吗？"

我想起了方旗的话：要尽可能把郑可意的兴趣吸引到活动站来，就告诉他说："他们上中学的红卫兵，给咱们做了一台'克郎棋'，刚送到活动站去，大乔他们正试着打呢——"

这回，郑可意像踩上了弹簧，"腾"地蹦起来，抄过棉帽子往头上一扣，不等我动员，"嗖"地就飞出屋去了。

到了活动站，郑可意就扑向"克郎棋"。人家几个没打完一盘呢，他就连求带唬地夺过了磊磊手里的戳棍，连吆喝带跳脚地跟人家叫上阵了，只听"克郎"、"克郎"一阵响，他打完了几个"对角"，又接着打"三连"……

磊磊跑到正登着椅子安煤炉烟筒的方旗跟前，用手一指"克郎棋"那边，告状说："你看！哼，什么郑可意——'真可气'！

我和张翠翠正给方旗搭下手，瞧着郑可意那副光知道享现成，不爱劳动的模样，心里也觉着憋气。张翠翠说："人家大乔他们干了好多活，打打'克郎棋'应该。他来了就玩，不成！得让他先干活！"我说："一会儿罚他登高装风斗！"方旗手不失闲地说："我爸说过，劳动习惯不是罚出来的，是培养出来的。来，咱们就手把风斗安好，一会儿我找他一块儿干活。"

等我们安完炉子、装完风斗以后，郑可意已经连续打到第六盘了。别人都是轮换着玩，独他一个人总霸着"克郎棋"方盘的一角，挥拳捋袖、大呼小叫地玩个没完。他的棉帽子和棉外套早扔到了一边的桌上，额前的头发全被汗粘住了，鞋带震开了也顾不上系……

方旗就过去招呼他："可意，行啦！让磊磊打会儿吧！你帮我把梯子抬前院去！"

他跟吵架似的把脖子一伸，大声嚷："我赢了！该输家下，我干吗让？"

方旗驳他说："打'克郎棋'，为的是锻炼身体嘛！'友谊第一，比赛第二。'论什么赢家、输家？"

我跟上去说："你也该干点活了！"

张翠翠把食指在脸上一刮："光知道享受别人劳动果实！"

大乔他们几个正跟他玩的也说："该让磊磊玩会儿了！"

磊磊就伸手去取他手里的戳棍。谁知他眼一瞪，嘴一撇，把戳棍使劲往地上一扔，抄起桌上的帽子、外套，一扣、一披，气呼呼地跑了。

我们都用一串愤怒的叫嚷"欢送"他："你以后甭来！""你耍啥威风！""少了你更好！"……

唯独方旗追出门去叫他："郑可意！你回来！"

大伙正气得不可开交，我忽然踩着了一样东西。低头一看，是个黑塑料皮的本。捡起来一认，咦，这不是郑可意的那个"笔记本"吗？一定是他抓棉衣时，打兜里掉出来的。

我顺手翻开一看，第一页上写着一行大字，后头括号里写着"冒险小说"四个字，敢情那一行大字是小说的标题啊！啥标题？呸！恶心！甭跟你说了吧！把标题下头写成梯子形的六行小字告诉你，你就知道那是什么货色了："比抽烟过瘾！比喝酒有趣！比坟地恐怖！比万花筒离奇！""窝囊废别看！胆小鬼别看！"呸！呸！呸！我像捧着一条毒蛇，又惊又气。

我正要去报告方旗，方旗已经折回了屋，他没叫回郑可意。我就把那个本子递给他，对他说："郑可意的！"他看了遍第一页，又翻了翻里头，就像侦察兵发现了敌人的重要炮位，双眉一抖，激动地对大家说："这是本手抄的黑小说啊！怪不得咱们老拉不过郑可意来，他背后那只黑手揪得贼紧啊！咱们说什么也得斩断这只黑手！"

大伙正乱糟糟地议论着，郑可意突然闯回来了，他伸手就要抢方旗手里的本子，竖眼睛横鼻子地嚷："我的本，还我！"

方旗把拿本子的手背到身后，眼光像两支箭，直射到郑可意脸上，问他："你从谁那儿得的这本黑小说？"

郑可意下巴一扬，还是嚷："你管不着！给我！"

方旗用锤子砸到铁砧上的声调说："不给！"

郑可意两只胳膊乱舞，耍上了赖："你干吗贪污我笔记本？你臭讹！"说着就要扑上去抢。

我们拦住了郑可意。方旗像铁铸的人，纹丝不动，他眉平目正，铮铮有力地宣布："这本黑小说，我没收了！"

郑可意跳起来尖叫："你敢！你凭啥？"

方旗一句一顿地说："我敢！我有权没收！我是红小兵！"

我们站在方旗身边，个个都瞪着郑可意，齐声说："是黑书就得没收！我们支持！"

郑可意见我们像堵墙似的横在他面前，知道来硬的不行了，就软下来，央告方旗说："你给我吧！我问人借的，要是不还，人家该跟我没结没完了！"

方旗问："谁借给你的！你让他找我来！"

郑可意磨呀、泡呀，他以为方旗是吃软不吃硬的人，只要多说点好话，也许就能把黑小说还给他——的确，在一些小问题上，方旗是挺能让步的，可是在这个原则问题上，方旗半点不让。他斩钉截铁地宣布："不光书要没收，我们还要查写书、散书的人！还要批判消毒！"

我们当然都为方旗擂鼓，郑可意实在没辙，只好灰溜溜地走了。

方旗把黑小说交给了大院管理委员会，委员会特重视，立时向街道党委作了汇报，街道党委很快就作了指示：这不是一般的资产阶级思想侵蚀问题了，这是严重的敌情啊！要发动群众，展开斗争，查出黑小说的来源！

方大妈、方旗和委员会的几个委员，三番五次找郑可意谈话；郑奶奶经过上政治夜校学习，觉悟有了提高，也劝郑可意说出黑小说的来源，可是——郑可意不是说"上学路上捡的"，就是说"看电影散场出来，兜里突然多了它"，反正是不说实话！

我们知道这个情况，气得要命。张翠翠建议说："干脆开个小会，斗他一顿，看他说不说！"我也建议："不说，就把他开除出'儿童团'！"大乔他们也说："咱们反映给学校，不许他戴红领巾！""不许他来活动站！"

可是，方旗却问我们："要是有个不会游泳的伙伴掉进湖里去了，该怎么办呀！"

我们齐声说："跳下去救他呗！"

方旗落到正题上说："就是呀！咱们不能扔下郑可意不管！狡滑的敌人正藏在水里拽他腿呢！街道党委的同志告诉我，对于郑可意，我们要挽救，我们打击的应该是编黑小说散毒的坏家伙。"

大伙说："可郑可意多可气呀！他就是不说黑书从哪儿来的。"

方旗说："可意不说，坏人也要露馅，街道正在作调查，编黑书的人早晚得揪出来。"

由于方旗的说服，我们见到郑可意都还和过去一样答理他，还劝他跟散黑书的人划清界限。

他一开始有些紧张，可过了两天就没事人似的了。

说出来你也得又生气又纳闷，他居然给方旗取了个外号，一见着方旗就怪声怪气地叫："小石榴！"

真是毫无道理！方旗哪点跟石榴相似呢？他既没长着石榴般鼓胀的红脸蛋，也从来没见他吃过石榴——凭什么叫他"小石榴"呢？

有一天，我正跟方旗在"海棠院"前头出大批判专栏，郑可意从院外回来，路过我们身后，又故意扬着嗓子来了声："小石榴！"

我扭过头，不客气地警告他："你再这么嚷，我们大伙就全叫你小狗！"

他恼怒地说："我又没叫你！狗拿耗子——多管闲事！"

我蹦过去要跟他吵，方旗来拦住了。

方旗说："可意，我知道你叫我呢。给人起外号，这不是好作风。咱们都不应该叫外号。"

他晃晃肩膀说："'小石榴'这外号有啥不好？又不是骂人！"

方旗眯着眼问他："你为啥叫我'小石榴'？这是啥意思？"

他嬉皮笑脸地说："'小石榴'就是小石榴呗。叫个外号有啥不好？你们要乐意，也叫我外号！我自己给自己起了个外号：'小麒麟'——故宫御花园里就有铜麒麟，是神仙骑的呢！”

方旗吃惊地寻思说：“'小麒麟'？自己给自己起外号？神仙骑的？这些词儿、这些主意，是谁灌进你脑子里去的啊？……”

郑可意一拍屁股，跑了。

我刚要对着他后影敲打他几句，方旗一把攥住我胳膊，深思地说：“嗯，'小石榴'、'小麒麟'……这外号有来头！”

我双手叉腰说：“咱们查！一定得把这来头查出来！”

方旗紧皱眉头说：“还是要把查黑小说的事搁在头里。外号是没收黑小说引出来的。查出黑小说的来源，外号呀、别的一些事呀，说不定就全清楚了……”

郑可意的黑小说究竟是打哪儿来的呢？

一场追查黑手的斗争，步步深入地展开着……

8. 喜报红彤彤

在党组织领导下，大院管理委员会一方面狠抓建立“儿童团”活动站的工作，一方面发动群众深查黑小说的来源。社会主义正气像迎着春风开放的鲜花，满院飘香；资本主义邪气像被秋风扫落的枯叶，随时会被撮进垃圾箱。

虽然一时还没揪住造黑小说的鬼爪子，可是经过一段工作，大院管理委员会也掌握了不少线索。郑可意呢？真像拔河绳当间那块当记号的绸子，他一会儿往左、一会儿往右。看起来，我们还得跟“拔河绳”那边的黑手狠拼一番，才能让他归队呢！

一天中午，我们把几张大红纸拼成的喜报贴到了“海棠院”对面的影壁上。喜报用眉开眼笑的大字宣布：“在街道党委、工人民兵、学校党支部的共同关怀下，咱们大院‘儿童团’活动站明天正式开幕啦！”还公布了“开幕式”的各项内容，包括将要演出的每一个文艺节目。

嗬，过春节也没那么热闹呀！满院的大人小孩都围过去看喜报。红彤彤的喜报，把大伙的笑脸映得格外有光彩。欢笑声赛过狮子舞的伴奏曲。

大毛的爸爸高兴地对左右的大人们说：“好哇！我和他妈正愁没时间管他，担心他放学以后不学好哩，这下可放心啦！"不少家长点头说："是呀！""我也放心啦！""咱们都得支持活动站，让它越办越好啊！"……

方旗大声地把喜报上的话念给郑奶奶听，郑奶奶笑眯眯地说："嗯，真不赖，我得让可意天天去活动站，他不去，我拿炕笤帚抽他屁股！"她这话，把周围人们的笑声逗得更响了……

可是，喜报贴出来以后，也出现了小小的风波。

是这么回事：节目单的最后一行写着："顶精彩的一个节目——内容暂时保密！"这是张翠翠出的点子。她飞动眉毛大声解释说："这样，人家才肚子里叽叽叫，憋着想看呀！"这个"内容暂时保密"的节目，是方旗编的，我和张翠翠都参加演出。的确，它挺精彩，而且，我们每次排练都是单拨到我家进行的，别的伙伴也不清楚。大伙想了想，张翠翠的主意也有理，结果就这么公布出去了。

当然，关于这个"内容暂时保密"的节目，不少大人小孩也都兴高采烈地猜了一阵子，不过，别人都只不过是一般地猜猜罢了，有两个人可不一样，他们呀，嘿，为了挖出我们这个秘密，真使出了拿锥子扎钢板的劲头！

头一个就是郑传善。那天傍晚，我正要出院买东西，他把我叫住了，满脸讨好地对我说："小凡！你们的喜报贴出来以后，我心里也落了只花喜鹊。活动站真叫好呀！活动站一办，歪风邪气更兴不起来啦……"

我剪断他话碴，干脆地问："你有啥事直说吧，别绕弯子！"

他就忙欠过身来说："你们明儿的最后一个节目，听说没备齐服装呢。我有一套旧西服，你们要扮个啥的，我情愿捐给你们——那玩艺儿留着也是压箱底……"我不客气地说："谁告诉你我们要西服？瞎掰！"

他两眼眯成两道缝，假装吃惊地说："不用？咦，听说你们已经查出了造黑书的坏蛋，要把他的事搬上台演嘛，他不穿西服，怎么个打扮呀？"

啊，原来这家伙是想从我这儿诈出点"情报"来哩！我心里一阵算盘响，就顺水推舟地对他说："就差再核对两档子事，那坏蛋就查出来了。哼，明儿演批斗他的'节目'，没准甭用别人扮，就让他自个儿上场呢！"

他身子往坐椅靠背上一仰，张开嘴合不拢。我忍住笑，扭身跑了……

晚上，我把这事报告了方旗和方大妈。方大妈说："嗯，看来这家伙沉不住气了。现在关键是郑可意。咱们把可意争取过来，教育好了，可意一说实话，他那只粪桶就彻底揭盖了！估计他这两天会把可意攥得更紧。咱们不能打被动仗，得再加倍努力地做可意的思想工作啊！"

方旗和我去找郑可意，还没到他家，就迎面遇上了。

我们没开口呢，郑可意先问："明儿最后一个节目是啥？干吗保密？"

方旗告诉他："是木偶戏。保密不过是为了让大伙更想看罢了，没别的意思！"

郑可意歪头想了想，不放心地说："我不信，你们蒙我呢！"

我就对他说："不信，你到我家看木偶去，谁蒙你谁变乌鸦！"

郑可意没言语，方旗和我就把他拉到月洞门边的石凳上坐下，你一句我一句地跟他讲上了道理，主要是批判从他手里没收的那本黑小说的反动内容，分析街道、大院里的阶级斗争动向，动员他说出真话——黑小说究竟是什么人给他的？……

郑可意一听我们提出最后那个问题，"咚"地跳起来，激动地说："哼，又来了！可见你们是蒙我，谁知你们明儿最后一个节目要搞啥呢！"

方旗站起来，一只巴掌使劲拍到他肩膀上，望着他躲躲闪闪的黑眼仁说："可意，你干吗起疑？又是哪只苍蝇咬了你耳朵？你明天亲眼看嘛，最后一个节目准是木偶戏，讲阶级斗争的——"

谁知我们越解释，他越恼火，最后竟扬起胳膊嚷："你们不就是憋着劲要跟我斗争吗？随你们便，反正我不怕！"说完，头也不回地跑了。

当晚，听说郑可意又找了不少伙伴打听："那最后一个节目究竟是啥？"不管人家告诉他还是不告诉他，他都生人家的气。你说他这是哪儿传染来的"疑心病"啊？

到第二天，发生了"定时炸弹"爆炸事件以后，经过一番激烈较量，事情才真相大白！

9. "定时炸弹"

那一天是十一月二十三号，星期六，真是个难忘的日子！

当天我爸我妈他们工厂休息。吃完中午饭以后，妈妈嘱咐我和妹妹说："你爸要写批判稿，我要学马列。咱们这么说定了：我们在里屋，你们在外屋，你们可别进去裹乱啊！"

妈妈、爸爸忙他们的去了。我让妹妹坐在小板凳上，递给她一本小人书，让她自个儿看。自己就把个胶泥脑袋、布袋身子的"木偶"套在手上，一边摆弄，一边小声叨念起来。

我那是干吗呀？我背台词呢！我们"儿童团"活动站"开幕式"上的最后一个节目，确实是木偶戏。

演木偶戏可不简单！又得操纵木偶，又得说台词，两下还得配合起来，不多练习几遍，到时候手指头一乱、嗓子眼一"卡壳"，那不就影响演出效果啦？所以，我得抓紧时间再练练。

我的举动引起了妹妹注意。她抛开小人书，朝天辫一摇，跑过来问："哥哥，你大人怎么还玩布娃娃呀？"

妹妹他们小"嘎嘣豆"也被邀请去参加"开幕式"，她要先知道了木偶戏的内容，到时候看着还有啥意思？当然得对她继续保密！于是我就说："去去去，一边去！别碍我事！"

妹妹不信，她踮起脚，伸出小手，手指头不住抓挠，缠住我嚷："给我玩玩！给我玩玩嘛！"

我怕时间不够了，就发烦地躲开她说："谁像你？光知道玩！你抱自个儿的塑料娃娃玩去吧，别耽误我批林批孔的正事！"

妹妹撅着嘴一边去了，她嘟囔着："哼，就你批林批孔，我还批呢！"

我对着墙角练习，不答理她。

忽然碗橱门响。我扭头一看，妹妹伸着食指，一本正经地在那儿点数："一！二！三！四！……"

她要干吗啊？！不管她，不缠我就好。

可是，数到最后，她跑过来数我身边三角柜上的那只泡着黄豆的碗了，还扯扯我衣角，眨着大眼睛告诉我："哥哥，这是第二十四只。"

我说："你怎么又来缠我啊！"

妹妹理直气壮地说："我搞批林批孔哩！"

"你？"我瞪着眼问："数碗，这也是批林批孔？"

妹妹头头是道地说："可不！妈妈说啦，解放前，姥姥家统共只有两只讨饭的破碗。现在咱们家有二十四只大花碗！林彪说现在咱们劳动人民'变相受剥削'，哼，他胡说八道！我呀，明天在幼儿园就这么发言！"

好一个妹妹，真行！我忍不住拨拉拨拉她的朝天辫，问她："你是怎么想出这个点子来的？真不赖！"

妹妹说："昨天旗哥哥来咱们家玩，他给出的主意。你没听见？"

我挠挠头。其实妹妹昨天先请教我来着，我心想她这个托儿所的小娃娃，懂得啥？根本没理她的碴儿。倒是方旗把她领到一边去了，我只当逗她玩，没在意。我比方旗差好大一截子哟！不一会，哨声响了。我带着妹妹赶紧往活动站跑。

活动站布置得好漂亮！雪白的顶棚上，吊着两只日光灯，皱纹纸剪贴成的彩练，在顶棚下织成美丽的图案；米黄色的粉墙上，贴满了我们自己编画的批林批孔儿歌和图画；图书箱、棋箱、乐器箱都安放在一定的位置；正前方布置成了个演出区，一排排新板凳闪着漆光，好像在笑着欢迎大伙入座；屋当中的花盆炉烧得旺旺的，使活动站里温暖如春！

方旗把小"嘎嘣豆"们安排在炉子旁边坐，我们三十几个伙伴围在三边，大伙兴高采烈，欢笑声足能把屋子抬起来。方大妈、工人民兵张大叔——张翠翠的爸爸和我们小学的吕老师都来了。我们用最热烈的掌声欢迎他们！

方大妈问："郑可意呢？来了吗？"

大伙转着头找，没来！

方旗说："我把他请来的呀！刚才还在这儿呢！"

大乔说："大伙进屋前，我还见他在这小套院里转悠呢！"

张大叔说："一定要把他找来！"

吕老师说："我去找他！"

吕老师转身走了，方大妈和张大叔简单而热情地讲了几句话，方旗就宣布了第一个节目："小合唱——《社会主义大院好》！"

五个伙伴走到了前面，方旗手风琴伴奏，嘹亮热烈的歌声顿时飞进了大伙心坎，嘿，多带劲呀！

听完了小合唱，方大妈和张大叔因为还要去参加一个重要的会，提前走了。吕老师回来了，她告诉我们郑可意正躺在床上，说是肚子疼，不能来了。她趁这会儿准备再和可意好好谈谈。

我们自己继续搞活动。节目一个个地演下去：张翠翠学唱革命样板戏《红灯记》，大乔和另一个同学说相声，五个女同学表演群口词《学农归来》……每个节目都博得了热烈的掌声。该木偶戏上场了！趁着搭台的工夫，我从炉边桶里撮了两铲子煤球，给炉子续上火，心里默诵着木偶戏的台词……

几个伙伴已经用木架和布幔子搭成了小戏台，我们演员也都藏到了布幔子下头，把布袋木偶套在了自己手上。

响起了方旗报幕的声音："最后一个节目，木偶戏——《一只饺子》。"观众们顿时活跃起来。可是，正当小幕布徐徐启开的时刻，忽然，火炉里噼噼叭叭一阵鞭炮响，炉盖子直颠，把周围的小"嘎嘣豆"吓得捂着耳朵哇哇叫，我们大孩子也惊呆了。

"躲开！炉里没准还有'二踢脚'！"磊磊一声大喊，把挨着炉子最近的一个小"嘎嘣豆"拉开了，我还没明白发生了什么情况呢，只见方旗已经敏捷地扑向了炉子，毫不犹豫地用十根手指紧紧地按住了滚烫的炉盖，他又麻利地倒出一只手，把装着大半桶煤的铁桶一下子压在了炉盖上——就在那一刹那，炉中连续发出两声巨响，果然是"二踢脚"爆炸了！炉盖和煤球没飞出来砸着大家，可是方旗的十根手指尖都挨了烫，指尖上起了好几个大燎泡……

这时候，屋里头出现了混乱。

木偶戏台被撞倒了。有两个小"嘎嘣豆"直哭。一些伙伴激动地议论："怎么回事？炮仗怎么跑炉子里去了？""谁搁的'定时炸弹'？安的什么心？"一些个伙伴挤到方旗身边，关心地问他："疼得厉害吗？"有几个伙伴赶紧回家去给他取獾油。

方旗一步跳上了凳子，向大伙一摆手："安静！安静！"这时候室内便逐渐平静下来了。

方旗激动地说："不就是响了几个爆竹吗？有什么了不起的？解放军叔叔枪林弹雨下还要冲锋呢！难道一颗二踢脚就能把咱们的开幕式搅了吗？"

大伙齐声说："不能！"

方旗笑了笑说："好，我们现在调查一下情况。"他问磊磊，"你怎么知道炉子里有'二踢脚'？"

大伙一叠声地跟上去问："你怎么知道？"

磊磊脸憋得通红，大声解释说："开会以前，我见郑可意往这煤球桶里扔东西来着，当时没在意。一听小鞭炮在炉子里响，我想起他扔的东西里还有大个的，怕出大事，所以嚷了那么一嗓子！"

磊磊的话像冲着拧开的煤气炉擦了根火柴，顿时点燃了大伙胸中的怒火。方旗气愤地检查着铁桶里的煤球，很快地，他就从那里面挑出了一个用墨染黑外皮的"二踢脚"来——郑可意真可恶！他故意把染黑的炮仗混到煤球里,企图制造"爆炸事件"来破坏活动站的活动！偏偏我添煤的时候没细看，让他得了逞！

方旗盯问磊磊："你看准啦？是郑可意扔的？"

磊磊使劲点头："那还有错！"

几个伙伴立即证实："是有那么回事！当时瞧见了没在意，原来他是安'定时炸弹'呢！"嗬，大伙愤怒的叫嚷跟打雷似的："真坏！把他揪来！""这回再不能饶了他！"……有几个拔腿就要去揪他。

方旗猛吹了一声哨，嚷的住了嘴，跑的定住脚，屋子里刹时静了下来。

方旗布置说："保持秩序，咱们的'开幕式'不能散：木偶戏一会儿再演，先上几个保留节目——大乔，你来组织！小凡、翠翠，咱们仨找郑可意去，一定要把这事查清！"

大乔立即站到前面指挥大伙唱歌，几个伙伴赶紧收拾碰倒的东西，两个女同学哄劝刚才哭鼻子的"嘎嘣豆"……

当我和张翠翠随方旗出屋时，"活动站"一切恢复正常，有力的歌声示威似的飞出屋来，向满院传送……

10. 小蜡烛和大铜锁

我们跑到郑可意家，郑奶奶迎上来说："是找吕老师吧，她刚走。节目演完了吗？可惜我们可意没看着。他一个劲嚷肚子痛，跟里屋躺着哩。才给他吃了药，这阵估摸睡着了！"

我和张翠翠抢着话碴，把郑可意安"定时炸弹"破坏"开幕式"的情况跟她讲了一遍。郑奶奶吃了一惊，她捧起方旗带燎泡的指尖看了看，"唉哟"连声地说："可意怎么干出这号事来！这个小坏蛋，走！薅起他来！今儿我再不护着他！"

说着，气冲冲推开中门，引我们进了里屋。

呀！后窗开着，床上只剩下乱被子。显然，郑可意听见我们来告状，跳窗逃跑了。

张翠翠二话不说，跑过去两手一按，一扬腿，跳上了窗台，我们还来不及眨眼，她已经"咚"的一声跳到外面，显然，是追郑可意去了。

郑奶奶一屁股坐到床上，懊悔地说："都怪我平时太娇惯他！唉，本想栽棵檀香树，没想到长成了蒺藜狗子！"

方旗把郑可意掉在床边的棉外套捡起来，棉外套兜里掉出了几根小蜡烛。

方旗敛起小蜡烛，眉尖耸起老高，他问："郑奶奶，他买这小蜡烛干吗玩？"

郑奶奶也惊得皱纹一抖："咦，要这小蜡烛干啥呀？"

郑奶奶一把抓过棉外套，挨个细掏几个兜里的东西。呀！有半截的香烟头，有一把糖纸，有话梅核儿，有一个木头刻的抓阄用的小"色子"，还有一张揉得稀皱的歌片，头两句歌词是什么"好花不常开，好景不常来"……

方旗捏紧拳头说："抽烟，玩色子，还有黄色歌曲，陷得够深了，这些东西的背后可有名堂啊！"

郑奶奶像陡然刨着了一窝蛇蛋，她双手打抖地说："晚啦！晚啦！我怎么糊涂到今天才想起查他的兜？……"

方旗说："现在明白还不算太晚，这是一些重要的发现，我们要向居委会和学校汇报，说什么也得把可意从坏人手里拽回来。"

张翠翠喘吁吁地从门外跑了进来，她报告说："我追到大门口，也没找见他！问了正在门口帮着收泔水的贺姥姥，她说没见郑可意跑出去！他准是藏到院里哪个旮旯了！我让大军哥哥他们几个红卫兵帮着把大门，就跑回来了……"

方旗想了想，就问郑奶奶："可意这阵还常去郑传善家吗？"

郑奶奶说："前几个月，他常去，我也不大在意。自打参加了政治夜校，经过学习，我脑袋瓜也开了窍。虽说郑传善是个瘫子，到底是个资本家，不能让孩子跟他染邪气。所以这阵，我净管着可意，不让他往那儿跑了。有时候，该吃饭了不见他影，我满院找不见，就到郑传善家去找，只有一两回是打那儿把他找回来的，说是帮人家打水来着；还有好多次，我去了，不是郑传善家门上别着大锁，就是他坐着车椅迎出来告诉我不在……等可意回到家，问他上哪里去了，他嘴里就像含着元宵，稀里糊涂说不清……"

我接口说："他准是在郑传善家玩呢！有一回，我见他跟小刚、大毛从郑传善家那个小偏院出来，翘起大拇哥，指着自个儿鼻子说：'小麒麟'！"

张翠翠一跺脚说，"走！到郑传善家找他去！他准躲那儿去了！"

方旗点头说："嗯。去找找试试！"

我们仨出了屋，进到郑传善住的那个小偏院。

咦！门上挂着锁呢，敢情郑传善不在家！

郑可意究竟来他这儿没有呢？

我们仨不由得都把眼光集中到屋门的那把锁上。

方旗走过去，摸摸那把陈年老锁。那是把老式的铜锁，足有牙膏盒那么大，上头还铸着两个字："善记"。

"这准是原先他们家开'善记铁工厂'时候打的锁，几十年了，还用着呢！"方旗对我和张翠翠若有所思地说。

"怎么办？"张翠翠问，"是不是干脆把大伙全发动起来，满院找找？"

这时，不远的活动站那儿传来了一阵清脆的竹板声。

啊，这可是最后一个保留节目啦！

我捅捅方旗，让他注意，问他："咱们的木偶戏，还演不演呀？"我们俩都是主要演员，我们不去，可演不成呀！方旗坚定地说："演！"

11．专场演出

我们的木偶戏获得了极大的成功。活动站的"开幕式"胜利结束了。尽管当中发生了"定时炸弹"事件，活动站还是把我们"儿童团"吸引住了。散场的时候，连小刚也说："嘿！赶明儿我放了学就到这儿来玩：这儿多有意思呀！"

当晚吃饭的时候，妹妹叽叽呱呱跟爸爸妈妈说活动站"开幕式"的事儿。说到"定时炸弹"爆炸，我插嘴问她："那时候，你也吓哭了吧？"妹妹把钢勺一舞："没！我还用自个儿手绢给小梅擦眼泪呢！不信你问她去！"

她那认真的模样，把我们全逗乐了。

当我把郑可意的情况讲出来以后，爸爸严肃地说："大院里也有阶级斗争啊！他很可能是被坏人拉过去啦！"

妈妈想了想说："是不是郑传善腐蚀的他，大伙都应该帮着调查。"

我们刚吃完，方旗找我来了。

他报告了一串子消息：

"定时炸弹"的事儿，汇报上去了。上级分析说，这事跟我们追查黑小说来源，显然有密切联系。

居委会党支部刚才召开了会议。大院管理委员会的委员、工人民兵代表和学校老师，全列席参加了。大伙一致认为，这回脓包破了，是好事。彻底排脓、治好疮伤的时机，成熟了。要把开春以来的一系列怪事，特别是黑小说出现前后的种种情况串起来综合分析，找准目标，狠狠打击资本主义复辟势力！散会以后，大伙分头去发动群众，今晚就要打一场进攻仗！

现在，方大妈和张大叔正在郑可意家，做他的工作。吕老师和大乔他们几个同学，正在跟小刚、大毛谈心。院里的红卫兵大哥哥、大姐姐们，也正在开会拢大院阶级斗争的现象，进行分析……

我不等方旗把话说完，就跳着脚问："我呢？我该干吗？"

方旗伸出手，把指头一舞说："咱们的任务是——演木偶戏！"

"不是演过了吗？"我眍着眼，不明白地问："还给谁演呢？"

"到郑可意家，给他来个专场演出！"方旗大声回答。

我傻了。他搁"定时炸弹"炸我们，破坏了我们在"开幕式"上的演出，不找他算账已经便宜他了，还要去给他一个人来个专场演出！

"不干！反正我不参加！"我把两手往胸前一抱，赌气地说："我不伺候放炸弹的小少爷！再说，给花岗石演戏，白费蜡！"

爸爸一旁批评我说："小凡，方旗是对的。对可意一次拉不过来，就两次、三次、一百次地拉……不能放弃啊！你别感情代替政策！"

妈妈也说："你们那个木偶戏很有教育意义！给可意演，对他一定有帮助！"

方旗又对我说："小凡，你想想昨天喜报出来以后的事儿，郑传善为啥拿话套你，死气白赖想知道咱们这保密节目的底细？可意又为啥对这节目起疑心？咱们去把木偶戏演给可意看，一方面能去掉他原来的疑心，更重要的是通过这出戏，给他做工作，他受到教育后，准能有个大的变化！小凡呀小凡，这可是要紧的一仗啊，你怎么能临上阵当逃兵呢？"

"我才不当逃兵呢！"我跳起来嚷了声，就随着方旗去做演木偶戏的准备工作了。

不一会儿，我们几个人带着东西到了郑可意家。

在方大妈和张大叔的耐心帮助下，加上郑奶奶的协助，郑可意已经谈出了一些情况：那回倒卖电影票，确实是郑传善撺掇他干的。郑传善听说可意去看电影，就把他截住了，对他说："我爱人单位发了张明天的《艳阳天》，她不看，我送给你。你可以把手头这张票拿去卖给等退票的人。注意，票要卖给成人，可以卖三毛钱。你不是最喜欢吃酸奶吗？三毛钱到手，买瓶酸奶还有富余呢！"开始，郑可意听了觉得扎耳朵，他摇头说："用一毛钱的票换三毛钱，那多不好！"郑传善笑着说："你怎么那么死心眼？买票的看上了电影，你吃上了酸奶，方旗做成了好事……

合理合法，谁也不吃亏啊！这就叫找窍门！"郑可意还是不想干，他说："方旗要知道了，还不得猛呲儿我？"郑传善呵呵地笑了起来："我试试你的胆量呢！是呀，有胆的占便宜没够，没胆的吃亏不难受。愿意当窝囊废，你就当呗！愿意当虎胆汉，你就闯一次！"结果，郑可意果然"闯"了一次……这以后，郑传善又教给了他一些个占便宜的"诀窍"。我们开展读红书活动以后，郑传善又灌给他一套谬论，阻挠他借阅革命图书。

十二个向日葵，也是郑传善教唆他偷的。郑传善听他说看了本解放军捉特务的书，挺佩服书里的英雄，就马上跟他说："嗨，当那号英雄多苦呀，我教你当个享福的英雄吧！"于是，就给他讲了个特长的"冒险故事"，里头净是夜里出来抢劫的江洋大盗，他们都是"虎胆汉"，神出鬼没，要什么有什么……郑可意对故事里的"虎胆汉"们羡慕得要命。郑传善就给他设计了那么一场"冒险活动"，半夜里，趁奶奶睡沉了，悄悄带剪子溜出院子，各处去剪向日葵；剪下的向日葵系成两嘟噜，提到郑传善住的小套院；敲三下窗户当记号。郑传善就打开窗户，接过向日葵；第二天起，郑可意随时可以躲到郑传善家里，饱嗑一顿葵花子；为了"移花接木"，郑传善又教他趁人不注意，把一包瓜子皮撒进我家土箱，然后带上小刚和大毛，去"凭赃逮贼"……

郑可意能把这些事情讲出来，当然是个进步。可是，大伙问他："那黑小说是不是郑传善给你的呀？"他却前言不搭后语地回避说："他光给我讲过故事。反正小说是路上捡的……"

我问他："你干吗叫方旗'小石榴'呀？"

他说："他没收了我的小说，我生他气，所以叫他'小石榴'！"

张大叔说："怪呀，'小石榴'不像你生气时候想出的词儿。是不是郑传善教给你的？"

他不吱声。

张翠翠问："你管自个儿叫'小麒麟'，也是他教的吧？"

他还是不吱声。

我又问他："你一个劲打听今天最后一个节目是啥，准是听了他的瞎说吧？"

他动了下眼珠，可没回话。

方旗问："把炮仗用墨染黑了，混到煤球里，也是他给你出的点子吗？"

他垂着眼皮说："是我怨你没收了我的小说，赌气干的。我以为到时候顶多'嘣啪'响几声，吓你们一跳，没想到炉盖子会往外飞，幸亏叫你给按住了。你们来找我的时候，跟里屋听你们一说，我也傻了。祸惹大了，我特害怕，就翻窗户跑了……""你是不是藏郑传善家啦？"郑奶奶生气地瞪着他问，"你给我说实话！"

郑可意就像吞了活刺猬，满脸苦相，可他坚持说："没藏他家，我跑到院外头去了……"

张翠翠大声揭穿他："撒谎！我们掌握情况，你没出院！"

方大妈打个手势，让大伙别光是向他提这种追查性的问题。她和蔼地说："可意，我想知道，你觉得郑传善这个人怎么样？能跟我们说说心里话吗？"

郑可意想了想，就说："我觉着，他对我挺好：给我治病，想法子让我过得快活……反正，他是个善心人！"

你说他有多糊涂！我们正要驳他，方大妈提醒我们说："你们不是来给可意演木偶戏的吗？一会儿再说别的，先演戏吧！"

我们搭好台，给郑可意演了。

我们演得特别认真。别看就是那么一些个自制的木偶，别看剧情特别简单，嘿，还真能打动人！

木偶戏是这样开场的：一个工人伯伯，给几个小朋友忆苦。他说："解放前，我在铁工厂里当学徒。那时候，我们的伙食咋样呢？有三句话：'老吃韭菜，长吃菠菜，一年到头包饺子'。"

这时，方旗一只手捅着的五个娃娃头，全都猛摇晃起来，我们一叠声地学小娃娃口吻说："哟！解放前工人伙食能那么好吗？""韭菜、菠菜，吃得不赖呀！""一年到头吃饺子，可能吗？"

方旗另一只手捅着的工人伯伯缓缓地摇摇头，只听他模仿老伯伯的口音说："孩子们，你们误会啦！听我告诉你们吧：'老吃韭菜'，是这么回事……"

方旗的两只手退到布幔子下面，该我的一只手伸出去了，这是个小工人，他打着打着铁，唉哟——晕倒了！

几个工人赶紧来扶他，大伙七嘴八舌地控诉说："哼，一天给老板干十六个钟头，连顿饱饭也不给吃！""三个月不给吃菜了，谁受得住！"……

这时，张翠翠的两只手都上场了。

一只手上是个丫头。她提着一捆老粗的韭菜走到工人们前头，不满地说："瞧，老板娘让我把这韭菜熬给你们吃——这是卖不出去的老韭菜！这么一大捆，老板娘用半盒火柴就给换来了。"

工人们望着韭菜，纷纷生气地说："这跟麻绳似的老韭菜，谁嚼得动呀！""哼，把我们当骡子了！"……

张翠翠的另一只手上是老板娘，她站在幕口偷听半天了，这时就猛地冲过来，大发雷霆地说："你们别不知好歹！给你们吃韭菜，是赏你们脸！告诉你们吧，这韭菜钱，得从你们这月的工资里扣！吃了这韭菜，一个个得多卖点力气给我们干活！"……

你该明白，"老吃韭菜"是啥意思了吧！

"长吃菠菜"呢？这可不是"常"吃菠菜，说的是等到最后的一茬菠菜长得老长老长的、卖不出价了，资本家才买一捆来给工人吃，吃了也要扣工资！

"一年到头包饺子"呢？那说的是，到了每年春节，所有的工人都得动手给资本家全家包饺子。从揉面、擀皮、剁馅、拌馅……到包、煮、端，资本家一家连小手指头也不动弹一下，全享现成；而工人呢，一个也不许吃！

木偶戏顶要紧的情节是：丫头春杏因为端饺子上桌的时候，不留神颠出了一个饺子。嘀，老板、老板娘、少爷、小姐，全都不依，骂她存心犯上，说她掉饺子是颠出了他们来年的吉利，逼她下跪认罪……春杏姑娘气得一甩长辫，指着他们说："你们喝饱了我们工人血汗，养得肥头大耳，是你们有罪！凭什么骂我？凭什么罚我？"

老板、老板娘一声命令，只见油头粉面的少爷扑上去就把春杏打倒在地，春杏蹦起来，奋力反抗；两个狗腿子跑进来，捆起了春杏，逼她对着屋里供的佛爷像下跪。佛爷像两边的对联是："忠厚传家久，诗书继世长"，当间的大匾上题着"积善得福"四个字。少爷挥起鞭子，猛抽春杏，春杏怒骂他们是"披着人皮的黑心狼"……一群工人冲了进来，掀翻了资本家的饺子席、夺过了少爷手中的鞭子、救出了春杏……

木偶戏最后，又回到了开始的场面，工人伯伯对小朋友们说："林彪效法孔老二，宣扬孔孟之道，搞'克己复礼'，就是要让你们再遭春杏那样的罪！孩子们，可得把批林批孔运动搞好，为巩固咱们的无产阶级专政而斗争啊！……"

戏演完了，我们纷纷跑出布幔，瞧郑可意有啥反应。嘿！这次他那化石心也出泉眼了，只见他紧抿着嘴，拳头一挥说："原来你们的'保密节目'，真是木偶戏啊！那大少爷真可恨！我要遇上他，非一拳把他砸扁不可！"

方大妈宣布："你已经遇上啦！郑传善过去就是那样的一个大少爷啊！"

不光郑可意，郑奶奶和我也吃了一惊。

方大妈解释说："解放前，郑传善他们家开的那个'善记铁工厂'剥削、压迫工人的情景儿，就跟这木偶戏里演的差不离。一九四六年，我二十三岁，进厂里当拉风箱的工人。那厂房多年失修，是个猴顶楼的形势——随时有崩塌的可能。有一天，顶棚上直往下掉灰，我们忍无可忍，派代表找郑传善老子递话：再不修整厂房，明天我们就罢工！郑传善老子表面上应承第二天停工修房，暗地里使下了毒计。当晚，我们正在厂房里干活，郑传善老子指使两个狗腿子，故意从经理楼三楼窗口往我们那间平顶厂房上扔铁锭，造成人为崩塌，当场砸死了一个老工人，砸伤了二十几人。我的腰就是那次砸坏的。第二天，他们郑家从保险公司捞了一笔保险费，只拿出千分之一给了被砸死的老工人家属，算是安葬费；我们二十几个受伤的工人，统统被解雇；其余留用的工人呢，说是应该'与厂方共渡危难'，停发工资一月。大少爷郑传善一贯跟反动报馆勾结得铁紧，他就写了篇《善心有善报》，登在报上，胡说什么老工人家属领到安葬费的时候感动得给他们家下跪，又说什么我们受伤工人是'自动退职'，留用工人是'自动退薪'，这都是为了'感谢厂方一贯以善心相待'。同院的小学老师把那文章读给我听，气得我险些炸了肺！可意呀，这就是郑传善他们一家的'善心'、'善行'。你妈那年才十四岁，在他家当丫头，没少受木偶戏里春杏遭的那号罪。不信等你妈下次打青海回来探亲，你看看她肩窝那儿的伤疤，问问她是谁用鸦片烟签子扎的——就是郑传善下的毒手呀！那时你妈跟你爸还不认识呢，所以你奶奶也不清楚她当年的事……"

郑可意"腾"地站起来，瞪大双眼，胸脯大起大伏地喊着问："方大妈！您说的——是真的？当年扎我妈妈的，就是——他？"

方大妈说："那还有错，大妈几时诓过你。孩子，可要擦亮眼睛，别把仇人当好人啊！"

郑奶奶又悔又恨，她揪袖口猛擦一把眼泪，跺跺脚说："其实，不知道这事我也该留个心眼啊！我往年也挨过地主、资本家的鞭子！可我好了伤疤忘了疼！由着孩子往虎口里跳，还觉着是疼爱他！"

方大妈点头说："地主资产阶级抽在咱们身上的明鞭子好感觉，抽在咱们思想上的暗鞭子可难觉察呀！今后可得警惕啊！"

张大叔拍拍郑可意肩膀，让他坐下，对他说："可意，过去挨地主资本家欺压的，不是你妈一个人；过去骑在劳动人民脖子上拉屎撒尿的，也不是一个地主资本家……"

方旗领悟地接上去说："是呀，可意，要站在劳动人民一边，跟所有的剥削阶级斗啊！"

郑可意挥拳"咚"地把桌子一捶，大声地对我们说："我再不瞒着你们了！外号是郑传善教给我的！放'定时炸弹'的点子是他给我出的！下午我是藏到他家去了！……"我真为郑可意的觉醒高兴，心想这下他总该"竹筒倒豆子"——啥都说出来了吧！不由得急切地问："那黑小说是不是郑传善给你的！这是顶要紧的一条，你快说吧！"

大伙都期待地望着他，像雨住后盼乌云散去、露出彩虹。

可是，真出乎我的意料，郑可意突然闭上了嘴巴，发了几秒钟愣，就"扑腾"一声坐回到椅子上，胳膊肘支着，紧抱着头，手指头不住地搓揉头发，半天，也不说一句话了。

方大妈亲切地抚摸着郑可意的头发说："你今天进了一大步，揭发了郑传善不少问题，大妈心里真为你高兴啊！你是我们工人的后代，是我们的亲人，你一时上了当、迷了路，我们从心里惦着把你早日拽回到毛主席指引的正道上来，可你为什么不把话都讲出来，不把编黑书的人兜出来呢？还有顾虑是不是？怕我们瞧不起你吗？"

方旗接碴说："不会的。可意，我们欢迎你进步，欢迎你改正错误。"

方大妈说："对！你还顾虑什么呢？怕惩办你吗？"

张大叔忙解释说："我们要打击的，是那躲在阴沟里编黑书毒害我们孩子的黑手！"

方大妈说："是这样！那你还顾虑什么呢？孩子，是不是坏人在背后吓唬你威胁你了？"

这时，大伙再也耐不住，七嘴八舌齐声说开了："可意，不怕他。""他敢！有我们大伙呢！""坏人敢继续捣乱，无产阶级专政的铁锤砸烂他！"

方旗不由得把手搁到了可意的肩上。

把头垂到了胸脯的可意，忽然用手背擦了一下眼睛，他抬起头来，眼眶里闪着泪光说："方大妈，都——怪我，我——明天和你谈。"

方大妈点了点头。方旗搂着可意的肩膀，激动地说："可意呀可意，我们相信你会和坏人一刀两断的，越快越好！"

我把演出用的东西收拾好了，准备和方旗一起送回活动站，这回可意执意要和方旗一起去送。我瞅着他俩的背影，心里像有团火在扑腾扑腾地跳着！

12. 瞄准射击

当晚八点半钟。居委会办公室里，坐了满满当当一屋人。

开我们大院管理委员会的扩大会议哩。

我也参加了。

方大妈的开场白说："今天研究郑传善的问题。我先把他的情况摆摆。他老子是反动资本家，文化大革命前得病死了。打一九四七年起，他就参加经营'善记铁工厂'。解放后，还当了一段经理。公私合营以后，铁工厂逐步发展成了空调设备厂。反右斗争当中，他有不少右派言论。文化大革命前，受刘少奇修正主义路线包庇，滑过了各次政治运动；文化大革命当中，红卫兵造了他的反，没收了他保存的反动书报和黄色唱片。七〇年，让他从行政科下到车间劳动锻炼，他整天阴着个脸，还说过这样的话：'让我干工人的活，还不如让我死！'车间批判了他，他表面上低头认了罪。七一年，他以下肢瘫痪为理由退职，搬进了我们院。批林批孔运动开展以来，他明面上看不出大问题，暗里有不少活动。现在，咱们从各方面拢拢他的现行活动，分析分析他问题的性质，瞄准了看看：是人是鬼？商议一下：该不该冲他开枪？这一仗怎么个打法？"

不少发言的内容，我前面都讲到了，不再啰唆，单把几个非知道不可的发言告诉给你：

方旗发言时，拿出保存了半年多的车轱辘印，让大家传看，分析说："这是郑传善车椅右边的车轱辘印。毁幻灯片现场的车轱辘印，跟这纸上的车轱辘印一个花纹，都是飞鸽牌的自行车带，都有一样的缺损。泼坏幻灯片的水里，有些个茶叶渣。不少伙伴都记得，当天傍晚他坐着车椅在'槐树地'遛过弯。他有个习惯，就是随车带个果酱瓶装茶喝。把这些情况对到一块，再跟别的表现串起来看，没得说：幻灯片就是他用瓶里的茶水泼坏的。"

接着，张大叔、吕老师又谈了几天来大家做小刚、大毛工作的收获。他们跟着郑可意到郑传善家里玩过好多次。郑传善常拍着郑可意肩膀说："咱俩都姓郑，五百年前是一家。论起来，我还算你大爷呢。"郑可意进了屋就管他叫大爷，让小刚、大毛也跟着叫。郑传善里屋后头，有个没窗户的小小储藏室。他常让郑可意带着小刚、大毛，有时还有别的院的一两个孩子，点着小蜡烛在那里头看稀奇古怪的图画和小说，还教他们掷"色子"赌钱玩；有几次，发他们每人一大把葵瓜子、两个话梅，让他们往作业本上抄小说；有时候，郑传善自己坐车骑出去转，就把他们锁在屋子里。每次从他家出来之前，郑可意总要晃着拳头对他们说："谁敢把这儿的事讲出去，哼，小心挨揍！"……

听完几个人的发言，会场上响起一片愤怒的"啧啧"声。方大妈大声说："我们办'儿童团'活动站，郑传善也办活动站。争夺接班人的斗争，占领思想文化阵地的斗争，就是这么个刀对刀、枪对枪的局面啊！不把郑传善的猖狂进攻打退，怎么能把巩固无产阶级专政的任务落实呢？"

公安局的一位叔叔也来参加了会，他的发言，更让我大吃一惊。他说，最近，在我们这个区的不少小学里，发现了手抄黑小说。经过调查，有些黑小说是郑可意的笔迹。方旗从郑可意手里没收的那一本，经过到郑传善原单位对笔迹，证明是郑传善本人编写的。显然，郑传善是个编写黑小说的坏蛋，郑可意当了郑传善散毒的工具！他说，公安局作为我们革命群众的坚强后盾，必要的时候，可以把郑传善拘留，并且可以依手续搜查他的住宅。

公安局叔叔的话音刚落，响起一片激动的声音：

"可不能把这混蛋看成个半死的瘫子，他的反动能量还不小哩！"

"瘫了也不能饶他！得把他拉出来批斗！"

"给他戴上反动资本家的帽子！监督起来！"

"他要是顽抗到底，坚决支持公安部门把他依法处理！"

经过充分讨论，方大妈做总结说："根据现有的材料，郑传善问题性质严重，必须对他进行坚决斗争，街道党委已经批准我们开批判会。今晚，居委会先通知郑传善明天开会的事，让他准备检查交代。'儿童团'也可以出马锻炼一下，到他家打个主动仗，当场揭批他几个要害问题。明天上午，分兵三路：一路继续做郑可意的思想工作，一定要让他能在下午的批斗会上，面对面控诉揭发郑传善对自己的毒害和利用；一路要与郑传善老婆单位的党组织联系，双方共同做他老婆的工作，争取让他老婆作出揭发交代；一路要很好地发动群众，准备出一批有分量的、说理充分的、从路线上分析的发言，一定要能击中他的要害，起到批判消毒的作用……经过批判，根据他的态度表现，发动群众评议，再交上级审批，最后进行处理。"

半小时后，我们"儿童团"的"尖刀班"就杀进了郑传善家里。

他躺在床上，被子盖到下巴，看到我们来势汹汹，连忙哼哼着说："居委会通知了我开会的事了，有什么事，明天会上再说成不成？我头晕得厉害。"

方旗说："你躺着也行。我们不碰你皮肉，我们是来揭批你反动罪行的！"

他那两只贼溜溜的眼睛，一边打量我们，一边似乎在琢磨着对策。

我们还没开口揭批呢，他忽然坐了起来，拖过一床被子掖在身后，腮上的肥肉一阵晃，假笑着说："我知罪！我先揭批自己吧！夏天里，我撺掇可意倒卖电影票、蒙人骗钱，还宣扬过'人心向善'的谬论；秋天里，为了满足可意学冒险家的心愿，我给他出了个半夜溜到院里剪向日葵的馊主意，造成了极坏的影响。平时，我又常躲懒不参加办社会主义大院的活动……这都是因为我思想是'资'字号的，没有好好改造，今后我——"

"算了！"方旗刀劈枯枝似的截断他的假认罪，一针见血地说："你别以为郑可意不在这里，你就可以糊弄过去，你把可意他们引到储藏室里，搞了些啥见不得人的活动？你编写了几本毒害小学生的黑小说？你还干了哪些破坏批林批孔的坏事？交代这些主要罪行！"

郑传善两眼一对，腮上的肥肉不住哆嗦，像挨了一闷棍，顿时哑了。

张翠翠指着他鼻子说："你别以为我们不知道你那些臭事！你老实交代！"

我和大乔也亮开嗓子对他说："你想牵着我们小学生鼻子随你走，没门！""坦白从宽，抗拒从严！你得主动交出你屋里的黑小说、黑画、黑歌片来！"

另外两个伙伴也不软，个个瞄准他进行射击。

我们对他的问题拿得稳，所以开枪瞄得准，打出的"子弹"也就格外有力。

他还想开口狡辩。可是知道我们是掌握情况、有所准备而来的，心里又虚又怕，不禁满脑袋冒汗珠，说出来的话像软木塞，一点也不硬气。

经过我们七斗八斗，最后，他喘吁吁地表态说："今晚我一定好好反省，明天一定作深刻检查。"

方旗警告他说："你要是不主动交出藏着的黑小说，公安局根据确实的证据，可有权来搜你这黑窝！你放老实点！"

他装出副委屈相说："我真的没编过什么黑小说，更没藏着什么黑玩艺，你们尽管搜好了，搜出来，怎么处置我都行！"

我们临撤以前，方旗又警告他说："你要把黑小说啥的烧了、转移了，不交出来，就只能加重你的罪过，我们可饶不了你！"

他摊开手说："烧，你们能查出纸灰；转移，我一个瘫子能往哪儿转移？我就是没有嘛！有，我留着不也白搭吗？要不，你们现在就搜！"

张翠翠一跺脚说："那怎么着！我们就现在搜！"郑传善吃了一惊，身子一震。方旗对张翠翠使了个眼色，张翠翠就冲郑传善哼了一声。

方旗和我们重复了几遍"坦白从宽，抗拒从严"，就胜利地出了郑传善家屋门。故事到这该完了吧？才不呢！最紧张的斗争场面，还在下面呢！

13. 大问号和大叹号

当天夜里，轮到我跟方旗在大院代营食堂里值班。

临去食堂前，方大妈代表党组织嘱咐我俩说："明儿就要揭盖子、打大仗了，今晚可得格外留神。我们居委会刚对胡同里'明牌'的四类分子训了话，加强了对他们的管制；九点以后，还要增加人员，加强和工人民兵在胡同里的巡逻；咱们大院门口，决定也派人值班，每隔一小时在大院里转一圈。你们俩今晚不光要防坏人去破坏食堂，还得兼顾一下食堂周围的几个套院；别睡得太死，有动静要及时观察；遇到紧急情况可以吹哨，我们外头巡逻的听见哨音立时就来……"

我和方旗严肃地举拳向党组织保证："坚决完成任务！"

我俩到了食堂，整理了一番锅碗瓢盆、油盐酱醋，擦抹了长条餐桌，检查了液化石油气灶是否漏气，封好了取暖的煤炉……就搭起了铺板，准备睡觉。

我心里痛快极了。展被子的时候，哼哼唱唱；方旗刚脱下外衣，我就从他身后伸手，给了他胳肢窝一顿猛挠，他笑着扭过身来，一下把我按倒铺上，又把我膈吱得喘不过气来……我俩又痛杀了两盘军棋，这才钻被窝睡觉。

脑袋一落枕头，我就隔着玻璃望见了月亮。嘿，它也像在咧嘴向我乐呢，我忍不住冲它一招手说："我们胜利啦！给我们鼓掌吧！"

方旗见我得意忘形，就侧身一揪我耳垂说："你呀！把话说早啦！跟资产阶级斗，是长期的任务哇！就是郑传善，也不能说已经把他打倒啦！"

我侧身望着他说："反正差不多啦！今天咱们布置得这么严实，别说他是个瘫子，就是长翅膀的狐狸也飞不出去呀！明天下午的会一开，嘿！他不就倒啦？"

方旗两眼闪闪放光，他把双手合拢枕在腮下，边寻思边说："你这么松心可不成呀！郑传善的问题，并没全闹清啊！他为啥让可意叫我'小石榴'呢？又为啥让可意叫自己'小麒麟'呢？他自己，还有可意，为啥对咱们的'保密节目'那么心虚呢？咱们做可意的工作，怎么那么费劲呢？把黑小说的真情实况说出来，对可意来说怎么那么难呢？还有……"

"还有什么？"见他没再说下去，我就催问他。

"嗯，没想准呢，我先不说。"我知道方旗的脾气，即便只是个疑问，没想成熟他也不轻易往外说，就不去打破沙锅问到底了。

他眨巴眨巴眼睛，又说："即便郑传善的问题全弄清了，还有个批判消毒的问题呢！现在不光可意糊涂，咱们'儿童团'里的人，都能把问题看透吗？就拿'向日葵事件'来说吧，郑传善光是为了毒害一个郑可意呀？为啥这事偏偏出现在你当上图书管理员那天？为啥他指点可意单留下你家的向日葵不偷？为啥单把葵花子皮往你家土箱里撒？为啥当晚就出了小刚往回收书的事了……"

"这下我更明白啦！"我兴奋地说，"我要往外散红书，他恨我啊：看红书的风不兴起来，他那黑小说不就更好往外传啦？"

方旗眯两下眼说："就是嘛，这是个争夺阵地的问题。如果不把这些问题联系起来想，向日葵是向日葵，收书是收书，黑小说是黑小说，那这回糊涂啊，下回还会糊涂。"

我说："明天一批斗，他就臭了。以后，谁还会犯糊涂，上他的当呢？"

方旗眉毛一扬说："他要换个手法呢？要再遇上另一个这号人物呢？不把对他的斗争当成一堂课来上，提高阶级斗争、路线斗争觉悟，吸取经验教训，光是冲他发泄发泄恨劲，那以后难免不再犯糊涂、不上当啊！"

我禁不住捅了方旗一拳："嘿！我怎么就想不到这些呢？"

方旗笑着说："其实，我跟你说的这些道理，都是这两天在家，跟我妈一块学习党的基本路线，联系斗争实际，琢磨出来的；有些个话，就是我妈说的……"

我俩聊了好久，直到眼皮上拴秤砣了，这才睡去。

半夜里，我从梦中惊醒过来，朦朦胧胧地瞧见，方旗的枕头整个露着。难道他缩进被窝里睡了？妈妈常跟我和妹妹说，这种睡姿最不卫生。于是，我就去推他——呀！被子是空的，方旗不在！

方旗上哪儿去了？我坐起来，琢磨着他的去向。等了一阵，又一阵，还不见他回来。这是怎么回事呀？我就穿好衣服，披上棉衣，走到屋外。大院静悄悄。只有银白的月亮没有睡觉。我们俩对望了一眼，它好像在问我："你怎么也不睡呀？"

我往厕所的方向走，方旗准上那儿去了。刚转过一个屋角，迎面碰上了他。我刚想跟他说话，他飞快地把食指贴到了嘴唇上，我就没吱声。紧接着，他牵着我袖子，让我悄悄跟他折回去。他把我引到了离郑传善住的小套院背后不远的地方，指挥我和他一块藏在一棵老粗的大柳树背后。这是干吗呀？他捅捅我，让我注意朝前看。我从疙疙瘩瘩的粗树干后微微探出头，眯起眼仔细看。

呀！有个人蹲在墙角，用炉铲子挖着土。

那块地方，是大院的一个死角。除了孩子们"藏猫"，平时根本没人去。那蹲着挖土的，是谁呀？看清楚了：是郑传善啊！只见他突然站起来，像是发现了什么动静，耸着耳朵听了几秒钟，又突然十分敏捷地走到屋角，朝甬路上张望着……

敢情他根本不是瘫子啊！

我从极度惊奇中清醒过来，刚想怒吼一声："郑传善！你干什么了？！"方旗突然伸出手，敏捷地捂住了我的嘴。

这更让我惊奇。方旗干吗不领我逮住他呢？

方旗紧抓住我胳膊，他的手指头仿佛会说话，我从他用劲的轻重变化上了解到他的意思：现在不到吱声的时候！要我更好地隐蔽在大柳树后，一块仔细观察郑传善的活动。

郑传善没发现我们，他回到那个墙角以后，就抖肩摇背地挖起土来。

他是要把啥东西挖出来啊？

挖呀，挖呀，挖到一定程度，停止了。

他该从坑里取东西了吧？

咦，他不是从坑里往外取东西，瞧，他像是在解绑在怀里的什么东西——啊，明白了，他准是要把罪证埋到坑里去！

　　这下，总该冲出去逮他了吧？方旗怎么还抓住我胳膊，不让我动啊？我脚下
"嚓啦"一声，正要冲出去——这一刹那，同时发生了两件事。

　　郑传善像只被惊吓的肥耗子，连声音都没出，两秒钟内就搂着怀里的东西顺
屋墙跑回他那个小套院去了；方旗像只强有力的狮子，把我搂到他怀里，用执拗
的目光和使劲摇头制止我发出声音。

　　方旗既然不让我出声追赶，总有一定道理。我用眼光告诉他，我顺从他的指挥。
方旗松开了我。可是，究竟他有什么道理？当时我一点也领会不到。

　　我就用手比画出了个雨伞那么大的问号。

　　他就用手比画出了个搓衣板那么大的惊叹号。

　　原来，方旗根本不是为起夜出去的。

　　方旗对郑传善产生了一个新的怀疑：他的两条腿真的瘫了吗？我们去郑传善
家的时候，张翠翠说当时就要搜查，郑传善吓得全身一颤。方旗观察得很细心，
他注意到郑传善藏在被子里的下肢也明显地一动。不过，光凭这个小小的迹象，
还不能正式提出怀疑，所以，他除了个别向方大妈汇报了以外，没跟任何一个伙
伴说。

　　方旗一直睡得不沉。半夜里，他醒过来，心想：虽说居委会和工人民兵加强
了胡同里的巡逻，院门口又派了隔一小时在院里转一圈的值班人，可是我们大院
这么老大，万一郑传善真的不是瘫子，钻空子搞点啥名堂，也不是那么容易逮住
他的呀！组织上虽然没给我们安排巡逻的任务，可自己是用党的基本路线武装起
来的红小兵，应该自动挑重担，为巩固无产阶级专政而奋斗啊，想到这儿，他就
穿戴整齐，轻手轻脚出了屋，开始了巡逻……

　　方旗发现郑传善溜出小套院、转到屋后死角挖坑以后，非常镇静，没有立刻
冲出去抓他，而是赶紧到食堂来叫我，打算在必要时可以有一个人去通知在院门
值班的人，一个人继续隐蔽观察。

　　方旗去找我，没想到我也恰巧去找他。

　　由于我跟不上形势，急躁中"嚓啦"一声响，郑传善窜回了窝。这时候该咋办？
我对方旗打个手势建议："掏他窝去！"方旗正摸着下巴颏打主意呢，一个壮实的

身影一点声音没有地靠近了我们，哈！原来是值班的大爷。他点点头，指着郑传善住屋后墙比画了两下——啊，敢情刚才他也躲在一边，把一切都看进眼里了啊！

大爷弯腰附在方旗耳边说了些什么，方旗转着眼珠，微笑着连连点头。大爷不出声地走了，方旗就咬着我耳朵如此这般地嘱咐了一番……

我俩捏咕好了，方旗就突然打了个呵欠，搂着我肩膀朝前走去。路过郑传善住的那个小偏院的时候，他故意用懒懒的声调说：“真胆小，上厕所还得我陪着。”

我就嘟嘟嚷嚷地说：“下回你起夜，我也陪你嘛。”

我们俩真的去上了趟厕所，又“嚓啦嚓啦”地拖着步子往食堂返回。

方旗半截留下来，轻手轻脚地爬到了那棵大柳树上，我呢，真的回到了食堂，并且——你想不到吧？我又躺进被窝里啦！

我躺着，打着鼾——当然是假装的，可比真打鼾还像！

说老实话，装一两分钟……还不觉得啥，老装，可就受不了啦！但是，当我想到志愿军英雄邱少云叔叔为了执行战斗任务，火烧着了自己都能坚守岗位，今天的战斗任务只要求自己躺在被窝里打一会儿鼾都坚持不了，真有点臊得慌。

于是，我接着打起鼾来，一边警惕地注意着窗外的动静。

这是怎么回事哟？

这是执行计策呢！

嘿，我们估计得真准！果然，郑传善回窝待了一段时间，又悄悄溜出来了。

这回，他没直接跑到死角去，他蹑手蹑脚地顺墙根溜到了食堂窗外，站了一会儿。

方旗让我打鼾，就是为了一旦他来探动静，给他布个迷魂阵，使他以为我俩真的是出来上完厕所又回去睡觉了，刚才那“嚓啦”一声响并不是因为瞧见了他而发出来的。果然，那郑传善趴在窗台底下听一会儿以后，就以为我们俩都睡得很实沉了。

郑传善的一举一动，都被居高临下的方旗看得一清二楚。

可是，你也别把郑传善看得像块馊豆腐，仿佛一捏就能稀烂。

他够阴险毒辣的！

方旗惊讶地看见，他离开食堂窗口以后，并没有立刻去死角那儿埋东西。他溜着阴影去到了郑可意家屋前，寻摸一阵以后，就从廊檐下的铁丝上，取下了晾在那儿的郑可意外套，揉成一团，又贼溜溜地返回到食堂屋外——他干吗呀？方旗万分紧张地发现，他登到台阶上，欠起脚，伸直双臂，慢慢地、然而是坚决地，用团起来的那件外套，堵那伸出屋外的煤炉烟筒呢！他想让煤气熏死我和方旗！

他还想陷害郑可意，把大伙的注意力牵到郑可意身上去！郑可意跟我们顶过牛，又有夜游症，把事情解释成郑可意赌气害我们，或者解释成郑可意犯病干了傻事，让郑可意自己也跳进黄河洗不清——郑传善真是条阴狠的笑面狼，为了逃命，他甚至会先吃掉受骗为他帮忙的人！

你别着急，郑传善当然熏不死我，不光方旗会在必要的时候跑来解救我，值班大爷也已经去通知在胡同里巡逻的方大妈他们了——再狡猾的狐狸再狠的狼，它总难逃脱无产阶级专政的法网啊！

14. 狐狸回不了窝

方旗紧贴在柳树大分杈上，紧紧盯着郑传善的一举一动。

郑传善堵完烟筒以后，赶紧往死角跑，好去埋揣在怀里的罪证。

方旗从他肩膀一扇一扇的动作上，看出他当时心里十分得意。郑传善一定以为，这下万无一失啰！即便公安局依法搜查他的住屋，也搜不出任何罪证来了：屋里连烧过的灰烬、刨过的痕迹也找不出来，你也不能说他销毁了罪证。

郑传善跑拢死角，大吐一口气，扯起袖子抹了抹满脸的油汗，蹲下紧张地动作起来。

哼，郑传善你别得意！有你好受的！

方旗像只灵巧的豹子，轻捷地下了柳树……

你是怎么猜的？方旗大吼一声扑向死角，还是蹑手蹑脚逼近他身后，再猛将他脖领一揪？

都不是！

方旗一点声响都没出，就迅速地进入了郑传善住的那个小套院，他从兜里掏出锁食堂的那把锁来，"嘎登"一声锁住了郑传善家的屋门。

方旗出了小套院，赶紧跐着脚尖跑回食堂，半道上一瞥郑传善，那家伙还昏头昏脑地蹲在死角，紧着往坑里填土呢!

方旗跑拢食堂，他赶紧敞开门，进屋来扑向床上的我……

月亮还是静静地照着安谧的大院。

地上纵横交错的树影一动不动，连点小风都没有。

大院里的人们，都还在梦乡当中。

不过，这寂静的局面很快就被打破。

五分钟后，好比一块巨石猛地落入平静的湖水中，大院里突然响起了方旗吹出的锐利哨音"笛——笛——"

郑奶奶和郑可意最先从睡梦中惊醒，因为在方旗吹哨的同时，我已经出现在他们家门前，一个劲擂他家的门。

我们为啥不赶紧去逮郑传善呢?

哈! 现在不用急了! 让他用两条腿到处逃吧!

郑传善埋好罪证，慌忙回屋。他惊讶地发现: 屋门被别人的锁锁住了! 他家的窗户，不但都是从里面别死的，而且，即使砸烂玻璃，那小窗格子也钻不进他那么个肥猪似的身躯。他正急得团团转，哨音响了，大院各个住屋的灯先后亮了，人们陆续穿衣跑出来了……

郑传善窜出小套院，往东跑，东边手电光直射到他眼上; 往西跑，西边一声怒喝:"站住! "原来，方大妈已经率领一支小分队在院里布好了天罗地网。

郑传善这只狐狸回不了窝，抱着脑袋赶紧往泔水缸后头藏。

愤怒的人们很快围住了他，方旗双手叉腰，喝令他:"郑传善，滚出来! "

他先头还赖着不动，大伙一齐怒吼:"别装蒜了! 滚出来! "郑传善只好哆哆嗦嗦地从泔水缸后头站了起来，挪动了步子。

方旗和我押着他，让他在大院里各处兜了一圈……

披衣走出屋门的人们一见他那副狼狈相，个个忍不住又恨又气又好笑地说:"原来根本不是瘫子! "

"是只两条腿的狐狸！"

"明白啦！当年他准是为了逃避下放车间、躲避工人群众监督，才装的瘫痪！"

"是呀，他准是以为装成瘫子，在院里搞腐蚀活动，能不引起咱们怀疑！"

"这只用黑小说吃孩子的狼，真阴险！"

"这下可原形毕露了！"……

郑可意朝郑传善扑了过来，我们不得不抱住他，防止他干出违反政策的事来。

他已经知道了郑传善用他外套堵烟筒、企图嫁祸给他的事。极度的愤怒使他恨不能一下子把郑传善撕成碎片。

张翠翠扶着郑奶奶，跟着人群走。郑奶奶气得说不出话来，只是不住地伸出手，指着郑传善狠点。

在群众的强烈要求下，我们把郑传善押到了"海棠院"，勒令他低头。方大妈走到前面，组织这个被斗争形势提前了的批斗会。

郑可意流着悔恨的眼泪，指着郑传善对大家控诉说："就是他，打着关心我的旗号，腐蚀我、拉拢我，用黑小说毒我的心，还让我给他誊抄，让我出去偷偷散毒。他还给我看黄画、教我唱黄歌，还让我别参加批林批孔，说什么'跟他们批越批越傻，跟我学越学越精'。你们找我谈一次心，他跟着就要找我谈一次话。那天你们在丝瓜架下帮助我以后，我本来挺动心，他就把我找去，足足跟我神聊了两个钟头，让我别信你们那一套，还给了我一本他新写的黑小说……黑小说被方旗没收以后，他成天挑唆我恨方旗，让我管方旗叫'小石榴'，夸我是'小麒麟'。'活动站'开幕的喜报贴出来以后，他吓唬我说：那最后一个'暂时保密'的节目，就是批斗我这个看黑书的人。你们要先把我骗到会场，临到最后，突然把我揪出来……我本来还想参加开幕式呢，听他这么一说，不光不想参加了，还憋着跟你们闹对立，他就教了我那么个办法。昨天我在煤球桶里搁'二踢脚'和'钢鞭'，闯了祸以后，跑到他家躲起来，他又吓唬我说：'我跟你，已经是拴在一根线两头的蚂蚱啦，你要说出咱们手抄小说的事去，他们饶不了我，也放不过你。我年纪大了，又是个瘫子，没几年活头了；你还这么小，这一辈子就够你受的……你再想想，我对你多好呀？你忍心看着我这么个善心人遭罪吗？'……"

郑可意这回真是"竹筒倒豆子",把一件件、一桩桩被毒害的事,连盘端出来了。大伙听了,口号声响成轰雷,愤怒的目光汇成闪电,人人感到惊心动魄,义愤填膺。

郑奶奶接着发言,她拍着胸脯说:"我算醒过来啦:这是只挂着念珠的狼啊!他满嘴说的是善心善意善良人,背后干的是黑心黑肺黑勾当!他就是用孔孟之道,用《三字经》里'人之初,性本善'那些个谬论来迷我心窍;用'关心革命接班人'的幌子,遮盖他毒害可意的阴谋诡计,让我上当受骗啊!"说着扭转身,眼里出火地对郑传善吼:"告诉你吧,今后我要积极批林批孔,肃清孔孟之道,擦亮眼睛,再不上你这号笑面狼的当啦!……"

大人小孩都争着发言,批斗会越开越有劲。

离开会场的方旗抱着个塑料包回来了。他领着大乔他们几个刨出了郑传善埋藏的罪证。

一件件罪证的展示,使批斗会达到了新的高潮。

那里有他几年来记的反动日记,有他写的七种黑小说底稿,还有一本旧的花名册。

方大妈翻检着花名册,群众们纷纷询问:"那是本啥?""写着些什么?"

方大妈紧皱眉头,边看边对大家报告说:"这是解放前他家开的铁工厂的职工名册……每个名字前头编着号,尽后头还有用钢笔添上去的批注——"接着,她就念了两条批注:"三号王新泉,尽后头批着:此人现在是革委会副主任,不吃请,不受礼,顶顽固;不过他二女儿爱打扮……七号董淑娟,尽后头批着:反右时候给我贴大字报五份,文化大革命当中批判我发言三次……"

大伙立刻明白了,这本过去记载着资本家剥削工人的花名册已经成为一本恶毒的变天账啦!

方旗带头振臂高呼:"打倒郑传善!打倒妄想复辟资本主义的黑心狼,无产阶级专政万岁!"

大伙跟上去,口号声震得满院轰轰响。

方大妈很快就找到了自己的名字,她向大家宣布说:"我给编在十六号,尽后头是这么批的:此人如今直接压在我头上,让我喘不过气来;她那小子活像她,浑身是扎人的刺，专门领着院里的小萝卜头跟我干；他们一家软硬不吃，顶顶难办。恨不能有一天……后头没敢写完！"这下，大伙明白了，"小石榴"，就是"小十六号"的意思啊！郑传善让郑可意这么叫方旗，显见是为了发泄他对革命后代的仇恨呀！人群沸腾起来，怒吼声响成一片……

大伙都想："小石榴"既然是小"十六"，那么，"小麒麟"也许就是小"七〇"吧了不少人催方大妈翻查一下。

方大妈还没翻到第七〇号，就发现了郑可意妈妈的名字，她被编在第五十六号，后头注明"此人现在青海"。这是怎么回事呢？

方大妈找到了第七〇号，更是一惊，她眉心打皱地高声宣布："七〇号是当年的工贼尹大棒子啊！"

人群中立即有几个知情的高声说：

"尹大棒子当年净给资本家舔屁股，干的全是破坏罢工的事！"

"解放前二年他不就抽鸦片过量，死在大烟馆了吗？"

贺姥姥也高声补充："那回郑家有意让厂房崩塌，打楼上往下扔铁锭的，就有他！"

大伙不禁追问："后头有批注没有啊？批的啥？"

方大妈就念了出来："当年，能从工人里拔出此等人材；如今，难道就不能从工人和他们的后代里，培养出此等人材吗？"

如果说大家弄清楚"小石榴"这外号的含意以后，气愤得像火车头喷气的话；那么，当大家弄清楚"小麒麟"这外号的含意时，愤怒得简直像火山爆发了！

郑可意跳上去要扇郑传善耳光，我使劲拦住他，他怒骂郑传善的吼声在我耳边炸响："你想把我培养成小工贼！我恨死你！我打死你！"

方大妈严峻地对大家说："同志们，这就是今天阶级斗争的新特点：老资产阶级分子搞复辟，总想从我们队伍里拉拢腐蚀出一些新资产阶级分子来，合伙对付我们。我们要是不注意改造自己，就有被拉过去的危险！可意虽说还没变成那边的人，陷得也不算浅啊！大家都要从眼前这个反面教员的活动里，吸取深刻的教训呀！"

方旗接着说:"我明白啦!对我们这一辈人来说,不光要防被老资产阶级分子变成受剥削的奴隶,也得防被老资产阶级分子变成新工贼、新资产阶级分子啊!"

这次难忘的斗争会,真抵得过十堂学校里的政治课。一本花名册,两个外号,多么具体地说明了郑传善一切活动的最终目的——"克己复礼"!

我感到自己的一双眼睛,在惊心动魄的斗争风雨中被冲刷得格外明亮了。

在排炮般的口号声中,工人民兵把郑传善押送到公安部门。

15. 大院晨光

清晨,朝霞满天,大院洒满灿烂的晨光。

看吧,涤荡了污泥浊水的社会主义大院,更加朝气蓬勃,更加团结兴旺。

"海棠院"门口的大批判专栏前,人们正在张贴墨迹未干的新文章……

理论小组在活动,结合大院阶级斗争的新进展,深入研究马列关于必须对资产阶级实行专政的论述……

"槐树地"的大槐树下,大院托儿组的阿姨正在教一群小娃娃说批判《三字经》的"拍手歌"……

郑奶奶在厨房里用菜根拌棒子面,给郑可意和自己准备着一顿忆苦饭……

我们"儿童团"干什么呢?

聚集在活动站,总结这场斗争的经验!

郑可意坐在我们当中,他脸上恢复了朝气,倾听着伙伴们诚恳的批评、热情的鼓励……

太阳越升越高,大院沐浴着金色的阳光。

就在这个星期日的早晨,我们"儿童团"得到了一封宝贵的信。

信是方大哥写来的。不是写给方旗个人,而是写给我们全体的。眼下他战斗在边防部队里,驻守在遥远的中苏边境上。

方旗拆开了这封散发着祖国边疆松脂气息的信,大声地朗读了起来。

信里写到了苏修叛徒集团亡我之心不死,写到了边境上军民联防的强大威力,写到了他作为一个保卫伟大社会主义祖国的边防战士的豪迈心情……

信里有一段写的是："每当我们巡逻在边防线上，我们总是睁大着双眼，警惕地注视着周围的一切。我们不放过任何一丝可疑的景象，我们每一秒钟都在细心地观察分析，因为我们知道，任何一点疏忽麻痹，任何一个错误判断，都可能辜负党和人民托付给我们的重任，都可能损害咱们亲爱的社会主义祖国、损害咱们的无产阶级专政……风刮得再大，雨下得再猛，霜铺得再厚，雪下得再紧，我们边防战士的眼睛，总是睁得大大的……任是什么，也不能让它迷住我们的眼睛啊！……"

我们听得都入了神，大伙不由得都把眼睛睁得大大的。

只听方旗进一步提高了嗓门，激动地读下去："我们连队里的批林批孔运动，也搞得热火朝天。经过这一年来的学习与批判，我有了点体会：不光在边防线上巡逻，需要睁大我们的眼睛；在三大革命斗争的每一个环节上，在日常生活中，难道不需要随时睁大我们的眼睛，去分清什么是正确路线，什么是错误路线；什么是社会主义道路，什么是资本主义道路；什么是马列主义、毛泽东思想，什么是封、资、修的意识形态；什么是人民内部矛盾，什么是敌我矛盾……吗？当然，这个'睁大眼睛'，是打比方，就是说，要根据党的基本路线精神，根据无产阶级专政的利益，对人对事随时进行阶级分析……从你们前次来信知道，首都街道的批林批孔运动，搞得越来越深入，目前又开展了办社会主义大院的活动，出现了一派社会主义力量蓬勃上升的大好形势，我和战友们受到极大的鼓舞。我相信，你们一定会'睁大眼睛'，更加努力地进行战斗！要知道，从跟形形色色的阶级敌人斗、跟流传了几千年的剥削阶级思想斗、把无产阶级专政真正落实到基层这个角度来看，胡同大院，也是一条边防线啊！你们琢磨琢磨吧，不光我们这儿是前方，就批林批孔、警惕阶级敌人的破坏、铲除一切剥削阶级思想影响、用马列主义毛泽东思想占领思想文化阵地来说，到处都是前方啊！"

信读完了，方旗用那双闪亮的大眼睛望着大伙，深情地说："这些话，多棒！'睁大眼睛'，这意思恰好把咱们的战斗经验概括进去了！我说，咱们赶紧给他回封信，把咱们打了胜仗的消息，告诉给边防战士们吧！"

大伙兴奋得拍起巴掌来，打心眼里往外喊："对！""这就回信！""向边防战士报喜！"……

不一会儿，方旗把回信稿子拟出来了，他念给大家听，其中让人最难忘的话是："我们打完这仗，懂得了：在尖锐复杂的阶级斗争中，我们必须睁大警惕的眼睛，既要盯着'明牌'的阶级敌人、老资产阶级分子，和明火执仗的敌人斗；又要善于觉察出混在人民内部的坏蛋，识别出新资产阶级分子，和那些在思想上腐蚀我们的毒蛇斗；并且要在斗争中注意区别两类不同性质的矛盾，挽救迷路的伙伴，才能更好地落实巩固无产阶级专政的任务……我们这一仗虽说打胜了，可不能骄傲自满。打今天起，我们就要把眼睛睁得更大，迎接新的战斗！……"

这些话，你一定能领会：为了巩固无产阶级专政，请睁大你的眼睛！

得，方旗又在胡同里吹哨，招呼我们"儿童团"去紧急集合哩，准是又有新的情况，需要我们加倍睁大警惕的眼睛，准是又有新的任务，等待我们去英勇地冲锋陷阵！多美呀，咱们每天的生活！为了实现对资产阶级的全面专政，战斗连着战斗！

嘿！

1975年2月初稿

6月改定

北京人民出版社1975年12月第一版

清水湖的孩子

第一章

一

清水湖多么美丽！

瞧，傍晚前，湖上飘动着迷蒙的雨云，银蓝色的湖水漾着微波；湖岸铁栏外，白杨挺拔，绿柳垂枝；沿湖鳞次栉比的居民院和远处的高层建筑，勾勒出富于变化的天际轮廓线……

这会儿，清水湖边一派安谧。只有几只春燕和几个骑自行车的人交错掠过画面。

嘿，别瞧外表宁静，日夜不息的阶级斗争，正在湖边推出一个新的激澜哩！

二

湖边一个院门。院门口好大一株楸树，翠生生的叶片间缀满粉嘟嘟的花朵，显得春意盎然。

院门旁挂着个木牌："清水湖机床厂第六职工宿舍"。

是谁在哼唱《红卫兵战歌》？脚步声近了，哦，原来是个十四岁的女孩，丰满的圆脸，梳两个高高翘起的抓髻；穿着件浅色碎花褂子，臂上的红卫兵袖章鲜艳耀眼；她一人扛了三把铁锹，麻利地跑进了院门。这就是影片的主人公——范爱湖。

大门内，影壁上，红底白字，工整地书写着：

你们要关心国家大事，要把无产阶级文化大革命进行到底！

女孩凝视着语录。圆脸庞上的黑眉下，一双蓄满朝气的大眼睛。她眨了一下眼，头坚决地一偏又一扬，嘴角微微往里一弯，这是一个体现决心的表情。

她离开影壁，往院子里面走，迎面碰上个人——立即活泼地打招呼："齐叔叔！帮我们种树去吧！"

齐叔叔有三十多岁，穿着干净的布茄克和笔挺的混纺裤，戴顶鸭舌帽，白净的脸上架副眼镜，一望而知是个技术员。他晃晃手里握着的一卷大字报："没工夫！"

范爱湖感兴趣地问："什么大字报？是揭发景鹿龄的吗？"

齐叔叔收起笑容："你呀，跟你妈妈他们一样，总揪住景鹿龄不放！"

范爱湖胸脯一挺、抓髻一摇："那怎么着！我们湖边小孩全都知道，他历史上有黑点，运动前搞修正主义，是个走资派！"

齐叔叔不以为然："定不成叛徒、特务嘛——再说，检查二十次了，还要人家怎么样？"

他身后传来一个沉稳的声音："那不是检查！是辩护！"

范爱湖高兴地叫："耿大伯！"

耿大伯走到了齐叔叔身旁。他接近五十岁，一身带油渍的工作服，便帽下两条往外滋着的浓眉，一望而知是位老工人。

齐叔叔把争论的对象换成耿大伯："我要给你们革委会提意见！现在是清队阶段！我呼吁：把'枪口'瞄准真正有问题的人！"

耿大伯坚定不移地拍拍他肩膀："景鹿龄就是头一个真正有问题的人！搞清队，不清他推行的修正主义路线，挖不出深藏的坏蛋！"

齐叔叔晃晃肩膀，管自迈出了大门。

耿大伯望着他的背影摇头。

范爱湖："耿大伯，艳华在家吗？"

耿大伯："正等着你哪！"说完也往门外走去。

范爱湖跑进院里。

三

耿艳华家。墙上贴满色彩缤纷的年画。

耿艳华是个十三岁的女孩，长圆脸，梳两条搭肩的短辫儿。她正往玻璃窗上贴刚刻好的剪纸——《智取威虎山》中杨子荣打虎上山的雄姿。

透过玻璃窗，耿艳华望见范爱湖扛着铁锹向她打手势，叫她出去。

退休在家的爷爷递过另一张剪纸去，发现耿艳华向窗外点头而不接，也就眯起眼使劲往外瞅。

耿艳华扭转身子对爷爷说："爱湖叫我呢。得挖树坑去。"

爷爷："上午，你们不就帮园林局同志挖好了吗？"

耿艳华一边穿外套一边解释："不合格！"

爷爷："那，当时为啥没挖合格就撂下？"

耿艳华："不是雨下大了吗？只好先撂下呗！"

爷爷点头。

耿艳华跑到厨房间找东西。

爷爷跟过来，"找啥？"

耿艳华找到小煤铲，提着往外走。

爷爷："用它能挖树坑？"

耿艳华小辫一摇，人已消失，留下话音："您冲窗外瞧瞧——爱湖没借够铁锹！"

四

陈德志家。家具考究，摆设雅致。

陈德志是个细眉圆眼的男孩，和范爱湖是同班同学。这时他正一个人坐在窗旁桌边练大楷。那是一张硬木大书桌，家里为他准备了古色古香的砚台、素雅的豆青色瓷笔筒和各种各样的字帖。除笔筒里插着若干支小楷笔外，窗边墙上还吊着几只"大爪"以及一只写匾的海笔。

陈德志屏息凝神,悬腕书写着十三格最后一格里的字,十二个字连起来是:"现在是六九年不是六六年了",刚把"了"字收住,传来女孩子咯咯的笑声。

陈德志一偏头,发现窗外站着范爱湖和耿艳华。耿艳华在笑他的小学究模样;范爱湖在研究他写出的大字。

范爱湖摇摇头:"写得不好!"

陈德志:"哪一笔不合规矩?"

范爱湖:"不是六六年了,——这话味儿不正!"

陈德志:"怎么不正?酸的?臭的?"范爱湖:"反正不对头!——谁让你写这句话的?"

陈德志不高兴地岔开去:"你们找我干吗?"

范爱湖稳稳肩上的三把铁锹,把头一偏:"你说干吗!"

耿艳华用小煤铲比画挖掘的动作。

陈德志:"咱们挖的那个差不了多少。园林局叔叔种树的时候,顺便加几锹就成了。这又不是写大字,一笔不合规矩就吹啦!"

范爱湖挑战地说:"你去不去吧?"

陈德志想了想,把窗户一关。

耿艳华以为陈德志不去,不满意地"哼"了一声,拖拉范爱湖的袖子,拉她走。

范爱湖笑笑,从肩上分出一把铁锹,拿在手中。

陈德志家门"砰"的一声响,他走了出来,顺手又把门"砰"地一关,弹簧锁自动合上了。

范爱湖把分出的铁锹递给了陈德志,陈德志赌气地接了过去。

五

清水湖边。

范爱湖扛着两把铁锹走在最前面,后面紧跟着拿小煤铲的耿艳华。离她俩稍远,是握住铁锹把往前走的陈德志,他顺脚把一粒石子踢进了湖中……

敲锣打鼓声急剧推进，驶来辆披彩的大卡车，车帮上挂着横幅："热烈欢送五·七干校第二期学员出发"，欢送和被欢送的人们爆发出阵阵欢笑；范爱湖和耿艳华热情地向车上的人招手，陈德志抬起头好奇地望着……

六

湖边孙小起家。是很多年前一个小饭铺的门面。原来展示"山东馒头"，"天津包子"的凸状橱窗里，现在摆满了各种盆花，最大的一盆令箭荷花正在开放，鲜艳夺目。

孙小起是个十三岁的男孩，尖下颏，鼻子两旁有些雀斑。

这时他妈妈已经穿戴好了，临出门，嘱咐孙小起说："我得去商场值夜班了。你爸回来，要又上酒馆喝酒去，你就拉住他。"

孙小起："他胖，我瘦，拉不住。"

他妈妈："你是红卫兵，要给他宣传党的政策：有些个一般的历史问题，向组织上交代清楚，有认识，就行了。不能背包袱。"

孙小起："他大，我小，才不把我的话当回事呢！"

他妈妈："你就把爱湖请来，让她帮着做工作。"

孙小起："那还差不多。"

恰好范爱湖从半合的门扇伸进头来。

范爱湖："阿姨，我们找小起挖树坑去。"

孙小起妈妈："去吧！去吧！跟你去，我支持！"

七

湖边小公园。

各种树木和灌木丛相当繁茂。嫩黄的迎春花和粉红的榆叶梅开得正旺。花坛绚丽，甬路曲折，松墙齐整，坐椅洁净。树丛中现出尖顶凉亭，松墙前有展览橱窗。稍深处是个儿童运动场，露出的一角有几个小孩在荡秋千。

因为天阴，这阵几乎没有什么来这里休憩游玩的大人。

但是公园里并不恬静。花坛中央兰花灯的灯柱上，有一组播音喇叭，显然与机床厂的有线广播相连，只听广播员正用激昂的语调在念一篇稿件："……这些天，厂里出现了一种奇谈怪论，谈什么'现在可不是六六年那阵了'，言外之意，似乎向走资派开火、向修正主义路线开火的革命造反精神，已经过时了，可以丢掉了……"

范爱湖、耿艳华、孙小起和陈德志来到小公园。他们走到展览橱窗前面时，不由得被播音喇叭里的声音吸引住，先后停下了脚步。

范爱湖凝神谛听的侧影。观众可以看清作为背景的展览橱窗里，陈列着两幅鲜明对比的巨大照片，一幅是"昔日臭水湖，劳动人民的活地狱"，另一幅是"今日清水湖，继续革命的好见证"。

耿艳华偏着头在倾听。她背后的展览橱窗里是另外两幅鲜明对比的巨大照片，一幅是"解放前这里是敌人的监狱"，另一幅是"解放后这里成了劳动人民的公园"。

陈德志皱着眉头听。孙小起脸上呈现出天真、好奇的表情……

广播继续着："……这种论调，实质上是'阶级斗争熄灭论'在新形势下的回潮，是'唯生产力论'的翻版；依了这种论调去做，要不了多久，清水湖就会改变颜色，就会倒退到文化大革命以前，倒退到旧社会，倒退成臭水湖！……"

范爱湖扭过头，朝展览橱窗里望去，镜头摇过刚才出现的两组照片，停在第三组上，也是两幅鲜明对比的巨大照片：一幅是"文化大革命前，走资派用扩建厂房的材料修造个人住宅"；另一幅是"文化大革命后，革命领导干部在扩建厂房工地上同工人一起顶班劳动"。

范爱湖看着照片，听着广播，思索着。

广播仍在继续：……我们必须肃清'阶级斗争熄灭论'和'唯生产力论'的流毒，坚持以阶级斗争为纲，牢记党的基本路线，把无产阶级文化大革命进行到底！……"

耿艳华用胳膊肘碰碰范爱湖："你听得懂吗？"

范爱湖："反正，六九年也不能忘了阶级斗争，还得端起枪，瞄准……坏蛋！"

广播员结束播音的声音："刚才广播的是小评论：《六九年与六六年》。"然后响起了雄壮的结束乐。

范爱湖望着陈德志，挑战地问他："'不是六六年了'——味儿咋样？"

孙小起插进来说:"馊的!"

陈德志瞪了孙小起一眼,拖着铁锹朝树坑走去。

八

四个孩子来到一个未挖合格的树坑边。远近有些已经挖好的树坑。

陈德志为了摆脱听广播带来的窘境,"嗵"地跳进树坑,摆出"男子汉"的气概,先对范爱湖说:"你跟艳华一边歇着吧!" 又对孙小起一挥手,"小起,干!"

范爱湖:"不。你先上来!"

耿艳华、孙小起对望一眼。

陈德志仰头:"为啥?"

范爱湖:"上来!"

陈德志:"不!"

范爱湖弯腰,拉住陈德志的手:"一!二!三!上来!"

陈德志只好跳了上来。

陈德志掸着身上的土问:"干吗?"范爱湖从衣兜里掏出折尺,量了一下树坑直径,严肃地宣布:"还差十四厘米!"又量了一下深度:"更多,差十五厘米!"

耿艳华:"该怎么干呢?"

孙小起:"该先把口子捅大了,再跳下去往上撮土!"

陈德志对孙小起甩出一句:"就你聪明!"

范爱湖:"这儿要种一棵宝塔松。咱们都想想吧……这儿从前是反动派折磨革命前辈的地方,种上宝塔松纪念革命烈士,多有意义呀!要是树坑挖得不合格,种下去长不活,能为文化大革命争光吗?"

耿艳华:"一定得挖合格!"

孙小起:"还用说!"

陈德志也不示弱:"可不!"

范爱湖:"好,干!"

四个人一齐动手把树坑铲宽。耿艳华虽然用的是小煤铲,可一样起劲。

陈德志在坑中往外撮土，其他人在坑上帮着往外扒土。

孙小起在坑中往外撮土，其他人在坑上帮着往外扒土。

范爱湖在坑中往外撮土，陈德志在用折尺量深度。

陈德志："爱湖，上来吧，成啦！"

孙小起抬头望望天："快上来吧！下毛毛雨啦！"

范爱湖又往上撮了一铲土："下毛毛，能算雨吗？"

范爱湖再次弯下腰——忽然，传来她的惊呼："呀！露出个小瓦罐来！"

耿艳华蹲在坑边往下看："哪儿？哪儿？真的吗？刨出它来！"

孙小起也要蹲下看，陈德志拉住他："有啥稀奇的！咱们刨出的碎瓦片、茶壶嘴儿、马牙齿……还算少吗？"

可是范爱湖已经捧着一个紧扣粗碗的粗瓦罐子蹦到地面来了："刚好从底边上露出来，我用手给刨出来了。瞧，一点儿也没破。"

耿艳华兴奋得蹦起来："快打开看看！没准是地主埋的变天账！小说、电影里，净有那号事！怎么让咱们刚巧碰上了！"

孙小起急得伸手去抢瓦罐，范爱湖兴奋地高举起瓦罐："别抢！"

陈德志一下子变得比谁都急。他蹦起来抢过瓦罐，揭开扣住的粗碗说："没准，是坏人埋下的金银财宝哩！"

三个人都围住他，急切地往瓦罐里看。

陈德志失望地把瓦罐送还范爱湖："没有账本，也没有金银财宝——根本没啥分量，扔了吧！"

他望望天。

天上乌云浮动。

陈德志拉着孙小起往小公园外头走。孙小起拣起两把铁锹？递他一把，二人扛上铁锹离去。

耿艳华仍然站在范爱湖身边。她歪着头，眨着眼："多古怪的瓦罐呀！"

范爱湖捧着瓦罐，寻思着："不怪！想想吧……这儿从前……"

她把覆在上面的粗碗递给耿艳华拿着，自己蹲下，把瓦罐子扣过来。

瓦罐中滚出一个灰色的布团，范爱湖赶紧拾到手中。

范爱湖忍不住大叫一声："一个布团！"走出十几米的孙小起一听，回头望。陈德志拉他胳膊："走吧！走吧！"

范爱湖展开布团。（特写）像是从人衣服上扯下的粗布条条，上有紫黑色字迹。

范爱湖："上头有字！"

耿艳华惊讶得蹦起来："有字！有字！"

孙小起听到后赶紧奔跑着折回来，陈德志也大步流星地跑回来。

孙小起和陈德志一叠声地问："什么字？什么字？"

范爱湖："在这儿瞧不清。走，到我家去，一定要把每个字都认出来！"

第二章

九

范爱湖家里。电灯下，四个孩子的头聚在一起，趴在方桌上认布条上的字。

范爱湖的奶奶从厨房端来一盆刚蒸得的热馒头，放碗柜上后，走过来掀起围腰边擦手边问："上头到底写着啥？认准了没有？"

耿艳华抬起身子告诉她："头三个字认准啦——火、云、县！"

范奶奶："离咱们这儿一百六十里嘛！吔，小起，你们老家不就在火云县吗？"

孙小起抬起头："底下几个字也认出来啦——药铺掌柜！"

范奶奶："药铺掌柜？谁啊？"

范爱湖全神贯注的特写镜头。她艰难地辨认着："蒋、蒋……蒋什么啊？"孙小起的声音："这是骨头的骨嘛！"耿艳华的声音："能光认一半吗？"陈德志的声音："我知道，这是体育的'体'——繁体字——没错儿！"范爱湖终于认出："啊！蒋、体、仁、是、鬼子的……特、务！"

耿艳华："好家伙，一个大坏蛋！"

陈德志故意问孙小起："你们老家出的坏蛋，听说过吗？"

孙小起："我长这么大，一次没回去过呢，打哪儿听说！"

范爱湖继续辨认血书："景、鹿、龄——"

其他三个孩子赶紧再把头凑过去："什么？血书上还有咱们机床厂走资派的名字？"

范奶奶也关切地俯身问："怎么回事儿？"

范爱湖读出血书上的话："景鹿龄与蒋体仁关系可疑请党审查！"

范奶奶严肃地点头："正好跟厂里揭发景鹿龄的大字报对上碴了——"

范爱湖兴奋地接上去说："可不！都说他在火云县的社会关系，一直没跟组织交代清楚！"

陈德志："这下清楚啦！他跟蒋体仁这个狗特务有关系！"

孙小起："说不定他也是个特务！"

耿艳华："这血书可没说他准是啊！"

范奶奶："看来这血书是当年监狱里的好人留下的——他是谁呀？"

孩子们赶紧再俯向血书辨认——终于，齐声读出："钟铁锤向党汇报……"

耿艳华："这儿是年月日：1943.4.6。"

范爱湖："咦，尽后头还有个字——不，不是字，这儿画着——画着一个火把！"

（特写）血书末尾画着一个火把。

孩子们无比兴奋。

陈德志："呀！这血书埋了整整二十六年啦！"

耿艳华："上头还写着景鹿龄的事儿！"

孙小起："还揭出个鬼子特务来！"

范爱湖："厂里正清队，这血书可是个要紧的材料！"

一些小孩趴在玻璃窗那儿往里看。

一个男孩："爱湖他们干什么玩呢？"

一个女孩扭头向后面："别挤我，别挤我嘛！"

陈德志兴高采烈地冲出屋子，对窗外的孩子宣布说："哈！我们挖出了个瓦罐子！我们得着份血书！上头说有个开药铺的家伙叫蒋体仁，是日本鬼子的特务！

还提到景鹿龄呢！嘿，真跟小说里写的似的——多巧的事儿！……"

孩子们围住他，七嘴八舌地问："真的吗？""血书？啥叫血书？""蒋体仁？他住哪儿？""抓着这个特务了吗？"……

范爱湖打开门把陈德志拉了回来："你吹个啥！回来！"

陈德志回到桌边，不满意地一晃肩膀："怕什么？二十六年了，蒋体仁肯定早被公安局抓着了！"

范奶奶："那可不一定！这回厂里搞清队，不是揪出了好几个隐瞒了二三十年的坏家伙吗？"

范爱湖："是啊，得绷紧阶级斗争这根弦，万一他还像土鳖似的，藏在墙缝缝里呢？再说，景鹿龄跟他是什么关系也没查清！"

范奶奶："爱湖说得对！孩子们，这血书的事，可不能再往外乱传啦！"

陈德志有所醒悟："除了我爸我妈，我再也不跟别的人说了，撬我的牙我也不泄露秘密！"

耿艳华："我跟我爷爷也不说！"

孙小起："我跟谁也不说！"

范爱湖："这血书，该赶快送到厂党委去！"

范奶奶："对！爱湖，吃饭吧，吃了饭赶紧送去！"说着往桌上端菜……

陈德志："爱湖，吃完饭你叫我一声，我跟你一块送去！"

范爱湖："好！"

范奶奶："德志，那你就在这儿吃吧！艳华、小起，你们就都在这儿吃，奶奶供得起！"

陈德志摆摆手，跑掉了。耿艳华、孙小起不接范奶奶递过去的馒头。

耿艳华："我回家吃了就来！"

范爱湖："你们家家务事多，你就别去了！"

孙小起："我去！"

范爱湖："算啦！有我和德志就行了！"

耿艳华和孙小起离去。

范爱湖狼吞虎咽地吃着饭。

奶奶端过一碗汤来："别急，喝了这碗汤再去。"

陈德志打开门，伸进半个身子来，手里握着一个饭盒。

陈德志："爱湖，我没法跟你一块去了。我妈今晚在医院值夜班，我爸让我给她送点心去。"

范爱湖："那就我一个人去吧！"陈德志消失。

十

入夜。路灯下，清水湖边，湖中幻影粼粼。春雨中，路灯光照出湿漉漉的柳枝。

远处高楼上，灯光组成"无产阶级文化大革命胜利万岁！"的标语，格外醒目。

范爱湖身穿粉红塑料雨衣，双手紧捧覆着粗碗的瓦罐，在湖边急走。

偶尔，有一两个穿雨衣的骑车人从她身边掠过。

一个黑魅魅的身影，尾随在范爱湖身后，不时躲进路灯光不及的暗区中。

范爱湖一双穿雨靴的脚在湿淋淋的柏油路面上行进。

一双穿皮鞋的脚在柏油路面上小心翼翼地行进。

对面驶来一辆搭帆布篷的卡车，车灯光把路面照得雪亮。范爱湖的身影被车灯光照得格外清晰。

尾随范爱湖的人迅速闪到一棵白杨树后。卡车驶过。

湖边一个小胡同。

范爱湖正从小胡同口走过。

范爱湖头部、肩膀后影。

一只握铁槌的手猛地朝范爱湖后脑击去。

范爱湖"啊"的一声昏倒在地。

范爱湖手中瓦罐上的覆碗掉在柏油路面上摔碎。

一双大手从范爱湖手中夺过瓦罐。

黑魅魅的身影迅速消失在小胡同中。

范爱湖艰难地睁开眼睛。

范爱湖两手抓挠，感到丢失了瓦罐。

范爱湖坐起来，拼足力气高呼："抓——坏——蛋——呀——！"

范爱湖努力站起来，昏眩，复又跌倒。

十一

附近一些居民迅速从院门中奔出。

几个骑自行车的过路人迅速刹车下来搀扶范爱湖。

一只手在拨电话盘，拨的是 110，匪警。

一个民兵队长在吹哨。

一队民兵奔跑的腿部。

一辆公安局出动的摩托车在街上急驰。

十二

革命居民委员会的红医站。范爱湖躺在诊病床上。一位街道红医员在对范爱湖进行救护。

居委会主任田大婶、一位公安人员和一位工厂民兵，以及几个街道积极分子关心地围在范爱湖身边。

范爱湖睁开了眼。

田六婶等人由模糊变为了清晰。

范爱湖"腾"地一下坐了起来："田大婶，瓦罐呢？"

田大婶："瓦罐？什么瓦罐？"

范爱湖："坏人抢走了瓦罐！"

她蹦下床来，使劲顿了一下脚："都怪我！我没把瓦罐保护好！"

红医员搀她："爱湖，你得躺着！"

范爱湖眼眶里充满泪水："不！我要去逮他！得夺回瓦罐！那里有血书！"

公安人员：“血书？”

范奶奶奔入：“爱湖，这是怎么说的！瓦罐子你没保住？”

范爱湖使劲用拳头捶了一下床，痛心地咬住下嘴唇。

田大婶安慰范爱湖：“坏人得不了逞！不光来了公安人员，还有民兵沿湖进行检查。我们街道积极分子们也到现场附近各院摸情况去了。”

范爱湖：“田大婶！民警叔叔！奶奶知道血书是怎么回事，让她跟你们说吧，我——我这就到工厂找王叔叔去！”

田大婶和公安人员一同说：“一会儿我们去吧！”

范爱湖：“不，得我去，我最清楚！”

红医员：“爱湖，你可能是脑震荡啦，你必须卧床休息啊！”

范爱湖：“坏蛋想让我脑震荡，万难！我清楚着呢！”说完立即跑出。

几个人同时叫她：“爱湖！爱湖！”

范奶奶：“让她去吧！”

田大婶指示一位民兵：“你保护她去！”民兵追出。

十三

湖边，范爱湖在细雨中急步前进。

突然，她感觉有点昏眩，赶紧扶住湖栏杆。

民兵追上她，扶住她肩膀说：“干脆，我背你去吧！”

范爱湖：“不，咱俩赛跑吧！”

她突然像小燕子一样朝前飞去。

民兵紧追。

第三章

十四

清水湖机床厂大门。

正是中班、晚班换班的时候,工人们有进有出。

厂内有线广播正在播送一首歌颂文化大革命的歌曲。

范爱湖跑入,把头伸进传达室:"大爷,我找党委书记王东声叔叔!"

传达室老大爷:"去吧!"

范爱湖从"稳、准、狠地打击一小撮阶级敌人!"的大标语前跑过。

保护她的民兵在标语前停步,赞赏地望着她的背影点头。

有一处人群拥聚,范爱湖从人群中穿过。人们都在看一份贴出不久的大字报,议论纷纷。

范爱湖在穿越人群过程中不由得朝大字报望去。

大字报斗大字体的标题是:《"枪口"究竟应该瞄准什么?》

范爱湖耳边传来几个工人的议论:"嗬,齐步云又发表高见啦!""念给我听听!他的大字报可不能不看!""这家伙成了保皇派啰!"……

范爱湖身体碰到一位工人。她一侧头——原来是耿大伯。

耿大伯惊讶地问:"爱湖,大老晚的你上厂里来干吗?"

范爱湖顾不得说别的:"耿大伯,王叔叔呢?"

耿大伯:"你找他有啥事?没要紧的事就别给他加码啦——这些天听说一晚上才睡四个钟头……"

范爱湖:"有要紧的事!"用下巴点点大字报,"也是关于……瞄准的事儿!"

耿大伯:"爱湖,应该瞄准什么,这可是个头号大问题呀!……这就是你那齐叔叔贴的大字报,他问题没提错,可答案——"

旁边一个青年工人甩过一句:"满错!"

耿大伯点点头说:"依他的意思,把揪出来的阶级敌人批斗一下就成了;瞄准修正主义路线开火,深挖走资派包庇的坏蛋,全成多余啦……"

范爱湖认真地对耿大伯说:"才不多余呢!"摸摸后脑勺,又补充一句,"我可知道!"

耿大伯感觉到她可能带来了什么有关情况,便拍拍她肩膀说:"你去办公室找找吧,不知这阵在不在……"

范爱湖跑向办公楼。

十五

党委办公室的门。范爱湖推门往里探头:"党委书记王叔叔在吗?"女秘书惊讶地望着她:"这么晚了,你找他干吗?"范爱湖:"特别、特别要紧的……关于瞄准的事儿!我得跟他当面说!"

女秘书仍是惊讶的表情:"他在第一线哩!"

范爱湖:"第一线在哪儿?"

女秘书笑了:"工人群众那儿。这会儿也许在新厂房工地上。"

范爱湖扭头就跑。

十六

新厂房工地。水泥骨架巍然屹立。

巨大的钢梁已经架起,如腾空飞虹。一些工人正在钢梁上电焊,闪动着团团蓝色电焊火花。各种敲击声、焊接声交织出热气腾腾的气氛。

范爱湖跑过来,问几位仰望钢梁的工人:"王叔叔呢?"

几位工人:"在顶梁柱上哩!"接着齐呼:"东声!"

顶梁柱上,正在电焊的一个工人把活焊完,将防护面罩掀起——好一张容光焕发的面孔!看去只有三十多岁,额上淌着汗,浓眉下,一双炯然放光的大眼睛;咧着嘴朝下面笑着,露出两排整齐白亮的牙齿——这就是厂党委书记王东声。

范爱湖用双手比成喇叭,大声呼唤:"王——叔——叔——!"

周围声音庞杂,王东声并未听见范爱湖的声音。

王东声从顶梁柱上顺梯子下来,来到工人中。工人们"呼啦"把他包围了起来,范爱湖急得扒开两个叔叔的腰往里钻。

工人甲:"东声,你瞧见齐步云贴的大字报了吗?"

王东声:"瞧见了。大字报的实质,是反对咱们深究景鹿龄结党营私、招降纳叛的罪行……"

工人乙:"不深挖景鹿龄安插在各部门的坏人,清队能搞彻底?!"

工人丙:"我看,该瞄准的是齐步云——这家伙自从没当上革委会委员,越来越邪门!"

工人甲:"净造反面舆论!"

工人丁:"干脆,找他开个辩论会!"

王东声:"那可打不准靶子!依我看,说不定是有人利用他的私心,还有他以往的那点影响,想借他的手把咱们枪口扭歪。得往深里想啊!"

范爱湖突然从两个工人叔叔之间钻了进来,面对王东声说:"王叔叔,快教我往深里想吧!"

王东声和工人们都被她的突然出现弄得一愣。

王东声:"爱湖,你怎么跑这儿来了?"

范爱湖:"找你!有特急、特急的事儿!"

王东声:"啊?说吧!"

范爱湖四顾一下:"得跟您一个人说。"

工人甲:"嗬,别看人小,懂得保密!"

王东声笑着说:"别小看'儿童团'啊!"

工人们都笑了。工人乙对其他工人:"送'鸡毛信'来了,咱们走吧!"纷纷说笑着走散。

王东声拍拍范爱湖肩膀:"好,办公室去!"

十七

党委办公室。王东声双手叉腰,在屋中踱来踱去。范爱湖仰脖喝下一缸子水后,抹抹嘴:"就是这样。"电话铃响。秘书听了一下之后,交给王东声。

田大婶在和王东声通话:"爱湖都跟你说啦?……对,坏蛋为的是那份血书!……当时德志没警惕性,把血书的事捅了出去……估计那么点时间里,顶多传到小半个湖……正查呢!……"

王东声在打电活:"……即便瓦罐子碎成了片,也要尽可能找全……将来我们会同公安部门一块鉴别,看是不是当年鬼子监狱里的东西……好,我开完会找你们去!"

他刚放下电话,工人甲走了进来,告诉他:"大饭厅的批判会开始啦,大伙正瞄准修正主义企业管理路线开枪呢,嘿,火力真猛!你快去吧!……"

王东声兴奋地往外走,范爱湖跑上来请求:"我也去!"

王东声鼓励地说:"去见见世面!"

十八

镜头从一桌豪华的细瓷餐具拉开,我们渐渐看清这是在工厂大饭厅里,前方拉着横幅:"深入开展革命的大批判,认真做好清理阶级队伍的工作",人们正聚在这里开批判会;中间是坐在长条凳上的人,窗边是坐在饭桌上的人,还有些找不到地方坐的人站在后面。

耿大伯正站在那一桌餐具边激昂地发言:"……这些叮当的玩意儿,就是当年党委书记兼厂长景鹿龄,为'提前完成月计划'的班组,开'奖励宴会'用的'专用餐具'!说起来让人脸红,咱们工人里,真有上钩的呀!为了一顿月底的'奖励宴会',车出些啥样的零件来啊……"

这时,王东声和范爱湖已经站在了饭厅门口人丛中,他们和其他人一样,都目不转睛地望着发言的耿大伯。

耿大伯从桌下的零件箱里,取出两个零件来,举起给大家看:"瞧!就有那么一些个糊涂虫,为了跟桌上的细瓷器亲近亲近,把这号废品、次品硬算在合格品里,凑成个'提前完成任务'!……景鹿龄给工人预备的,分明是勾魂餐、变心宴啊!"

会场上的人们激动起来。

一个女工:"软刀子剜心!"

她身旁一个老伯伯:"毒哇!"

耿大伯撂下零件,继续发言:"景鹿龄推行刘少奇'物质刺激'、'利润挂帅'这一套,依靠谁呢?大伙这些天贴出的大字报就是要查清他招降纳叛的罪行……"

范爱湖出神地听着。

坐在会场后面的齐步云,听到这儿却托托眼镜架,现出不以为然的模样。坐在他身旁的工人乙捅捅他:"你紧张啥?就为景鹿龄差点把你提成工程师,吸收进'评奖委员会'?"齐步云瞪他一眼:"我紧张什么?我根本就反对纠缠这些个吃吃喝喝的小事儿……"

耿大伯仍在发言:"吃吃喝喝决不是小事情!'评奖委员会'在景鹿龄指使下兴出的'奖励宴会',是软的一手;他们还往盐汽水里加兴奋剂,说是能让工人变成'生产狂',弄得咱们不少阶级兄弟神经系统受了伤,这是又一手;硬的呢,搞管、卡、压,名堂更多了!"

会场上掀起一阵激愤的声浪。

有人喊:"评奖委员会'里有没有坏人?得好好清查清查!"

一个青年工人:"我们一定要揭开'评奖委员会'的阶级斗争盖子,稳、准、狠地打击一小撮阶级敌人!"

范爱湖激动地望着愤怒的工人。

齐步云有些尴尬。工人乙问他:"景鹿龄和'评奖委员会'里的坏人,跟以往的资本家有啥区别?六六年景鹿龄搞资反路线,你还能造他的反;怎么到了六九年,深入批他的修正主义路线时,你反而跟他划不清界限啦?"齐步云抿着嘴不答……

这时会场上有人建议:"让景鹿龄说说,他搞了哪些招降纳叛的勾当!"许多声音附和:"让他交代!""得说清楚!"

景鹿龄从一角的座位上站了起来。他有五十多岁,原来很胖,这几年皮肉松弛了;穿着一套不合身的旧干部服,敞着领口;他手里拿着笔记本和笔,表示随时在记录大家的发言。

范爱湖站在王东声身旁,睁大眼睛朝景鹿龄望去。

景鹿龄清清喉咙，用沉痛的语调说："我很痛心——耿师傅和同志们的批判是对的，过去我跟着刘少奇搞'物质刺激'，腐蚀工人队伍，真是罪该万死！同志们问到我重用了一些什么不该重用的人，我愿意在这方面来个彻底的自我揭发……"

齐步云这时对身旁的工人乙说："人家态度挺诚恳嘛！"工人乙把嘴一撇："听着吧，舌头上开花，不结籽的！"……

王东声警惕地注视着景鹿龄。

耿大伯敛拢眉头盯住景鹿龄。

范爱湖惊讶地望着景鹿龄。

景鹿龄故意不慌不忙地说："比如，我明知食堂的'红案'孙福顺是个破落小业主，敌伪时期又在臭水湖监狱做过事，后来又加入过国民党，可是还给他提工资、发补助，每次开'奖励宴会'，都让他'亮一手'……"

会场上有些人拿眼睛寻找孙福顺。

范爱湖也好奇地顺着人们眼光去瞧孙福顺。

原来孙福顺坐在最后一排，他是个大胖子，把头俯得低低的，肥手里握个大烟斗，不敢再抽，缕缕白烟向上冒着……耿大伯把手猛地一挥："景鹿龄，你别耍滑头！让孙福顺当食堂'红案'就算重用？！我们问你的是招降纳叛的勾当！"

会场上发出响应的声音："就是！""不许避重就轻！""甭打马虎眼！"

景鹿龄一本正经的模样："刚才有人提到'评奖委员会'，当时参加的成员中并没有发现历史问题嘛，他们的路线错误，一概由我负责！"

群众气愤地议论起来。

工人甲从门口的人群中"腾"地站出来，大声质问："景鹿龄，你'一概负责'吗？好！那你告诉大伙——'评奖委员会'里除了技术上、行政上的头头，为什么还有医务室的陈大夫？"

"这个问题提得好！"会场中站起一个人，大家都知道他是当年参加"评奖委员会"的技术人员之一，自然是很有发言权的，只听他揭发道，"景鹿龄非但把陈大夫安排进'评奖委员会'，而且特别看重他，这又是什么道理？"

人们纷纷议论："就是！""得弄清楚！""准有情由！"

景鹿龄只是往小本子上记录，不发一语。

耿大伯过去敲敲他的小本，讽刺地说："行啦行啦，别画豌豆啦——这两天外头大字报上早有这个问题了，你要实心改悔，就来个'嘎嘣脆'的！"……

"我来揭发！"响起气愤而委屈的声音。人们都朝发话的人望去。

范爱湖完全被会场上变化多端的斗争场面吸引住了，她也情不自禁地朝那人望去，眼睛睁得溜圆。

那是穿着白大褂的医务室陈有馨大夫，虽然四十八岁了，可看上去很年轻，好像四十刚出头。典型的医生模样。他属于站在会场后部人丛中的一个，这时迈着急促的步子走到会场前面，瞪一眼景鹿龄，然后对大家说："刚才的问题提得好！我虽然是当事人，可是我举双手支持！景鹿龄硬把我塞进'评奖委员会'，是有他的险恶用心的！"

他那最后一句话出来以后，会场上议论的声音低了下去。

景鹿龄皱眉斜了他一眼。

孙福顺抬起头，疑惑而紧张地望着他。

王东声目光炯炯，不转睛地望着他。

范爱湖嘴巴微张，等待着他的下文。

陈有馨痛心地搓着双手说："名义上，他是要我多从保健福利的角度给他当高参，实际上，他是看中了我这个工作的有利条件，硬逼着我参与迫害工人——往盐汽水里加兴奋剂，就是他几次三番对我施加压力，让我干的……"

会场上掀起一阵议论的声浪。

陈有馨提高嗓门说："我当过景鹿龄残害工人群众的帮凶，我、我——"他说不下去了，掏出块手帕来擦眼角。

耿大伯向群众挥挥手说："陈大夫从他个人的角度说了被重用的原因——可是我们想听的是景鹿龄本人的回答，对不对？"

许多人嚷："对！""要他本人回答！"

陈有馨向会场后面走去。一个女工迎着他说："我一个钟头里敲了你那医务室三次门，怎么你老不在？"

陈有馨解释:"我回家吃饭了啊,转回来——哪,又参加这个大会。"

女工:"快去三车间看看小工吧,他又吐了,还坚持在那儿干……"

陈有馨随女工走出饭厅。

别人都没注意他俩,会继续往下开。

景鹿龄对群众摊开手说:"评奖委员会的人选上没有什么阴谋嘛:总不能为了满足你们的好奇心,硬扯点什么出来!"

群众愤怒驳斥:"什么?我们是好奇心?""简直是反攻倒算!""走资派到了台下还要走!"

只有齐步云对身边的人同情地说:"人家可能真是没啥阴谋嘛!"工人乙反驳:"我看这里头藏着鬼!"

"同志们!"响起了王东声宏亮的声音。

人们都朝他望去,他大步走到了前面,气魄雄伟地说:"走资派又在给我们上课了!我们面前是活生生的阶级斗争!我们要狠批修正主义路线,深挖一小撮阶级敌人,走资派却当面捂着盖子不让揭,梗着脖子搞反攻倒算!够惊心动魄啊!"说到这转向景鹿龄,"景鹿龄!不光你重用的人我们要查清,你本人的问题我们也要查清!我问你,你和火云县大财东蒋家的关系,为什么始终不老老实实向党交代?"

景鹿龄:"我多次交代过,我家和蒋家是世交,我父亲跟他们来往密切,我和他们只是淡如水的关系……"

王东声蔑视地"哼"了一声:"淡如水?……告诉你,景鹿龄!三年前还有刘少奇的修正主义路线包庇你,三年后的今天,刘少奇的资产阶级司令部垮台了,你休想再蒙混过去!你要老实交代——你和蒋家老三、火云县仁记药铺掌柜蒋体仁,究竟是什么关系?"

景鹿龄眼下的泪囊抖了一下,但他默不做声。

群众纷纷响应王东声的质问:"是呀,究竟什么关系?""也是淡如水吗?"

范爱湖微眯双眼,盯着景鹿龄。

王东声:"同志们!我们要抓紧革命大批判,认真做好清队工作,深入批判景鹿龄推行修正主义路线的罪行，把暗藏在各部门的一小撮阶级敌人挖出来！……有人说如今不是六六年了，用不着批走资派了，阶级敌人也挖得差不离了。今天这个会，对有这号糊涂思想的人，该是个教育吧？"

齐步云听到这儿不服气地托托眼镜架，眼睛朝别处看，他看到陈有馨匆匆地回到了饭厅，注意地倾听着王东声的发言。

王东声："同志们，还要加紧作战啊！咱们要跟着伟大领袖毛主席，瞄准走资派和修正主义路线，深挖一切暗藏的阶级敌人，把无产阶级文化大革命进行到底！"

群情激奋。镜头推至范爱湖的特写,她头一扬,眉一挑,眼睛变得更加明亮……

第四章

十九

清水湖边。

雨停了，乌云渐散，露出月亮，还有几点星光。

湖边晃动着人影，暗处闪动着手电筒的光束。

有民兵在巡逻查湖,有些临湖居民在三五一群议论。有些孩子也跑出来凑热闹。

范爱湖回到湖边。耿艳华使劲搂住她："爱湖，你还头晕吗？"

范爱湖："要我跟你赛转圈吗？"

耿艳华赶忙摆手："不！不！不跟你赛！"

陈德志"霍"的一声跳过去："嗨！怎么我今天偏临时有事！我要跟你一块去工厂就好了！那个坏蛋呀，没等他动手，我就能'嘎登'揍他一个大斤斗，包管他嘴啃泥！血书一定抢不走！"

范爱湖："是呀！没经验！谁想到今天碰上了真的阶级敌人！"

耿艳华："不是小人书上的，是真的呀！他什么样，你看清了吗？"

范爱湖："模模糊糊觉着，他戴个大口罩，好像还戴着墨镜——瞧不见脸！"

耿艳华："这家伙准就是蒋体仁！解放这么多年了，怎么都没揪出他来呀？"

范爱湖："是啊，这问题在我脑瓜里转悠半天啦——"

陈德志忽然打断她的话，向前边招手，大声喊："爸爸！爸爸！爱湖在这儿！"

陈有馨走了过来。他穿了件薄呢子大衣，亲切地握住范爱湖的手，装得又严肃，又疼爱，又关怀地问："你头还晕吗？到我家去，给你量量血压吧！你需要立即卧床休息啊！"

范爱湖："陈大夫，谢谢您！我需要立即去翻垃圾！"

陈医生吃惊："翻垃圾？那多不卫生！"

耿艳华从旁解释："也许坏蛋把瓦罐摔碎扔垃圾堆里了，我们要把垃圾翻检一遍，凡是瓷盘瓦片都拣出来，完了拿去细对，没准能对出个瓦罐子来呢！"

陈医生佩服地说："亏你们想得出来！真是妙法子——就是太脏了！"

范爱湖："那有什么？干完好好洗手不就得了！"

陈医生貌似感动地说："好，我去预备一盆高锰酸钾消毒水吧，你们干完了都要来我家消毒！"这时范爱湖、耿艳华已经跑开。

孙小起跑来。

陈德志："你怎么才来？"

孙小起："我妈值夜班，我爸开会刚回来。我们家厨房火灭了，我拢火来着。"

陈德志："出了这么大的事，你这会儿才来！哼！"

陈医生："小起，你爸也不出来问问、看看——这么大的事，（用手指点着）瞧，整个清水湖都沸腾了！难道他一点也不知道？"

孙小起："打爱湖家回去，我爸正好在家给令箭荷花浇马掌水，我忍不住就把瓦罐子的事跟他说了……"

陈医生："他怎么说？"

孙小起："他啥也没说。"

陈医生："后来呢？"

孙小起："后来他就去厂里啦。"

陈医生："现在呢？"

孙小起不好意思地低下头："嗯，到酒馆喝酒去了……"

陈医生:"这种时候去喝酒!"

孙小起为了摆脱窘境,拍拍屁股说:"我也翻垃圾去!"说完赶紧跑开。

陈医生:"德志,你跟我回去准备消毒水吧!'

陈德志:"嗯。"

陈医生边走边蹙眉思索。

二十

垃圾集中站。

已经将全部垃圾翻检完了。

范爱湖等孩子和一些街道积极分子随田大婶往居委会走。范爱湖捧着一个脸盆,里面有许多瓷、瓦碎片,她望望说:"也许,瓦罐的碎片就在这里头!"

耿艳华:"可惜没找到血书!"

田大婶:"坏蛋会扔下瓦罐,他不会扔下血书!"

走过一盏路灯下时,迎面来的一位大妈指着田大婶的衣服说:"呀!她大婶,您今天才上身的褂子可全毁啦!瞧,袖子、前襟上尽是些啥脏东西!啧啧啧……"

田大婶满不在乎地说:"当年咱俩十几岁的时候,一块在臭水湖边上捡破烂,那是啥日子?为了不让那号日子再回来,如今我脏十件衣裳又算个啥?"

范爱湖听了,心里一动。

那位大妈:"对!对!说啥也得把那狗特务抓着!"

范爱湖接上去:"还得把他为啥能隐藏这么久的原因查清!"

田大婶拍着范爱湖肩膀夸赞:"风浪里出人材啊!瞧,才几个钟头,爱湖的见识长得多快!……"

居委会灯下。

一个由碎片拼起来的瓦罐已基本恢复原状。

田大婶愤然对大家说:"那家伙准是跑到垃圾集中站边上,砸碎瓦罐,完了又把碎片捧起来分散撒开!血书他大概拿到什么地方烧了……他以为消灭了对他不利的物证,咱们就揪不出他来……"

范爱湖："哼，瞧着吧，他跑不了！"

二十一

灯下，范爱湖在学习毛主席著作。

奶奶从她身后走来："快十点了……该睡啦！"

范爱湖转身对奶奶笑笑："脑瓜里的问号跳舞呢，哪睡得着呀？让我再想想吧！"

奶奶把外套披到她肩上，离去。

范爱湖托腮想了一会儿，站起走到橱柜边，取过摆放在柜上的全家合影。

范爱湖手中的全家合影：爸爸穿着军装，妈妈穿着工裤，她戴着红卫兵袖章，还有奶奶……

范爱湖不禁自言自语："嗯，要是能跟爸爸、妈妈讨论讨论，那该多好啊！"

传来奶奶的声音："一个在珍宝岛前线，一个跑出几千里搞外调，这会儿可怎么跟你讨论啊！"

范爱湖放下照片，拉开橱柜抽屉，边取东西边说："也能……"

她取出一个红袖章来，上面有"工人造反队"字样……

范爱湖抚摸着火红的袖章，心中涌起回忆的浪潮……

镜头化为 1966 年夏天。

放学的时候，范爱湖背着书包在湖边走。

陈德志领着一拨小孩尾随在她身后。

陈德志指挥着小孩子们齐呼："小右派！""小右派！"

范爱湖扭转身："你们干吗骂人？"

耿艳华跑来拉范爱湖："甭理他们！净瞎说八道！"

另外几个大同学来干涉陈德志等："你们像话吗？"

陈德志等一哄而散。

范爱湖想了想，拔腿往工厂跑去。

耿艳华紧追："爱湖！爱湖！"

范爱湖跑进工厂。

工厂里贴满了大字报。人群纷杂。

陈有馨正领着几个人在刷大标语:"谁反对景鹿龄谁就是反党右派!"他正起劲地用排笔刷着最后的"!"。

范爱湖跑上前:"陈大夫,我妈是坏人吗?"

陈有馨上下打量一下范爱湖,恶狠狠地说:"王东声和你妈是两个特号大右派!"

范爱湖气愤地跑开。

一面墙上,贴着《景鹿龄组织"评奖委员会"的用心何在?》为题的大字报,署名是王东声、曹淑兰。旁边是许多呼应的大字报和标语:《一针见血!》《景鹿龄搞的是修正主义!》《支持王东声、曹淑兰二同志的革命行动!》……

人们在大字报前议论纷纷。

范爱湖在人群中发现耿大伯。

范爱湖推耿大伯腰一下:"耿大伯,我妈呢?"

耿大伯低头一看,拍着她肩膀说:"你妈是好样的!瞧,在那儿呢!"

范爱湖朝他指的方向跑去。

耿艳华跑来:"爸,爱湖呢?"

耿大伯:"嗬,你也来了!"(指爱湖所去的方向,耿艳华跑去)"真是大革命呀!孩子们也卷进来了!"

曹淑兰(范爱湖的母亲)正和几个革命造反派在刷新的大字报:《工作组关押王东声同志是镇压革命派的行径!》。

大字报尚未贴好,已聚集了许多看大字报的工人。

范爱湖挤进人群。耿艳华也跑来挤进人群。

工人甲:"痛快!我支持!"

工人乙:"是谁派来的工作组?通过毛主席没有?"

工人丙:"工作组是灭火机,想把燃起来的革命烈火浇灭!"

齐步云也在人群中,他很激动地对身边的人议论说:"工作组压制'四大'是没有道理的!我虽然并不完全同意王东声的观点,可坚决抗议工作组的这种野蛮作风！"说完，一把抢过附近一位工人手中的毛笔，冲过去在曹淑兰他们的大字报上签了个名；他的这一行动顿时博得了周围许多人的好感……

陈有馨领着几个人挤入人群。

陈有馨凶狠地"警告"着："曹淑兰！你再不悬崖勒马，也会落个王东声的下场！"

曹淑兰："工作组就是杀我的头，我也要斗争到底！"

陈有馨声嘶力竭地说："工作组是党中央派来的！你反对工作组就是反党！"

曹淑兰鄙夷地瞪着他："是非，有毛泽东思想作标准。你敢辩论吗？"

工人甲："陈有馨，除了'谁反对景鹿龄谁就是右派'，'谁反对工作组就是反党'这号逻辑以外，你能不能讲出点真道理来？"

工人乙："光靠吓唬人是没有用的！"

许多工人："我们支持王东声、曹淑兰！"

一片口号声："革命无罪！造反有理！"

这时，办公楼四楼上的一扇窗户猛地被打开，王东声伸出身子对楼下的革命群众呼喊："同志们！决不要在资产阶级反动路线面前低头！毛主席支持我们！"他被关押者拉了回去，窗页剧烈地摆动着……

曹淑兰跳到身旁的钢板垛上，挥手大声宣布："同志们！景鹿龄把持的厂党委和工作组执行的都是资反路线，他们是文化大革命的绊脚石！我们造修正主义反的工人群众，要组织起来，服从毛主席革命路线的领导，把无产阶级文化大革命进行到底！我宣布：清水湖机床厂工人造反队正式成立！"她话音未落，耿大伯跳到她身后，挥舞起一面写着"工人造反队"字样的大红旗；曹淑兰和一些早有准备的工人纷纷从口袋中取出红袖章，当场戴上；曹淑兰掠掠头发，继续演讲……音乐声中，只见她挥斥方遒，大多数人鼓掌，呼口号；齐步云托着眼镜架，钦佩地望着她；孙福顺在人群尽后面，满脸惊疑；陈有馨退出人群，牙筋颤动；办公楼二楼窗开，景鹿龄像被火烫了一般瞪视着飘舞的红旗……

范爱湖搂住耿艳华肩膀，好奇而激动地望着眼前这沸腾的场面。歌声：

我们是清水湖的孩子，

文化大革命中长大成人。

呼吸着斗、批、改的战斗空气，

胸膛里装进了烈火风云！

啊，小小白杨经得起狂风暴雨，

我们从小就懂得继续革命！

我们是清水湖的孩子，

炼出了一双明亮的眼睛。

从小学习马列主义、毛泽东思想，

敌我是非能够查明分清！

啊，小小柳树经得起闪电雷霆，

我们从小就参加继续革命！

随着歌声化出下列场面：

范爱湖、耿艳华和另外几个孩子在帮妈妈和别的工人刷大标语："誓死捍卫毛主席的无产阶级革命路线！"

清水湖边，人们争先恐后地到邮亭购买《人民日报》，范爱湖和耿艳华也买到了一份……

夜晚，人们在游行，队伍中的横幅是："热烈欢呼《中国共产党中央委员会关于无产阶级文化大革命的决定》发表！"范爱湖、耿艳华、孙小起等在队尾跟着走，挥动着小纸旗……

院内，家家窗户亮着；屋里，人们围坐在收音机旁倾听重要广播……

居委会院内，绳子拉着"欢迎来我市串连的红卫兵小将"的标语，田大婶、耿爷爷、范奶奶等正在接待刚到的红卫兵；范爱湖、耿艳华等兴高采烈地帮助送水上前……

小公园里，范爱湖、耿艳华和另外几个红小兵在表演宣传毛泽东思想的舞蹈节目，一些大人、孩子围坐在三面兴奋地观看；领舞的范爱湖高举着一个火炬模型，作出一个精神抖擞的"亮相"……镜头推至火炬特写，歌声止。

镜头化为画在纸上的火炬，镜头拉开，范爱湖在橱柜旁回忆。红袖章已被放到了橱柜上，现在她手中是一个图画本，她翻过火炬这一页，下面陆续出现了天安门、葵花、拖拉机的画页，然后，停留在画着雪人的一页上。

范爱湖望着这一页继续回忆。

镜头化为一九六七年一月。雪花纷飞，范爱湖和耿艳华在院里堆雪人，她们嬉笑着给雪人系上红领巾，并把一个"一月风暴好"的标语牌插到雪人"臂弯"里。

齐步云匆匆走来，神色烦躁，绕过雪人，进入范爱湖家门。范爱湖和耿艳华对望一眼；她眨眨眼，便跑回家里。

范爱湖进屋。齐步云正向她妈妈发脾气。

齐步云："这样联系实际批判景鹿龄，我想不通！他要把我这样的技术员提升为工程师，究竟错在哪儿？"曹淑兰耐心地对他说："错在路线！小齐，他是要让你当个搞修正主义的工程师！旧党委汪秘书不是揭发了吗，他还想把你培养成'评奖委员会'的委员……这好比是给你吃甜皮毒馅的点心啊！难道你还不应当跟工人群众一起，对走资派推行的这条修正主义路线，进行坚决斗争吗？！"

齐步云："哼，你跟王东声偏偏在协商革委会人选的时候，抬出这么个大批判题目……你们还不是为了臭一臭我，好让我当不上革委会委员！"

曹淑兰气愤得胸脯大起大落："齐步云！你怎么说出这种话来？你造反为的是什么？就是为了当官？！"

齐步云取下红袖章，往桌上一掼："我退出造反队！退出你们的大批判组！今后我是独立兵团了！"说着便迈步往外走。

曹淑兰压住怒火，痛心而又诚恳地叫住他："齐步云！'私'字蒙住了心，人要走岔道！走资派和阶级敌人专门往人们的'私'字上甩钩子,你可千万警惕啊！"

齐步云犹豫了一下，终于还是走了出去。他出门时陈有馨正好提着一篓苹果进屋，两人差点撞个满怀。

陈有馨扭头望望消失踪影的齐步云："这是怎么啦？"

曹淑兰："陈大夫，你有什么事？"

陈有馨将苹果篓放到桌上:"德志他妈刚从山东巡回医疗回来,捎回来两篓——"

曹淑兰提起苹果篓,坚决地退还到陈有馨手中。

陈有馨笑着说:"淑兰同志,这何必呢?回想运动初期那阵,我对您那么狠,全是因为受了景鹿龄和工作组的蒙蔽。咳!资反路线害死人!……我这是真心实意地来赔礼道歉来啦!"

曹淑兰严肃地说:"不要搞这一套!如果你真愿意革命,那就该把景鹿龄指使你们'评奖委员会'对工人搞管、卡、压的幕后勾当,认真彻底地来个反戈一击……"

陈有馨尴尬地笑着。范爱湖看看妈妈,再看看陈有馨,思索。

镜头再回到范爱湖回忆的场景,画册已经合上。

奶奶从她身后走来:"爱湖,还没想好呀?"

范爱湖:"我跟妈妈讨论过了,她告诉我了!"

奶奶惊奇:"告诉你了?!"

范爱湖:"嗯。她让我往深里想,景鹿龄搞的'评奖委员会'里头为啥偏有陈大夫……"

第五章

二十二

翌日。

早晨,彩霞映照下的清水湖。碧波溶溶,金珠闪烁。

啄木鸟在白杨树上工作。

湖边来往着上班的人们,自行车不时穿梭而过。

一辆满载建筑材料的卡车和一辆堆满蔬菜的拖拉机交错而过。

几位老人在林荫下打太极拳。

小公园里,园林局的汽车运来了幼树,其中有一批松树。

孩子们背着书包上学,三三两两在一起走着,笑语喧哗……

二十三

中午。碧空上飘动着轻柔的白云。几只喜鹊吱喳叫着，掠过湖面。

一只鱼儿蹦出水面透气，打出荡漾的涟漪。

湖边充满孩子们的欢腾声，他们放学了，有的追逐着、有的搂着肩膀一块往家走……

两辆油罐车从湖边驶过。

小公园里，大多数幼树已经栽到坑中。

在范爱湖他们挖的树坑中，已栽上了宝塔松，在阳光下显得葱绿可爱。

透过松树枝，可以看到小孩子们在儿童运动场中嬉戏……

二十四

陈医生家中。陈医生与陈德志在一起吃饭。

陈德志不小心把汤匙掉在桌上，"乓"的一声，陈医生嘘了他一声，朝里屋指指。陈德志把舌头一吐。陈医生小声地嘱咐他："你妈妈他们昨晚一连气接生了几个娃娃，累坏了，让她再睡会儿。你中午跑出去玩玩吧，别在家里吵。"

陈德志："到哪儿玩去呢？打昨天晚上起，湖边的伙伴们谁还想玩？全被瓦罐子的事迷住了。"

陈医生："你们就喜欢迷这类离奇的事儿！"

陈德志："那怎么着！谁不羡慕爱湖？今天在学校，老师也表扬了她，说她关心国家大事，积极参加文化大革命，人小心红。"

陈医生："她被那个坏蛋打晕了，丢了瓦罐子和血书，给革命造成了损失。好是好，可也美中不足！"

陈德志："老师说，那是因为她缺乏阶级斗争的经验，事先防备不够，不能怪她。嗨！昨天您干吗偏让我给妈妈送点心去？我要跟爱湖一块去送瓦罐子呀，血书保管丢不了，大伙就不会光表扬她了，说不定，头一个就得先表扬我！"

陈医生笑了："我要事先知道有个坏蛋去搞突然袭击。那准让你跟爱湖去送瓦罐，让你立上那一功！"

陈德志："机会全给错过啦！"

陈医生："那也不一定。你到出事的现场仔细找找看，说不定还能发现点什么。那不就立上一功了吗？"

陈德志："嗨！人家民兵，田大婶，还有公安局的，全查过了，有东西还能留着让我发现？"

陈医生："那倒也是。"轻轻收拾碗碟，"不过，你反正没事，去找找试试，找仔细一点儿。昨天晚上是黑夜，又下过雨，那胡同口一带柏油路边上的泥地烂得很，不容易找出啥东西来。"

陈德志高兴地蹦起来："好，我去试试！"

陈医生把食指竖到嘴唇上："嘘——小声点！别吵醒你妈！'

陈德志跑出。

二十五

昨晚出事地点——小胡同口。

陈德志细心地弯腰在那一带搜索着。

他发现了什么，兴奋地扑过去——可是，不过是一个小石头儿，他失望地一脚把石头子儿踢得老远。

他直起腰，叹了口气，又重新弯腰搜索。

突然，他扑到了电线杆边的泥土地上。

那儿，快干燥的湿泥中，露出了一件在阳光下闪光的东西。

他用手扒开湿泥——一块旧怀表。他把怀表紧捏手中，激动地跑跳而去。

二十六

范爱湖家的门"砰"地被撞开了。

陈德志狂喜地奔入："啊！重大发现！重大发现！"

正在洗碗的范爱湖和正在缝衣服的范奶奶不禁愣住。

陈德志把怀表递给范爱湖："你看！你看！"

范爱湖擦干手，接过来看；奶奶也凑过来，透过老花镜看。

陈德志解释："在你昨天出事的胡同口那儿捡来的！哈！昨天那么多人都没发现，今天愣被我发现了！"

院里几个孩子闻声而入，耿艳华也在其中。

范爱湖："昨天那么多人检查了现场，怎么会瞧不见它呢！"

范奶奶："是呀！这怀表个儿不小嘛！"

陈德志："昨天晚上是黑夜，又下过雨，那胡同口一带柏油路边上的泥地烂得很，所以找不见嘛！"

耿艳华："那，没准是今天哪个过路人不小心掉下的呢！"

陈德志："没那么巧的事！偏掉那么个地方！准是那坏蛋掉的！他把怀表装上衣口袋里，光顾抢瓦罐，一弯腰，就从口袋里掉出来了！"

范爱湖仔细地端详表前表后，忽然——"咦，这儿还刻着名字呢！你们瞧——"大家把头凑拢去，只听她大声宣布："孙、福、顺！"

陈德志："孙福顺！那不是孙小起的爸爸吗？"

范奶奶："可不，就是他。"

耿艳华："嗯，好像，他是有这么一块怀表！呀！瓦罐子是——"

陈德志跳起来："瓦罐子是他爸爸抢的！这个坏蛋！可被咱们逮住了！走！快去他们家搜血书去！搜出来，一块交工厂去！（挥手）走啊！"

范爱湖拉住他胳膊："等等！别急！'

陈德志挣脱："怎么着？怕我抢了先？"

陈德志像野马般冲出屋子，除耿艳华外，其他孩子们跟他跑出。

范爱湖追到门边，对着他后影大声嚷："德志，还没弄清楚呢，不能乱开枪啊！"

陈德志头也不回，一群孩子跟他跑出了院子。

范爱湖忙对耿艳华说："你去居委会报告田大婶，我去厂里报告王叔叔！"

范奶奶一旁点头："对！"

范爱湖和耿艳华跑出后，范奶奶频频摇头："怪！怪！真是孙福顺干的？……"

二十七

范爱湖在工厂里奔跑。

头晚贴着《"枪口"究竟应该瞄准什么？》那份大字报的厂房侧墙，现在刷出了许许多多的革命大字报，一条大标语概括出了主题：《景鹿龄必须交代和特务蒋体仁的关系！》

范爱湖穿过人群时被齐步云拦住了。

范爱湖要绕过他："齐叔叔，我有事儿！"

齐步云："爱湖，我就跟你了解一档子事儿！"

范爱湖："赶明儿再了解吧！"

齐步云固执地拦住她："昨晚抢你的那个人，是不是又高又胖？"

范爱湖摇摇头，反问："你打听这个干吗？"齐步云指指一侧墙上，那儿贴着份《孙福顺——你是什么人？》为题的大字报，一些人聚在前面看。

齐步云："我跟陈大夫合写的！你要能证实这一点，那就更说明他是蒋体仁啦！"

范爱湖不禁疑惑："跟陈大夫合写的？小起爸爸是蒋体仁？……"可是她来不及细琢磨这些，便说："我要找王叔叔去！"挪步便往办公楼走，一个工人在身后对她嚷："东声在伙房帮厨呢！"范爱湖便拐向通往饭厅的甬路，头也不回地跑去。

二十八

大饭厅。空荡荡的。这时只有两个人。一个是孙福顺，他正在一角配制供高温车间饮用的盐汽水。另一个是陈有馨，他正在洗碗水槽边冲洗刷大字报时沾了糨糊的手。

陈有馨用严厉的声音对孙福顺说："快去看揭发你的大字报吧，躲是躲不过去的！"

孙福顺急匆匆地收拾了一下制盐汽水的家伙，惶惑地走出了食堂。

陈有馨甩甩手上的水，装出很自然的模样朝四面望望，搞清楚当时饭厅内确实没人，便飞快地走到孙福顺刚才工作的台子边，从兜里掏出一个小瓶，取掉瓶塞，非常麻利地将瓶中的白色粉末倾入孙福顺自用的一个茶缸中……

突然范爱湖跑进了饭厅，脚步声发出宏亮的回响。

陈有馨一抖，满脸惊恐。

范爱湖大声问他："陈大夫，王叔叔是在伙房吗？"

陈有馨竭力镇静，仍然掩藏不住慌乱："他在这儿？！我不清楚……我检查盐汽水呢……"

范爱湖感到他有些古怪，禁不住多打量了他几眼。

陈有馨恢复过来，若无其事地拿起配料瓶，似乎在数瓶上刻度……

范爱湖朝饭厅另一头通向伙房的门跑去。

二十九

伙房里一片碗碟响。王东声正和炊事员们洗涮碗碟筷子。

和王东声并肩工作的炊事员大姐正和他继续交谈："……吃完饭以后他说怀表丢了……怀表搁在外套兜里，一上班就把外套挂休息室了……你说多怪！……"

王东声："有外人进过休息室吗？"

炊事员大姐："没有呀！……就是陈大夫一早检查食堂卫生的时候，进去过半分钟，人家金壳'欧米加'戴着呢，能偷他的破怀表？……"

这时范爱湖跑拢了王东声身边："王叔叔！又有'鸡毛信'！"

王东声和她走到伙房一角，范爱湖比比画画地向他汇报。

大饭厅里，陈有馨已无踪影。孙福顺垂头丧气地回到配制盐汽水的地方。他直发愣。（画外音，他心里的想法）"也许，我该把二十五年前……在清水湖监狱……看见陈有馨跟日本人在一块儿的事……跟党委交代了？……"

伙房内。王东声嘱咐范爱湖："……要警惕有人利用孩子制造事端，转移目标。你赶快到小起家去，无论如何要引导小伙伴们把枪口瞄准真正的靶子！"说着掏出自行车钥匙，"骑我的车去！"

范爱湖接过车钥匙，领悟地点头。

三十

清水湖边。范爱湖骑着自行车急驰。

迎面人行道上跑来耿艳华，她挥舞着双手大声报告："田大婶去区里开会了，没找着！快去小起家吧！他们快打起来啦！"

范爱湖紧咬嘴唇，猛按车铃，急蹬而去。

耿艳华追着自行车跑去。

三十一

孙小起家门外。陈德志领着一群孩子（不少是一、二年级的小学生）在孙小起家屋外搞"炮轰"，孙小起气呼呼地把守在屋门口，双方剑拔弩张。

陈德志领呼口号："孙福顺必须低头认罪！"

孩子们跟呼。

孙小起："我爸不在家，你们嚷也没用！"

陈德志："我们等着他！"

孙小起："他不是打爱湖的凶手！"

陈德志："不是？他解放前在监狱里管做饭，还参加过国民党，凶手不是他这号人能是谁？"孙小起："反正不是他！"陈德志双手叉腰，气愤地嚷："他的怀表都跟我手里攥着了，赖得掉？！"

一些小孩："就是嘛！""他是凶手！""真坏！"

孙小起："不是不是就不是！"

陈德志不由分说，又领呼口号："打倒孙福顺！"

孩子们跟呼。

陈德志再领呼："孙小起必须认真揭发！"

孩子们又跟呼。

孙小起用左右食指堵住耳朵。

陈德志气得一跺脚，更大声地领呼："坦白从宽！抗拒从严！"

孩子们跟呼的声音也更响了。

孙小起气愤地要关上门，陈德志上去动手，不让他关门。

孙小起气得鼻翅翕动："你要干吗？"

陈德志："我——我们要进去搜血书！"

孙小起："不让你们进！"

陈德志："你敢！"他伸手打了孙小起一拳。

孙小起操起门边扫帚扔了出来，打在孩子群中。孩子们群情激愤。

陈德志指着孙小起鼻子："好！你打人！你有问题，还敢犯狂！"

孙小起："你先动的手！"

陈德志领着小孩子们要往里冲，孙小起把住门不让进。

正在这时，几个小孩子嚷："范爱湖来了！"

所有的人都朝湖边路上望去。

范爱湖从自行车上跳下，跑到孙小起家门前，猛地煞住脚步。

一时静寂无声。范爱湖睁大眼睛，望着双方。

陈德志猛地把手一挥："好！爱湖，你来领导这场斗争！"

孙小起："谁来我也不怕！"

陈德志："爱湖，你来领我们往里冲吧！非把血书搜出来不可！"

孙小起操起门边水缸里的舀子，舀起一瓢水，威胁地说："谁敢冲，我泼谁！"

陈德志带头从地面上捧起沙土，也威胁地说："你泼水，我们就扬沙土！"说着，他就往屋里冲，孙小起使劲向外泼了一瓢水，陈德志猛劲往里扬了一把沙子，孩子们群声沸腾……"别打架！"范爱湖飞快地跑到门边，跳到门槛上，脸冲外，双手撑住门框。前面，一捧沙土误扬到她身上；孙小起从她身后往门外泼水，没泼准，泼了她一裤子。

陈德志："爱湖！你干吗保护他！"

孙小起："爱湖！你走！少踩我们家门槛！"

"你们都不对！"范爱湖大声地对双方说："枪口全瞄错啦！"

陈德志不满地盯着她。

孙小起惊讶地望着她。

孩子们都停止了嘈嘈，哑场。

范爱湖胸脯剧烈起伏，她激昂地说："干革命，得认准敌人！开枪，得瞄准靶子！你们怎么能把毛主席的教导都忘啦？……"

一个穿海军衫的男孩子："哪条教导？"

范爱湖："毛主席说：'谁是我们的敌人？谁是我们的朋友？这个问题是革命的首要问题，也是文化大革命的首要问题。'能把首要问题撂脑后吗？！"

孩子们纷纷你看我、我看你。

陈德志："孙福顺就是敌人！"

范爱湖："你有什么凭据？"

陈德志："有怀表嘛！"

范爱湖："光有个怀表，就能下结论呀？再说，小起是敌人吗？"

陈德志："他包庇反革命爸爸，就不能把他当朋友！"

范爱湖："小起是自己人！咱们清水湖的孩子，应该按毛主席的教导团结起来，把枪口瞄准坏蛋！"

穿海军衫的男孩："对哇！该把枪口瞄准那个蒋体仁啊！"

许多孩子："对！""反正不该瞄准小起！"他们纷纷扔掉了手里的沙子。孙小起不由得放下了泼水的舀子。

范爱湖："是要把枪口瞄准蒋体仁，更得把枪口瞄准景鹿龄！"

孩子们不大理解地望着她。

范爱湖："蒋体仁就暗藏在咱们清水湖，昨晚的事，证明这一点了吧？"大家纷纷点头。范爱湖："一个鬼子特务，怎么能在解放后暗藏这么久啊？没有走资派包庇，能行吗？"大家纷纷小声议论。范爱湖："咱们清水湖四周，基本上全是机床厂的地盘，景鹿龄是机床厂的走资派，蒋体仁八成是他包庇的！"

穿海军衫的男孩带头呼应："准是他！"其他孩子纷纷跟上去："就是他！"

范爱湖："咱们放过了景鹿龄，放过了蒋体仁，跑到这儿来把枪口瞄着小起干，对吗？"

孩子们纷纷现出惭愧的表情。

陈德志也被范爱湖讲的道理慑服,他不禁松开了拳头,沙土从他指缝间泄下……

范爱湖:"咱们不能上景鹿龄、蒋体仁的当,让他们浑水摸鱼! 王东声叔叔让咱们要牢记毛主席的教导,积极参加厂里的斗争,帮着大人们监视景鹿龄的一举一动,发现可疑的线索,像捡到怀表啥的,要向党委汇报,动脑筋分析分析,千万别随随便便把内部矛盾里的人,一下子就当成蒋体仁……"

孙小起听到这里非常感动。

范爱湖:"大伙先散了吧! 德志,走,咱俩把怀表送厂党委去! "

她拉着陈德志离开孙小起家门口。孩子们也迅速散去。

孙小起委屈地坐在门槛上,嘴一歪,哭了起来。

第六章

三十二

范爱湖进入家门,奶奶高兴地迎上来,手里举着两封信。

范爱湖一下子跳起来:"爸爸、妈妈都来信啦! "她接过信,拆了这封,又拆那封,兴奋得不知道先看哪封信好……

奶奶催她:"快给我念念! 先念哪封都成! "

范爱湖迫不及待地浏览着爸爸的来信,对奶奶说:"别的一会儿再念,先念爸爸对我那个问题的回答吧……"

奶奶坐下,点头说:"对! 我记得你的问题:'爸爸呀,你在珍宝岛前线,直接跟敌人斗,多棒呀! 可我在清水湖边,是个后方,怎么才能使出浑身的劲头啊? '——对吧? "

范爱湖:"奶奶! 您记性真好! ——找到了,答案在这儿:'希望你首先很好地想一想自己的名字……'"范爱湖停下读信,把信按在胸口,体味着:"首先很好地想一想自己的名字……"

镜头逐渐推成她的特写,在她脑际相继浮现出影片开始时展现过的、小公园展览橱窗里的那三组鲜明对比的照片,同时传来奶奶一旁讲话的声音:"是呀,你还没落生呢，他们两口子就商量好了'爱湖'这个名字，让你要热爱清水湖，热爱把臭水湖变成清水湖的共产党、毛主席，让你一辈子跟那些想把这儿再变成臭水湖的坏家伙斗……"

范爱湖的表情逐渐变为严肃、深思，她的眼睛闪着光。

范爱湖举起爸爸的信继续读："爱湖！我们边防部队在反击社会帝国主义侵略的前线，保卫着文化大革命；我们时刻记挂着无数个像清水湖一样的地方，那里的斗争，甚至比我们这里更复杂、更艰苦，因为敌人不是明摆着的啊，要瞄准敌人开火，打胜仗，必须掌握好马列主义、毛泽东思想这挺重机枪……爱湖，你怎么能把自己所在的地方，说成是后方呢？你仔细地再想想吧……"

奶奶听了也思索着点头说："是呀！是呀！……'

范爱湖又拿起妈妈的来信，用眼睛寻找着回答："……这儿：'爱湖，你来信问我：搞外调多来劲啊！等于冲到前线、抄到坏蛋背后跟他直接拼，可我们在清水湖这个后方，该怎么发挥拼命精神呢？'……妈妈这样回答我的：'爱湖，你问题的提法就不对。没有厂里的群众运动，没有清水湖边的直接交锋，孤立的外调活动是攻不下顽固堡垒的……你怎么能把清水湖说成后方呢？可得好好想想！'……"

奶奶不禁感叹："这两口子！一个在北，一个在南，离着几千里地，怎么倒像是商量着写的信，都怪你把清水湖说成是后方，都让你好好想想！……"

范爱湖自言自语地走向橱柜上摆放的全家合影："是该好好想想啊……"

范爱湖对着照片上的爸爸妈妈说："昨天到今天的事儿，让我明白啦！爸爸你在跟社会帝国主义斗争的国防前线，妈妈你在跟暗藏敌人斗争的阶级斗争前线，我呢，也在前线，这是跟走资派和修正主义路线斗争的前线啊！……"

三十三

陈德志在桌前写大字。这回他写出的十二个大字是"要瞄准真正的敌人开火才对"，写完"对"字，他自我欣赏了一下，抬头望望桌上的座钟，已经快五点了，便搁下笔跑到厨房里去。厨房的火炉上煮着粥，陈德志揭开锅盖看了一下，摇摇头。

他取过竹篮，把竹篮搁到水龙头下的水泥槽中，把水龙头拧得大大地冲洗土豆。厨房中这一部分的构造是这样的：墙上伸出水龙头，水龙头下一长形水泥槽，槽侧有孔；槽下地面又有一对应凹槽，凹槽中有一茶杯口大的泄水孔。

冲洗了一阵，陈德志关上龙头，水哗哗地从上面水泥槽中流下，但下面凹槽的泄水孔很不通畅，聚集了许多水一时泄不下去……陈德志望望泄水孔，略皱了一下眉头，便坐在水泥槽边匆匆忙忙地干起活来：用刀潦潦草草地削好一个土豆，便拧开水龙头猛冲一阵，然后将削好、洗好的土豆掷到两米外小柜上的一个搪瓷盆中，动作完全像是在作套环游戏。

陈德志削着、冲着、扔着土豆，一边还"啦啦啦"地乱哼着曲子。一个新削好的土豆被掷进搪瓷盆又蹦了出来，他不禁哈哈大笑，满不在乎。

但是，由于上面流下去的水很多，下面泄水孔不通畅，水已经积满了凹槽，而且开始泛到外面。（特写）泛出的水已淹到了陈德志的拖鞋。他不禁双脚一躲——

陈德志发现了这个情况，感到大惑不解，他站起来望望，土豆皮散布在凹槽之外，并没掉进凹槽里呀，怎么泄水孔不通畅了呢？他搔着头皮……

陈德志家的外间屋。陈有馨已经下班回到家里，他正拿着陈德志新写出的十二个大字端祥……

陈德志从厨房跑来，对他说："爸！发大水啦！"

陈有馨心思还在大字上，他板着脸对陈德志说："昨天写的那张多好！今天怎么写成了这样！"

陈德志："昨天那张上的句子，爱湖他们说味儿不正；今天这张上的句子，是爱湖让我写的……"

陈有馨咬咬牙："爱湖……"

陈德志："爸！您到厨房看看去吧！那泄水孔——"

陈有馨思路被引了过来，他瞪大眼问："泄水孔？怎么了？"

陈德志："不通了！"

陈有馨立即大步走向厨房，陈德志跟在他的后面。

厨房里。凹槽满灌着水，泛出来的水已把厨房地面搞得湿漉漉的。

陈有馨不假思索地操起一个拖把来使劲揣水，他动作很笨拙，搞得脏水溅起老高，溅脏了他那条笔挺的"的确良"裤子，也溅到了陈德志的身上。

陈德志感到有些惊讶。因为平时他父亲是极讲究清洁卫生的，同时，几乎从不进行任何一种体力劳动……

恰在这时稀饭漫出锅来了。陈有馨烦躁地转过身子，压低嗓子喝斥陈德志："你瞎眼了！"

陈德志撅起嘴，把锅从火炉上端下，坐上烧开水的铝壶。

他见父亲揣了半天效果仍然不大，就建议说："干脆，等耿大伯回了家，求他给弄弄，上回齐叔叔家泄水孔堵了，就是他给掏通的……"

陈有馨根本不理陈德志，他固执地用拖把往下揣着。

忽然传来范爱湖响亮的声音："嘿！可逮住你啦！"

陈有馨的背影猛地一抖。

厨房窗口，范爱湖在外面笑嘻嘻地跟陈德志说话："德志，你原来在这儿，我到处找不见你！"

陈德志无精打采地："找我干吗？"

范爱湖："商量商量，咱们——你、我、艳华、小起，给景鹿龄刷份大字报，让他交代包庇蒋体仁的罪行！"

陈德志："我们家的泄水孔不通气啦！"

范爱湖注意到陈有馨一反常态的"劳动"情景，她惊讶地睁大眼睛。

"我来帮你们弄！揣不下去，就掏嘛！"说着翻窗而入。

陈有馨转过身来，满脸带笑，蔼然可亲地说："爱湖呀，谢谢你！已经好多了……不要紧，能泄下水去，只不过慢一点……"

范爱湖弯腰卷裤腿，爽快地说："要弄就彻底弄通嘛！"直起腰来对陈德志说："你去找根长点的铁丝来！"

陈有馨拉住就要行动的陈德志，笑着，但用坚决的语气对范爱湖说："无论如何也不能麻烦你啊,明天轮休,我有得是时间来收拾……"然后对陈德志一摆头:"把饭端出去,开饭吧!"陈德志:"菜呢?"陈有馨:"不做了,开个沙丁鱼罐头吧!"陈有馨打个手势请范爱湖前面走,亲切地说:"爱湖,就在我们这儿吃吧!"

范爱湖感到惊讶、疑惑,她微皱眉头,望了陈有馨一眼;陈有馨对她现出更多的微笑……

范爱湖走出了陈家的厨房,进入陈家的外屋,这时陈有馨过去把范爱湖跳越的那扇窗户紧紧地关上……

三十四

范爱湖家。

耿艳华、孙小起一个念稿、一个执笔,正站在饭桌那儿写大字报,范奶奶坐在椅子上帮他们研墨。范爱湖进。

耿艳华停笔问:"德志来吗?"

范爱湖若有所思地回答:"先不来呢……"

孙小起犹豫了一下问:"是因为我在这儿吧?"

范爱湖摇摇头。

范奶奶发觉她神情不大对,欠身望着她问:"爱湖,你怎么啦?"

范爱湖感到自己的想法还不成熟,便笑笑着:"没啥!咱们写吧!"

这时田大婶叫着"爱湖"进了屋。

范爱湖连忙迎上去。

田大婶走过来对他们说:"我打区上开完街道主任会就去了厂里,厂里的斗争又出了新情况啦!……"

三十五

陈德志家。陈有馨和陈德志正坐在饭桌前吃饭。

齐步云兴奋地走了进来,不等陈有馨问,他便舞眉挥手地报告说:"蒋体仁是谁,总算真相大白啦!"

陈有馨站起来，一边掏手绢擦嘴一边激动地问："谁？谁？"

陈德志也蹦起来，摇着齐步云胳膊问："是谁啊？"

齐步云："就是孙福顺！他已经畏罪自杀啦！"

陈有馨装出吃惊的模样："真的？！"

陈德志目瞪口呆："我没有错嘛，果然是他！"

齐步云搓着手，得意地说："可见王东声他们的主攻方向错啦！孙福顺这号人不追究，却偏去追究什么'评奖委员会'！"

陈有馨恭维地说："还是你这个老造反派有眼力啊！凭你上午的大字报，也该补进革委会当委员！"

齐步云哈哈地笑着："那不是也有你一份功劳吗？……"

三十六

范爱湖家。

孙小起抽噎地哭着，田大婶拍着他脊背说："别着急！根据厂党委紧急会议分析，你爸不像是自杀……已经送医院抢救去啦，危险是危险，不过估计还能救过来……"

范奶奶、耿艳华、范爱湖都在琢磨。镜头推成范爱湖动脑筋思索的大特写。

三十七

湖边。又是傍晚。天上出现了雨云。风把沿湖柳树吹得枝条舞动。湖波激荡着。

陈有馨和齐步云紧贴着湖岸的铁栅栏往厂里走，俩人激动地议论着。

陈有馨挑动地说："看，厂党委对孙福顺这样的老反革命一再宽大纵容，对景鹿龄这样的老革命却一再排斥打击，什么路线嘛！"

齐步云："就是……"

陈有馨："一个劲追究'评奖委员会'，弄到我头上来了。人家是党委书记嘛，他叫我进去当个'参谋'之类的，我能不听？这下可好！我背了黑锅不说，你总是响当当的造反派了吧？成立革委会时你让权，现在呢，尝到点味儿了吧？"

齐步云:"什么'让权',还不是王东声他们'唯我独革',硬给拉下来了。还得给党委刷大字报!"他下定了决心,用拳头猛一击湖边铁栅……

栅栏内蹦起穿海军衫的男孩:"把我鱼吓跑了!赔我!"原来他正在湖边钓鱼。陈有馨和齐步云没把他当回事儿,继续往前走,只听陈有馨说:"……上纲高点,火力猛点……这次我就别挂名了吧……"男孩眨眼琢磨……

三十八

范爱湖家。

范爱湖、耿艳华、田大婶、范奶奶兴奋地议论着,孙小起也基本镇定了下来。

田大婶:"运动前,景鹿龄那么重用陈有馨,让他成了'评奖委员会'里的主心骨,准有点什么见不得人的内情!"

耿艳华:"我听爸爸说过,德志他爸爸差点成了党员,当上厂宣教卫生科科长哩!"

范奶奶:"可不是!他是景鹿龄手下的红人!就拿分宿舍来说,他们家才三口人,住了多宽敞的三间大北房!艳华他们家六口人,才分到两间东屋……"

田大婶:"怪不得运动一起来,革命群众造景鹿龄的反,他凶成那副模样,死保景鹿龄……"

孙小起:"他开头是个保皇派,可后来就跟我爸差不多,也逍遥啦,没事净跟齐叔叔下围棋……"

耿艳华:"他是假逍遥!别以为他跟齐叔叔真是在一块下围棋,齐叔叔在厂里刷的那些个大字报,没准都是他出的点子!"

范奶奶:"这两天他有点反常!昨晚和今天都听见他家厨房里自来水哗啦哗啦响,后来又使劲用东西揣水,他是个从来不干家务事的人,真是犯了邪!"

田大婶:"他一年多不直接出面刷大字报了,可今天跟齐步云一块在厂里刷大字报,拼命把大伙注意力往小起他爸身上引……"

孙小起:"是呀,我爸的怀表丢得多怪!"

耿艳华注意到,半天没说话的范爱湖脸上呈现出特殊的表情,她嚷了一声:"都先别说！听爱湖的！"

其他几个人都停止说话，个个把目光集注到范爱湖身上。镜头推向范爱湖，她把食指贴在唇上，两眼熠熠闪光，激动地压低声音对大家说："陈有馨真怪……他们家下水道为啥突然堵上了呢？他干吗急着去弄呢？干吗不让我帮着掏呢？……"

第七章

三十九

天黑了。下起雨来。雨丝洒到湖面上，呈现出一片细密的涟漪。

路灯亮了，在湖中投下闪烁的倒影。

雨幕中的工厂。高大的厂房灯火通明。隆隆的机器运转声。

大字报区。下了班的人们冒雨观看大字报。

齐步云手里提着糨糊桶。他刚刷完大字报，正激动地对周围的一群人说："同志们！王东声他们的路线错啦！景鹿龄这样的老革命扔到一边当靶子，天天挨批！孙福顺那样的老反革命逍遥法外，畏罪自杀了还要送去急救！完全是形'左'实右嘛！……"

谁知招来一片驳斥声："景鹿龄为什么不该挨批？""孙福顺是不是畏罪自杀还不能下结论嘛！""你才是形'左'实右呢！"

齐步云找不到知音，气冲冲地穿过人群离去，脚步不稳，猛地摔了一跤，糨糊桶里的糨溅了一身。

一只粗大的手把他提起，原来是耿大伯，只见耿大伯严峻地对他说："你要再不清醒，那就摔下去爬不起来了！"齐步云狼狈地揩抹着身上的污泥糨糊，许多人从他身后走过，只听有人喊："快看揭发陈有馨的大字报去！""这个人才是真正的问号！"

齐步云一惊："陈大夫？"他东张西望地寻找着不久前还在给他出主意的陈有馨……

四十

范爱湖家里。奶奶正给范爱湖穿雨衣，田大婶及耿艳华、孙小起站在她身边。

田大婶："爱湖，你这次汇报时候说细致点，咱们有把握从下水道里掏出血书……"

耿艳华："我们能把陈有馨拴住！"

范奶奶："德志的工作我来做……"

孙小起："你把党委指示带回来，咱们就动手！"

范爱湖刚要出门，穿海军衫的男孩忽然拿着把湿淋淋的雨伞跑入，他径直冲到范爱湖身边，喘着气说："爱湖，景鹿龄刚才往小公园里钻呢，你说有多怪！……"

耿艳华："你怎么正巧遇上了他？"

男孩："爱湖姐说的嘛，得瞄准景鹿龄，监视他的行动……我钓完鱼回家，瞧见他下着雨还往小公园溜，那还不盯住他！……还有怪的呢，陈大夫也去了！……陈大夫可真忙乎，我钓鱼的时候，还听见他出主意，让齐叔叔给党委刷大字报……"

范爱湖眼珠一转，立即建议说："我先去监视景鹿龄他们！你们到湖边和小公园外头保护我……"

大伙点头。范爱湖"刷"地脱下雨衣，搁到奶奶手中，说了句："穿着不方便！"便轻捷地跑出了屋去。

田大婶立即对屋里的人布置："咱们这样分头行动……"

四十一

范爱湖跑到湖边。天已黑尽，雨越下越大，雨丝抽打着黑绸般的湖面。

范爱湖望望湖对岸。小公园就在对岸那边，可以透过雨幕看到花坛中的兰花灯。

耿艳华打着把伞追到她身后："绕过去起码得一刻钟，要不，你骑自行车去吧！"

范爱湖："不，那会把他们惊跑的！"她毅然决然地翻过湖边铁栅栏……

耿艳华惊讶地扑向铁栅栏："你——"

范爱湖："游过去！这一百来米我三分钟就够了！"

她顺着湖岸滑进水中后，扒住湖岸嘱咐耿艳华："没听见我嚷，你们先别采取行动！"耿艳华点头，范爱湖潜入水中。

范爱湖冒雨泅渡清水湖，她以蛙泳姿势，拼力而尽可能不出声响地游着……

四十二

湖边小公园。一片雨打树叶的声音。

小公园中最偏僻的一角，路灯光照不到的地方，一株巨伞般的垂柳树下，景鹿龄和陈有馨正在密谈。景鹿龄是从家里来的，穿着雨衣；陈有馨径直从工厂里来，浑身淋得透湿。

景鹿龄："抢瓦罐，偷怀表，下毒药……蠢透了！跟你讲清楚，如果你因为刑事犯罪被揪，我是要跟你划清界限的！"

陈有馨："我为了谁？光为了我自己？……哼，咱们之间能划出界限来吗？……"

就在景鹿龄和陈有馨头上一米多高的地方，大柳树茂密的枝条被两只手轻轻拨开，范爱湖侧耳捕捉着两个坏蛋的密谈……显然，她已经骑在大柳树粗壮的枝权上监听好一阵了……

景鹿龄："万一你被揪，我历史上那段事，希望能实事求是……"

陈有馨狞笑："别忘了你自己是那个'重点'吧！……"

景鹿龄颓然地："可我，我不是……那个！"

陈有馨一把揪住景鹿龄雨衣："你虽没填过那张表，可你为我们干过事，你手上——也沾满了共产党人的鲜血！……今天，我为你担风险，你反而想甩……哼，没门！"

景鹿龄狼狈："我忘不了你！"

陈有馨忽然嘘了一声："有脚步声！"随即松开他。

两人耸耳细听。

树上的范爱湖也耸起眉毛细听。她从交错的树木枝权缝隙中望见，远处公园通道的一盏路灯下，齐步云披着件雨衣，失神地踱着步子。她想了想，灵巧、轻柔地从景鹿龄、陈有馨看不见的那一面滑下了树。

　　齐步云从工厂出来以后，思想混乱，心情烦躁。他没有回家，而是跑到小公园来"冰一冰"自己。

　　他使劲吸着烟，来回在灯柱下踱步，皮鞋踩得石子路面咯咯响。雨帽滑脱，雨水淋湿了他的头发，也没有觉得。他脑海中浮现出厂里人们围着观看揭发陈有馨的大字报的情景：（圈入）他也惶惑地挤在人群中，只听一个声音在念："据当年臭水湖监狱的看守交代，四三年和日本人在一起拷打过革命者的那个特务，跟陈有馨长得一模一样……"（圈出）齐步云扔掉烟屁股，抹一把脸上的雨水，耳边又响起耿大伯的声音："你要再不清醒，那就摔下去爬不起来了！"他咬咬嘴唇，痛苦地离开小公园。

　　他刚走到小公园入口处，忽然范爱湖从一丛榆叶梅后面钻了出来。

　　齐步云望见浑身透湿的范爱湖，吃了一惊，他刚要发话，范爱湖凑拢他跟前，诚恳地说："齐叔叔！你错啦！"

　　齐步云一时莫名其妙："什么？"

　　范爱湖："你听陈有馨的，保景鹿龄，立场错啦！"

　　齐步云："你小孩懂什么！……怎么大雨里还跑出来玩？"

　　范爱湖："不是玩！是战斗！"

　　她踮脚附在齐步云耳边讲了一会儿，齐步云半信半疑："真的？！"范爱湖："不信，你跟我来，别出声！……"

　　她拉着齐步云从树丛中曲曲折折地走向两个坏蛋密谈的地点。

　　范爱湖和齐步云掩蔽在一排茂密的松墙后。

　　景鹿龄和陈有馨从大垂柳下走了出来，恰在松墙前分手。

　　景鹿龄："……要以攻为守，但是尽量不要自己出面……"

　　陈有馨："我明天就鼓动齐步云到区里告王东声他们，不掀起大浪头决不罢休！"

　　景鹿龄："齐步云这个人名利心重，不过政治上摇摆性大，要防止他反戈一击！"

　　陈有馨："哼，他反戈一击？我叫他去会会姓孙的！"

　　松墙后，齐步云瞪圆了眼睛，他几乎要直冲出去，范爱湖紧紧抓住了他的胳膊。景鹿龄和陈有馨分了手，一个往东，一个往西。

齐步云颓然跌坐在地上，他用拳头擂着太阳穴，悔恨交加。

范爱湖拉起他来："走，找党去！"

四十三

党委办公室。开党委扩大会的人们围着浑身湿淋淋的范爱湖，范爱湖依偎在妈妈曹淑兰身上，曹淑兰抚摸着她潮湿的头发，深情地望着她……

王东声表扬地："母女俩都是顾不得回家，就直接打火线上奔这儿来了！"

另一间办公室。耿大伯正在和齐步云谈话。

齐步云痛心地说："我让'私'字迷住了心窍，不如一个十四岁的孩子清醒……"

党委办公室。王东声："爱湖，党委决定邀请你作为红卫兵代表，参加我们的扩大会！"

范爱湖："我？"她有点吃惊。这时，党委成员们情不自禁都鼓起了掌来。

范爱湖理理臂上被风雨打湿的红卫兵袖章，眼望着墙上毛主席接见红卫兵的巨幅照片，激动得涌出了泪花……

四十四

陈有馨浑身透湿地回到家门前。

他打开门，不禁吃了一惊——屋里三个孩子在下跳棋。一个是德志，一个是穿海军衫的男孩，另一个竟是孙小起！

三个孩子同时抬起头来看他。

陈德志："爸！你怎么淋成这样啦？"他赶紧去取干毛巾，递给陈有馨。

陈有馨盯着孙小起问："小起，你怎么还在这儿玩？你不知道你爸爸的事儿吗？他服毒自尽，送医院抢救去啦！"

孙小起："厂里派人把我妈找去了，他们说小孩子别去！"他继续跳棋子。

陈有馨进一步问："你爸爸就是蒋体仁，知道了吗？"

孙小起："厂革委会的人让我妈跟我相信群众相信党！爱湖也跟我说了，要我读毛主席的书，听党的话，我爸的事能调查清楚！"

陈德志也帮他说:"爸爸,人家是不是自杀,听说还没肯定呢!"

陈有馨阴沉着脸进入厨房……

刚进厨房,他就愣住了——范奶奶在里面。

范奶奶:"陈大夫您回来啦?瞧我这耳朵,愣没听见声响——哟,怎么淋成这模样啦?……"

陈有馨勉强敷衍着:"忘了带伞,怎么您——"

范奶奶:"嗨!我们家火灭啦,借您这炉子熬点药——我那血压高又犯啦!……"

陈有馨不禁狐疑:"是吗?——"他迟疑了一下:"您熬吧,熬吧……"

范奶奶:"您得洗洗吧?我一会儿再来——这药刚坐火上,且熬不好呢!"

陈有馨:"您熬吧,我里屋洗去……"他端走脸盆、暖瓶,皱眉进入卧室。

他端着脸盆、暖瓶,呆呆地站在穿衣镜面前,有点吃惊地端详着自己落汤鸡般的模样……

他猛地放下手里的东西,走到墙边悬挂的全家照片前,瞅了一眼,心里想:(画外音)"我恨一切人,连他们母子。在他们面前,我也得演戏。够了!干脆,掏出血书来,赶紧往边境逃吧!"

他转动着眼珠,心里琢磨(画外音)"为什么孙小起偏在这儿跟德志下棋?为什么范老婆子偏在厨房熬药?莫非……不,过去小孩子也常来下棋,邻居也来借过火……我得沉住气……"

陈有馨开始用干毛巾搓头发……

四十五

党委扩大会在进行中。

王东声正指着桌上的几样物证发言。几样物证是:重新粘合好的瓦罐和覆在上面的粗碗;孙福顺的怀表;孙福顺的茶缸子。

王东声:"……内查外调的结果,充分说明陈有馨就是蒋体仁,而景鹿龄二十年来一直包庇了他。蒋体仁现行反革命活动的人证物证也基本齐备,只等从他家厨房里掏出血书,就可以上报定案了……大家还有问题吗?"

范爱湖：“我有。”

大伙的眼光都集注到范爱湖身上。

范爱湖：“景鹿龄是怎么成了走资派的呀？艳华他们问过我，我答不出来……告诉我吧，我好讲给湖边的伙伴们听！”

王东声对大人们：“是该让孩子们从小学着分析走资派的来龙去脉啊！”转向曹淑兰，“景鹿龄也有其代表性，你材料上最熟，给说说吧！”

曹淑兰点点头，开始讲述：“景鹿龄原是个小地主家庭出身的大学生；抗日战争时期，卷进了学生运动，入了共产党。四三年的时候，地下党让他把一批八路军急需的药品，运到火云县钟铁锤同志的铁匠铺去，那铁匠铺是个八路军游击队的秘密转运站……”

镜头化为钟铁锤在铁匠铺中打铁。他有四十多岁，络腮胡。身穿厚布护衣，赤裸着健壮的双臂。他猛劲捶打，火花四溅。

曹淑兰的画外音：“据我这次外调找到的，如今在广西工作的钟铁锤爱人回忆，那天的情况是这样的……”

一个商人打扮的中年人进了铁匠铺。

钟铁锤上前问：“您打个什么？”

商人：“秤钩子。”

钟铁锤：“打多少？”

商人：“一百个！”

钟铁锤：“要那么多？您是开秤铺的？”

商人：“不。河西县缺货，我想跑个单帮。”

钟铁锤见无人，把他引进内室，与他握手，亲热地称呼：“同志！”

商人打扮的同志从怀里掏出一大包药来，钟铁锤爱人走来接过。

那同志凑拢钟铁锤：“有个情况跟你汇报——昨天出城的时候，鬼子搜得紧；我瞅见个大学生往公共厕所茅坑里扔了一大包药——说不定是跟我执行一样任务的，临阵胆怯，干出了这号不像样的事儿……”

钟铁锤两眼闪出蔑视的光，气愤得牙筋抖动。

曹淑兰的画外音："那个大学生就是景鹿龄，他两小时后也到了铁匠铺……"

当年的景鹿龄，二十四岁，呢子礼帽，长布衫，正打开小皮箱，把里面的药取出来。

钟铁锤——检验着。他接过一包"跌打丸"，忽然吃惊。（特写）包装上有"火云县仁记老药铺"字样。钟铁锤愤怒地质问他："你怎么违反党的规定？！不允许在这县城买药！这会引起驻县鬼子的注意！"逼近他："你把党给你的药扔了，对不对？"

景鹿龄："守城门的鬼子太凶了，我怕暴露，所以……"

钟铁锤："你怕暴露自己，就不怕暴露组织？！这是十足的机会主义！"

景鹿龄辩解："不要紧……这儿药铺的少掌柜蒋体仁，我们两家是世交……"

钟铁锤双眼出火："世交？！谁允许你来县里跟他发生联系的？！"

镜头化为钟铁锤挥手让景鹿龄走掉；他指挥爱人把药品藏进铁匠挑子，让她挑上从后门撤走；他自己消灭着容易引起敌人怀疑的痕迹；一群鬼子突然冲入铁匠铺，钟铁锤抄起各种铁器——锄头、镰刀、三齿向鬼子奋力掷去……

曹淑兰的画外音："钟铁锤当机立断，组织了转移，但自己却不幸被捕……"

臭水湖监狱。高墙、电网、岗楼。

阴暗的地牢。

钟铁锤坚贞不屈的面容。

钟铁锤写血书的手。

钟铁锤在血书末尾画上火把。

曹淑兰的画外音："鬼子后来把他转移到城里臭水湖监狱，严刑拷打，要他讲出党的秘密，他宁死不屈……他从看守们的谈话里证实了蒋体仁的特务身份，临牺牲的前一夜，用血向党写下了汇报……"

镜头化为解放后景鹿龄的小客厅。

景鹿龄坐小沙发上，跷着二郎腿，用细瓷小茶壶对嘴喝茶。

曹淑兰的画外音："解放后，景鹿龄依仗刘少奇的修正主义路线，当上了厂党委书记，有一天……"

保姆人："景书记，外头有人要见您。"

景鹿龄不耐烦地说："告诉他我不在家！"

保姆回头一看："他进来了！"

景鹿龄生气地搁下茶壶。

进来个知识分子打扮的人，慢慢往前走。

景鹿龄不由得起立迎上去。

景鹿龄："你——找我？"

那人："世交嘛！……"

景鹿龄一抖："你——蒋体仁！"

那人："不。我叫陈有馨……"

镜头化为景鹿龄、陈有馨坐在沙发上密谈的背影。

再化为茶几烟缸的特写。烟缸中一堆烟屁股，冒出缕缕白烟。

镜头回到党委扩大会的场面。

曹淑兰："……所以，景鹿龄成为走资派，是有缘有故的。"

王东声："他这种走资派，民主革命时期就是冒牌的革命者；社会主义革命时期掌了权，包庇、重用坏人，卖力地推行刘少奇那一套修正主义路线；文化大革命当中又跳出来镇压革命群众，直到今天还不肯改悔——是最大的祸害！不打倒怎么行呢？！"

范爱湖憋不住了："真可恨！"她激动地对大人们说："原先，我懂得恨地主老财，恨资本家，恨反革命，恨坏分子……今天，我懂得恨走资派了！下次红卫兵组织生活，我要讲给艳华他们听：走资派是蛇窝里头最毒的蛇！……毛主席说文化大革命完全必要，非常及时，今天我可有新体会啦！"

会场上的人们纷纷点头。大家看到一代粗知马列的革命接班人，在阶级斗争风浪中迅速成长，感到无比欣慰。

王东声："好，爱湖，现在你可以回去组织掏血书的战斗了——"

范爱湖起立："保证完成任务！"

第八章

四十六

陈有馨家。

陈德志已经在卧室中睡熟。

陈有馨在厨房中掏泄水孔。他笨手笨脚，又怕发出过响的声音惊动四邻，搞得满头大汗而一无所获。范爱湖跑入宿舍。耿艳华在门边迎着她："你可回来了！我们一直把他拴到刚才，让他没法子去掏下水道……现在他动手啦，听得见响声！"

范爱湖："可别让他自己掏出来得着！"

耿艳华："没那么容易！不用镐刨哪成呀……"

范爱湖："党委批准咱们的计策了，快，上！"

陈有馨在厨房中。

传来急速的敲门声。

陈有馨惊恐万状。他拔出身上藏着的匕首，准备拼命。

传来耿艳华的声音："陈大夫！陈大夫！"

陈德志惊醒，从床上坐起来揉眼睛。

陈有馨镇定下来，把匕首藏回身上，走到外屋门旁问："什么事？"

耿艳华的声音："陈大夫，我爷爷病了，劳驾您去给看看吧！"

陈有馨松懈下来，赶紧去开了门。

耿艳华一副真诚着急的样儿。

陈有馨装出和蔼的声调说："好，我就去……别着急嘛，还是那个老毛病吧……"他取了听诊器，随耿艳华出屋，朝前院走去……

陈德志刚刚重新躺下，听见有人在敲窗户。

他坐起来，侧耳听。

窗外是范爱湖的声音："德志！快起来！有事儿！"

陈德志赶紧穿衣服。

陈德志打开门。范爱湖和孙小起一齐进了屋,手里拿着小镐、螺丝扳子等工具。

陈德志莫名其妙地望着他们:"干吗?"

范爱湖:"德志,我们帮你家修下水管来啦!"

陈德志大吃一惊:"都几点了? 你们疯啦!"

范奶奶进了屋。她走到陈德志身边,搂住他肩膀,亲切地说:"德志呀,奶奶有要紧的话要跟你说,来……"

范奶奶把陈德志带到桌边,让他坐下来谈。

范爱湖和孙小起带着工具进入陈家厨房。

四十七

耿艳华家。耿爷爷倚着一厚摞枕头半躺在床上。陈有馨正在给他听诊。

田大婶和耿艳华在一旁观察。

远处响起热烈的锣鼓声。田大婶和耿艳华不禁交换了个眼色。

耿艳华打开收音机,立即传出播送"九大"新闻公报的声音。

耿艳华高兴得跳起来拍巴掌。田大婶也眉飞色舞。

耿爷爷不禁说:"多好的消息呀!"

陈有馨取下听诊器,神色沮丧,敷衍地说:"您还是支气管炎,我回屋给您取点药来吧!"

耿艳华忙上前阻拦:"陈大夫,您开几样药名吧,我到药房买去!"

陈有馨只好拿起桌上纸笔开药名……

范爱湖在陈家厨房用小镐刨着泄水孔周围的水泥地面,孙小起在一旁帮忙。

院里传来播送"九大"新闻公报的声音。

范爱湖:"快! 一定要打个漂亮仗,向'九大'献礼!"

两人更起劲地干起来。

范奶奶在做陈德志的工作。陈德志瞪圆了眼睛,几乎不相信自己的耳朵……

耿艳华家。

陈有馨写完了药名,眼珠略微一转。镜头推成他黑魅魅的特写,他在琢磨:

（画外音）"中了他们的调虎离山计了——血书可能已落到他们手里，我必须立即逃走！……"

陈有馨团掉写药名的纸，站起来说："艳华，我亲自去吧，省得你买错了！"说完便往门外走。

耿艳华和田大婶一时不好拉住他。他出屋后，耿艳华小声问田大婶："爱湖他们要是还没掏出来，可怎么办？"

田大婶："你盯上他！我去爱湖那儿看看！"

范爱湖和孙小起刨出了泄水孔下面的铁管子。

孙小起急着要用铁丝把堵塞在管子里的东西捅出来，范爱湖劝住了他："王叔叔嘱咐了，要当着德志的面把血书取出来！"

四十八

湖边。锣鼓声、鞭炮声、口号声。

游行队伍举着红旗、横幅，欢腾流动。

陈有馨疾走。耿艳华在后面追问："陈大夫！等等我！咱俩一块去！"

陈有馨借两支游行队伍交错的当口，横穿过纷杂的人群。

耿艳华失去了追逐的目标，非常着急。

四十九

陈德志低头坐着。范奶奶和田大婶在一块开导他。

范爱湖和孙小起拿着挖出的铁管子（下水管）来到他们面前。陈德志抬起了头，和范奶奶、田大婶一起朝铁管子望去。

范爱湖让孙小起用铁丝捅，捅出了几块沤得稀湿的布片。

范爱湖接住布片。很快找到一块最能说明问题的布片，递过去给陈德志看。

（特写）那是血书残片。上面画着的火把仍清晰可辨。

陈德志悔恨交加。他冲到墙边揪下装有陈有馨单人照片的镜框，狠劲摔到地下……

陈有馨惊恐的面影。

迎面又来了一支游行队伍，他扭转身，后面也来了一支游行队伍。

他顺着路边阴影拐进了僻静的小公园。

耿艳华跑进陈德志家。

耿艳华："狗特务逃跑啦！"

范爱湖："追！"

她带头冲了出去。

五十

田大婶在给厂里打电话。

王东声在接电话："抓他的条件已经完全成熟！民兵立即出动，你组织居民和孩子帮助把守各个通往湖外的路口！"

范爱湖在前，耿艳华、孙小起在后，跑到了小公园附近。

刚才经过那儿的游行队伍都已移到了湖外大街上，这时锣鼓口号声渐远。

穿海军衫的男孩及其他几个孩子迎着范爱湖跑来。

范爱湖对他们挥挥手："你们快去那边街口放哨！"又嘱咐耿艳华和孙小起："你们从东边，我从西边，把公园检查一遍！"

陈有馨匍匐在小公园的一丛灌木后，有如惊弓之鸟。

公园外又有一支游行队伍经过，锣鼓声渐近，口号声渐响。

范爱湖出现在他三米外的地方。他吓得一动。

范爱湖朝他这边扭过头来："谁？"

范爱湖大步跨到灌木丛边。

陈有馨猛地扑上去，紧紧掐住范爱湖脖子，范爱湖一时出不得声。

陈有馨把范爱湖往下按，范爱湖双拳紧擂陈有馨，两人搏斗。

陈有馨把范爱湖按到地上，使劲掐她。

（特写）范爱湖充满仇恨的一双眼睛。

小公园的树顶在旋转。

旁边儿童运动场的滑梯在摇晃、转椅在摆动。

（特写）范爱湖充满斗志的面容。

（叠印）钟铁锤坚强的面影，他的声音："爱湖，跟他斗！"

（叠印）王东声鼓励的面影，他的声音："爱湖，坚持斗争！"

（叠印）爸爸、妈妈沉着的面影，他们的声音："爱湖，跟他拼！"

（叠印）耿大伯、田大婶、奶奶愤怒的面影，他们的声音："爱湖，拼到底！"

（叠印）耿艳华、孙小起和其他孩子的面影，他们齐呼的声音："下定决心，不怕牺牲，排除万难，去争取胜利。"

（叠印）鲜艳、闪亮的火把，在熊熊燃烧……

（叠印）许许多多的火把，在旋转、在飞舞……

叠印止。范爱湖一下子挺起来，把陈有馨推倒，陈有馨被她压在了下面。

范爱湖骑在陈有馨身上，一面擂拳打他一面高呼："来——呀——！坏蛋在这——儿——！"

耿艳华、孙小起和别的孩子从几个方向飞速跑来。

陈有馨拔出匕首，企图向范爱湖扎去。耿艳华跑拢，一脚踩住了陈有馨握匕首的手。

几只手电筒光一齐照来，民兵们赶到。

手电筒照出的光圈中，范爱湖英姿勃勃地叉腰站立，一脚踏住死猪般的陈有馨。鼓槌猛击鼓面。两面锣猛烈撞击。革命群众的洪流，滚滚向前。陈有馨被押着从湖边走过。游行的人们高呼口号："无产阶级专政万岁！""认真搞好斗、批、改！""把无产阶级文化大革命进行到底！"

范爱湖、耿艳华、孙小起等孩子进入游行队伍。

范爱湖走在王东声身旁。

王东声把一样东西递给她："留着作个纪念！"

范爱湖接过来一看——（特写）是画着火把的血书残片，已经珍重地包在了玻璃纸里。

王东声："接过革命前辈的火把，在无产阶级专政下继续革命！"

范爱湖把血书上的火把紧紧贴在心口："我们——要让革命的火把，永远、永远也不熄灭！"

游行队伍洪流滚滚。

巨大的横幅："团结起来，争取更大的胜利！"

队伍中，陈德志和齐步云也和大家一起高呼革命口号。

远处升起了焰火，缤纷的倒影在清水湖中交错闪动。

范爱湖满怀豪情向前迈进。她后面，是千百万欢呼的群众，如海的红旗，艳丽的焰火……

歌声：

我们是文化大革命的孩子，

在阶级斗争、路线斗争的风暴中长大！

从小粗知马列、浪尖上来摔打，

永远、永远高举继续革命的火把！

啊，壮丽的青春献给毛主席，

我们是太阳下盛开的红花！

收入《朝霞》丛书，上海人民出版社 1976 年 9 月第一版

第一次思索

妈妈常说:"嗯,这事可得好好思索思索。"

远远也就时常学舌:"这事呀,我可得思索思索!"

可是隔壁上中学的岭梅姐姐一听远远说这话,就吃吃地抿着嘴笑话他:"你?光知道满处跑着玩,懂得啥叫思索哇?"

"咋不懂了!"远远把胸脯一挺,不服气地说:"我们老师告诉我了,思索,就是动脑筋想的意思!"

岭梅姐姐还是笑,笑得抓髻直哆嗦,她说:"你妈妈说的那个思索思索,可不是一般的动脑筋想想哇!"

远远就特意观察了妈妈好几天。的确,妈妈的思索显得挺高级,远远总结出了这么几条:

第一,妈妈思索的时候总要跟书做伴儿。马列著作和毛主席著作,那是每次必有的。妈妈曾经捧着它们对远远说过:"这是指路的明灯啊!"有时还看些参考书,什么《哲学小辞典》啦,《政治经济学》啦……远远偶尔抻过去翻翻,没啥画儿,净是一行挨一行的字儿,有的字还特难认,看着该有多费劲儿啊!可妈妈还是常在灯下聚精会神地看它们,看看、想想,有时还拿笔往书边上写点啥……

第二,妈妈思索的时候特专心。有一天,妈妈从厂里回来,眉头老往一块儿碰,眼睛像是老望着远处什么地方,显然,她是一路思索着回来的;远远把自己煮好的米饭端下来,让妈妈炒菜,妈妈切菜、放油、倒菜、使锅铲都挺麻利,可开饭的时候母子俩一吃——唉呀，忘记搁盐啦！为啥呢？就因为妈妈炒菜的时候也净愣神思索了；吃着半截饭，妈妈还会突然撂下筷子，跑去打开笔记本写上两笔——远远懂得，那准是妈妈思索出啥名堂来啦！

第三，妈妈有时思索到半当间，不管天已经黑了，也不管外头在刮风下雨，会忽然站起来，嘱咐远远几句，便跑到厂里别的伯伯、叔叔、阿姨家里面去；回家来，往往笑容满面，自言自语地说："嗯，还是多找几个人一块思索思索好！"怎么思索还要多找上几个人呢？这，远远一时就弄不大懂了。

远远观察出了妈妈思索的"窍门"，有一天放学回了家，二牛喊他下楼踢小皮球，他不去；阿冰找他下跳棋，他也不去；他跑到隔壁，走到岭梅姐姐跟前，神气地宣布说："今天，我要好好思索思索啦！"

岭梅姐姐正站着削土豆，笑嘻嘻地问他："你思索个啥问题呀？"

啥问题？这远远倒没选定呢，可他理直气壮地说："反正，问题多的是……好比，为啥土豆上长出的芽儿不能吃呀？前些天，唐山怎么会发生地震呀？……都是问题呗！我思索哪个不行？"

岭梅姐姐笑弯了腰，一个劲摇头说："不行不行！这些问题你们老师都把答案说得一清二楚了，你还思索啥？"她见远远一副扫兴的模样，便出主意说："要不，你思索思索这个吧：你妈妈为啥给你取名叫远远？"

远远把头一偏，得意地说："我是一九六六年夏天生的，正是毛主席发动文化大革命的时候，妈妈给我取名远远，是要我永远永远沿着毛主席革命路线前进的意思……这不也没啥好思索的吗？"

岭梅姐姐摇摇头，严肃地说："才有得思索呢！含义可丰富啦！"

"好！我就思索这个！岭梅姐，你一会儿来看我思索吧！"远远一蹦一跳地跑回自家屋去了。

岭梅姐姐煮上土豆，还真的跑去看他怎么思索，一看，忍不住"扑哧"笑了。原来，远远从书架上搬来妈妈好几本大厚书，有的叠着，有的翻开，他坐在桌前，鼻梁上架着个秫秸秆做的眼镜框，枕着胳膊肘——不知啥时候已经睡着了！

岭梅姐姐当晚把这事儿讲给远远的妈妈听。妈妈搂着远远笑得差点掉出眼泪来。笑完了，她轻轻拍拍远远的后脑勺说："我那个思索思索，是根据马列主义、毛泽东思想，对厂内外的重大问题进行路线分析啊——你光学个姿势咋行呢？再说，你才小学三年级，一下子也钻不了太深的问题……"想了想，妈妈又扶住远远的肩膀说："这样吧，赶明儿遇到合适的课题，咱们一块儿思索……"

什么是合适的课题呀？显然妈妈是嫌自己小。有好几次，似乎已经碰上合适的课题了，远远缠着妈妈要"一块儿思索思索"，妈妈却犹犹豫豫地说："再等等吧，等你再大点儿……"

比如，那回亚娣表姐打上海出差来北京，给远远带来了一副乒乓球拍，远远可高兴啦！当时就拿个乒乓球对着墙打了起来；妈妈和亚娣表姐坐在一边聊天，开头远远没在意，后来听见亚娣表姐在讲什么"张小姐结婚"的事儿，又是摆了多少桌筵席啦，又是得了多少台电视机的礼物啦……远远就停止打球，跑过去问："哪国的张小姐呀？"

亚娣表姐望了妈妈一眼，笑着说："就是咱们中国的啊！"

远远眨巴眨巴眼睛，点着头说："知道啦。解放前的事儿吧！"

亚娣表姐直摇头："哪儿！就是前几个月的事情！"

远远再眨巴眨巴眼睛，跳起来说："知道啦！台湾的事儿，对不？香港的事儿，对不？"

亚娣表姐还是摆手："不对！不对！"她也不笑了，脸色变得挺严肃，撇撇嘴，叹口气说："是我们上海的张小姐！"

"上海的张小姐？"远远糊涂了，他赶忙问妈妈："哪家的呀？她爸爸准是个大资本家吧？"

妈妈和亚娣表姐对看了一眼，妈妈意味深长地点点头，亚娣表姐愤愤地说："哼，就是叫喊限制资产阶级法权最厉害的那个张家的！"

这是怎么一回事啊？远远要打破沙锅问到底，妈妈却劝他找阿冰打乒乓球去："赶明儿你长大点再思索这个问题吧。"结果就没思索成！可晚上，远远却瞅见妈妈在灯下思索了好久、好久……

日子一天天地过去，远远天天早晨起来都跑到门边量个儿——他在门框上贴了个两米长的纸尺子——唉，虽说客人们常说他"又长高啦！"远远却觉得自己长得太慢、太慢！

一九七六年九月九日来到了。下午四点钟，电台播出了伟大领袖毛主席逝世的消息，全国以及全世界的革命人民立即陷入了巨大的悲痛之中。远远还从来没经历过这么大的事儿，看到降下一半的国旗，听到沉重悲怆的哀乐，他知道自己不是在做梦；可是，坐在教室里也好，回到家里也好，一望见镶着黑框的毛主席像，毛主席还在亲切地对着自己微笑，就想，也许毛主席是在睡觉呢，要不了好久，就会醒来的。

毛主席逝世以后，妈妈沉思的时间多了。每天晚上，几乎都有厂里的工人、技术员来找远远妈妈谈心，一坐就是一两个钟头；远远在里屋做功课、看小人书，走神的时候，常听见大人们低沉的话音，有时候是互相提问题：

"毛主席去世前早指定了华国锋同志担任第一副主席，这说明对他们几个有所警惕吧？"

"他们几个这些天满世界活动啊！你们说，毛主席革命事业的真正继承者，能顶住他们吗？"

有时候是互相介绍见闻，特别让远远纳闷和惊讶的是这样一些片段：

"……大寨文艺宣传队奏《东方红》，她捂着耳朵说：'不听！不听！给我停下来！'对毛主席一点感情也没有……"

"……说到了共产主义还要有女皇！让我姨父他们戏装厂按武则天的样式给做袍子呢！……"

"……用什么'现代的大儒'影射咱们敬爱的周总理！听说在他们单位，不许戴黑纱白花悼念周总理；有个群众写了首悼念周总理的词，差点拉出来批斗！……"

"……我老家浙江那儿的武斗，就是他挑动的嘛，弄得工厂没法生产，乌烟瘴气……"

大人们议论的这几个人，究竟是谁啊？真叫坏呀！

天安门追悼大会的第二天晚上，唐伯伯来找妈妈谈心，两人议论了半天报纸上的照片，远远听见妈妈说："华国锋同志是毛主席亲自选定的接班人嘛，为啥致悼词连个单人照片都没有呢？！"又见唐伯伯用指头点着说："是呀！显见他们是故意突出自己，瞧——真是'图穷匕首现'呀！"妈妈和唐伯伯走了以后，远远把报纸拿去给岭梅姐姐看，俩人认出来唐伯伯点出的"他们"是王洪文、张春桥和江青。这是怎么回事？岭梅姐姐瞪大眼睛说："嗯，得好好思索思索！"远远缠着她教自己思索，岭梅姐姐为难地说："我自个儿思索还有困难呢，咋教得了你呀！"远远只好又算了，他想："是呀！都嫌我小！也不知要到哪天我才能像大人一样，开始真正的第一次思索哩！"

没有想到，半个多月以后，这一天就来临了。

那是十月四号——难忘的日子！

傍晚，夕阳射到居民楼高层的玻璃上，抬眼望去，一大溜玻璃窗都闪动着橘红色的光辉。

高大的白杨树在晚风中摆动着泛黄的叶片，窸窸窣窣地响个不停。

远远正和伙伴们用书包码成"大门"，在空地上赛小足球，忽然，响起越来越清晰的喇叭声。

一辆上海牌小轿车，滑行到空场边上就刹住了。很少有小轿车往这楼前停过，踢足球的孩子们都顾不得去追逐足球了，"轰"地一下围拢到小轿车前，有的摸灯，有的把光亮的车身当"哈哈镜"照，有的干脆探进头，求司机允许他伸手按按喇叭……

打小轿车里出来一个人，年纪不过三十多岁，却端着十足的官架子。他头发油光锃亮，穿得特讲究，活像是刚从王府井服装商店的橱窗里走出来的模特儿。

"首长"对闹哄哄的孩子们摆摆手，大多数孩子都安静下来。

"首长"问："喂，知道周宏莲同志家在哪儿吗？"

孩子们闹嚷嚷地把远远推到了最前面。远远就仰着头大声说："我知道！周宏莲就是我妈！"

"首长"感兴趣地上下打量着远远，说："啊，你长这么大啦！还叫远远吗？"

远远把胸脯一挺："当然啦！一辈子叫远远哩！"

"首长"似笑非笑地说："你妈能不能长长远远地向上发展，可就看今天啦！"

这是啥意思啊！远远正想问个究竟，"首长"挥挥手，示意让远远带路，远远便一蹦一跳地往楼里跑去，跑到楼梯口，扭头一瞧，"首长"在楼门外被吴大婶截住了。

吴大婶是妈妈他们厂里的老工人，性子直得像旗杆，有啥主张就挂啥旗子。

只听吴大婶说："谢梦达！是找周宏莲哇？嗬，瞧你今天这个打扮，当上个什么大角色啦？"

"首长"笑嘻嘻地对吴大婶说："左不过是写作班子里头主主事儿，报社编辑部里头说说话儿，社会上转转圈儿……哈哈，托咱们厂的福，过几天也许得个大角色当当！"

吴大婶眯起眼，盯住谢梦达，挺不客气地说："你既然调到那儿去了，写文章就用你们班子的名义发吧，要不就用你个人的名义；干吗跑来找厂里的理论小组，非把我们厂的这块牌子挂出去？瞧，到厂里找不算，这会儿索性找到家里来了，这是干什么？"

谢梦达仍然笑嘻嘻："咱们厂是个名牌厂啊！有的文章挂上这样的牌子发出去，影响更大嘛！一切要服从大造革命舆论的需要啊！"

吴大婶皱拢眉头，大声问："大造革命舆论？我倒要问问你，今天《光明日报》头版那篇《永远按毛主席的既定方针办》，究竟是个啥意思？！"

谢梦达眉飞色舞地回答说："意思很明白嘛！'任何修正主义头子胆敢篡改毛主席的既定方针，是绝对没有好下场的'！"

吴大婶眉头拢得更紧，她不放松地问："修正主义头子指的谁？凭啥这么提？"

谢梦达整整衣领，神气活现地说："天机不可泄露，你们自己琢磨去吧——我得抓紧找周宏莲。"说完，就摆手让在一旁发愣的远远继续给他带路。

远远领着谢梦达上楼梯的时候，还听见吴大婶不满的声音："这叫什么舆论啊！莫名其妙！"

远远听了两个大人说的这些话，觉得挺难懂。不过，远远知道，妈妈在厂里最尊敬两个人，一个是党委书记唐伯伯，另一个就是吴大婶；爸爸从部队回来探家的时候，远远听妈妈跟他说过："像我这样缺乏经验的新干部，要没老唐和老吴那样的老干部、老工人随时指点，就算学了好多的革命理论，也难挑起党委副书记这副重担子啊！"远远心想，吴大婶对这个谢梦达没好气，准有道理；哼，反正我不叫他谢叔叔；不知他找妈妈有啥事，这回我可得细细听听，非听个明明白白不可！

　　远远把谢梦达领进屋的时候，妈妈正坐在桌边看一叠稿子，旁边还摊着当天的《光明日报》，一见来客，她就站起来，笑着说："不是约好明天跟全组一块谈吗？怎么找到这儿来了？"

　　谢梦达自己找把椅子坐下，嘻嘻哈哈地搓着手说："何必跟那么多人谈？你是理论小组的领导嘛，你点个头、通知他们一声就行了嘛——事不宜迟啊！这不——"说着，他指指桌上的《光明日报》，"信号弹打出来了，咱们都得努力往上冲啊！"

　　妈妈摇摇头说："还是电话里跟你说过的那句话——你写的这篇文章我们理解不了，我们不同意挂上理论小组的牌子拿去发表！"

　　谢梦达拍拍桌上的《光明日报》说："看完它，你还是这么想？"

　　妈妈肯定地点点头说："可不！不光不同意这种发表方式，文章的内容也不敢赞同！"

　　远远正把眼睛睁得溜圆，愣愣地站在门边听两个大人说话。谢梦达扭头望望他说："小鬼，玩你的去吧！"远远不高兴地扭扭身子，两眼只望着妈妈，谁知妈妈也说："远远，你就先玩玩去吧！"远远心里嘀咕着："干吗我老这么小，老听不明白大人们说的话呢？"闷闷地出了屋。正巧二牛从他家门里头伸出半个身子，一个劲喊远远去玩刚逮来的天牛，还说玩够了就解剖。唉，远远毕竟刚十岁，他跟二牛玩起天牛来，也就把什么《光明日报》上的文章呀，谢梦达呀，妈妈和他的谈话呀，统统撂到比八达岭还远的地方去了。

　　远远跟二牛正蹲在二牛家的屋里逗着花点子天牛拉小纸车玩呢，岭梅姐姐拿着三张报纸来了。她把远远和二牛叫到桌边说："别傻玩啦！快来看看报纸吧！"

　　二牛瞧了两眼说："这张上登着告全国人民书，那张上登着悼词，老师给我们念过，有啥稀奇？"

远远指着第三张报纸说:"这不是两报一刊社论吗?讲的不就是要'按既定方针办'吗?"

岭梅姐姐脸蛋喷红,激动地说:"'按既定方针办'要真是毛主席的遗嘱,那为啥不写到告全国人民书和悼词里呀?"

二牛说:"没准是写头两篇文的人,给忘了呗!"

远远反驳说:"要真是毛主席的遗嘱呀,那说啥也不能忘了呀!"

岭梅姐姐说:"对哇!你们说这事怪不怪?"

二牛直挠耳朵:"特怪!"

远远一个劲拍脑门:"邪门!"

二牛佩服地望着岭梅姐姐说:"嗬,你看报真仔细!"

远远拖着岭梅姐姐衣袖问:"你是怎么思索出这档事儿的呀?真棒!"

岭梅姐姐使劲摇头:"我哪有那么棒呀!我还不是听远远你妈妈跟'大分头'谢梦达辩论,听出来的!"

二牛抢着问:"什么'大分头'?"远远抢着说:"就是谢梦达呗!"又缠着岭梅姐姐问:"他是干吗的呀?我妈干吗跟他辩论呀?"

岭梅姐姐撇撇嘴说:"'大分头'谢梦达可次了!我听我爸说过,他原来也是这个厂子的,前两年跑到部里头刷了份'批判经验主义'的大字报,后来又写了篇学习张春桥文章的稿子,就被啥高级理论班子看中啦,说他是反潮流的勇士、批判资产阶级法权的积极分子……嗬,打那以后他可就神气起来啦!我家搬进这楼以前,跟他住同院,两家门对门,原先他见了我还笑笑说两句话儿,后来可好,就跟不认识我似的……哼,摆什么臭架子,别以为坐着小汽车来咋唬,人家就怕他,远远你妈就不怕他,别瞧一不跟他吵,二不跟他急,说出话来可是一句顶一句,说得他光知道舞着胳膊瞎嚷嚷……"说到这儿岭梅姐姐就模仿谢梦达以势压人的怪相,逗得远远和二牛笑个不停。

"'大分头'找周阿姨,究竟为个啥呀?"二牛刨根究底地问。

岭梅姐姐解释说:"他写了篇稿子,题目特怪,叫啥《刘邦死后吕后如何按既定方针办》,硬逼着远远他妈同意用厂理论小组的名义登报!"

　　远远和二牛全都眨巴眼，一叠声地问："刘邦是谁呀？""吕后是好人还是坏人？""他写的稿，干吗让人家挂上名儿去登报呀？"

　　岭梅姐姐为难了，她晃晃抓髻说："唉呀，这我也说不清啦！"

　　正说着，从远远家和岭梅姐姐家合住的单元里，传来谢梦达哇啦哇啦的声音，远远一听，跳起来说："不许他欺侮我妈！走，帮我妈轰他去！"说着噔噔噔往家跑，岭梅姐姐和二牛也赶紧跟在他后面跑去。

　　远远一把推开家门进去了，岭梅姐姐和二牛都扒住门框往里看，只见谢梦达背着门，舞动着双手，趾高气扬地用训人的口吻说："要看清形势嘛！那些个老家伙，资产阶级民主派，百分之七十五过不了社会主义关，不要再对他们抱幻想了嘛！你还年青，又是个女干部，条件很好嘛，什么跟姓唐的那号老走资派打得火热呢？实告诉你吧，我这篇文章的观点，是有来头的！我来找你，也绝不是像你刚才说我的那样，是要向上头显示我能开辟地盘，有活动能力——上头希望你们这样的大厂子能出文章，宣传'按既定方针办'，带动全面，把斗争进行到底嘛！你看，文章是现成的，你的权力也是现成的，点个头，明天跟你手下理论小组的那些兵打个招呼，这一功你不就立上啦！文章发出来，影响出去了，中央首长一高兴，什么奇迹都可能出现的啊……"

　　远远的妈妈靠柜橱站着。她一头短发又黑又密，把黑红的瓜子脸衬托得特别精神；眼神犀利，好像要穿透谢梦达的心肺；嘴角上挂着个淡淡的、略带讽刺味儿的微笑。她穿着工作服，胳膊上还戴着副打补丁的旧套袖。她等谢梦达嚷完了，掠掠耳边的短发，声音不高，柔里带刚地说："这一功，还是你自己去立吧！我还是那三个想法：第一，从报纸上看，我还看不明白这个'按既定方针办'究竟是不是毛主席的临终遗嘱；第二，历史上，汉朝皇帝刘邦的老婆吕后有什么值得歌颂的，我理解不了；第三，你写的文章，却要我们厂理论小组挂名发表，这不是弄虚作假吗？……这也是老唐和党委其他同志的看法，所以，如果你不愿意明天到厂里跟大家谈，那现在就把这篇文章拿回去吧。"说完，远远妈妈就把桌上的那篇文章递回谢梦达手中。

　　谢梦达来之前，估计到周宏莲会拒绝一番，却没料到他那三寸不烂之舌，白白翻腾了这么长时间，竟丝毫也不能说动对方。他原想把事情办成以后，到写作班子的头头那儿报个首功，准能进一步飞黄腾达——要知道，他不比那些本人就有名气的老笔杆子，就算这篇《刘邦死后吕后如何按既定方针办》以他个人名义发表出来，也未必就能产生多大影响，何况写作班子头头也还没给他用个人名义发表这种"重头文章"的自由；而如果他能靠着旧有的关系，仗着他们写作班子的权势，说动周宏莲他们用这个大厂理论小组的名义发表出来，影响就会大得多；写作班子的头头当年看中他，把他要去，正是要他在关键时刻能起这么个穿针引线的作用。谢梦达见周宏莲斩钉截铁地把稿子退回来，不禁恼羞成怒，他用卷成筒状的稿子敲着桌子，威胁地对周宏莲说："告诉你吧！你们不答应，我总会找到别的大厂的！要不了多久，事情就会急剧变化的，你小心着点吧，不要跟党内那一层走资派同归于尽！"

远远妈妈只是冷冷地笑着，她静静地说："我相信，真正的党内走资派总是逃不掉历史惩罚的……"

谢梦达挥起胳膊还要冲远远妈妈开嚷，远远早在他身后一把揪住他的衣襟，一边用力往外拉他一边跺着脚喊："你干吗冲我妈嚷嚷？你坏！你走吧！少跟我们家待着！"

远远妈妈忙笑着来拉远远，谢梦达挣脱了远远的拉拽，甩甩落到额前的头发，也不跟远远妈妈道声"再见"，就气冲冲地出去了，跺得皮鞋跟山响。二牛冲他扮了个鬼脸；岭梅姐姐故意在他身后咳嗽了几声；远远却真的动了气，他追到楼梯口，冲着已经下到底下一层的谢梦达嚷："你以后甭来！甭来！"

谢梦达走了以后，远远妈妈陷入了深深的思索中。吃晚饭的时候，她饭也扒拉不下几口，菜也挟不了几筷子，远远便一个劲地安慰妈妈："妈！甭怕那个坐小汽车的'大分头'，他再来欺侮你，我把全楼的红小兵全叫来，拿绷弓子比着他，准把他吓得屁颠屁颠地再不敢来啦！"

刚吃完饭，唐伯伯和吴大婶就一块来找妈妈了。远远在厨房里洗完碗，回到屋里时，只听唐伯伯轻声地说："看起来，'按既定方针办'这里头可能有鬼！"又听吴大婶按捺着火气说："把江青比成吕后，也太露骨了嘛。"紧跟着妈妈重重地叹了口气说："是呀，谢梦达算不了什么，他在人家手里不过是根小钉子……问题在这几天的气候啊！我觉着，头上的乌云更浓更黑了，心里憋得慌！"唐伯伯和吴大婶比往常任何时候都严肃，点着头赞同妈妈的话。远远望望窗外，心里好纳闷，已经黑下来的天上，并没有什么又浓又黑的乌云，天空像紫蓝色的电光纸，星星像撒在纸上的白芝麻，多么美丽的夜空啊！怎么会让人感到憋得慌呢？

唐伯伯看看手表说："咱们支部的组织生活时间快到了，走吧！今天可得好好学习学习革命导师关于跟修正主义斗争的论述啊！"

妈妈点头说："是呀，可得好好往深里思索思索啊！"

三个人就一块下楼去。快到第一个楼梯拐弯了，突然传来一声清亮动人的呼唤——"妈妈！"

三个人不由得煞住脚。远远妈妈扭头一看，可爱的儿子站在楼梯头上，睁着一双亮晶晶的大眼睛，依恋地、询问地、期待地望着她。

远远妈妈心里一动，她回身走上楼梯，到远远跟前蹲下来，整理着他的衣襟，轻声地说："好好跟岭梅姐姐玩吧！天黑了就睡，不用等我……"

远远摇摇头，严肃地说："我不玩，也不睡，我要好好思索思索。"

妈妈笑了，她抚摸着远远红喷喷的脸蛋说："好，好孩子，你思索思索吧！"

远远眨了眨眼睛，长长的睫毛翻了几下，一本正经地问："妈妈，出什么大事啦？"

妈妈犹豫了几秒钟，她望着孩子赤诚的、探究的目光，感到面对着这样的谈话对象，一点来不得假的，便悄声对他说："出了修正主义，呐，就是说，有走资派，他们正干坏事呢！"

远远接着问："妈妈，什么样的人是走资派啊？怎么才能认出他们来呀？"远远妈妈望着急切想理解什么是走资派，并渴望参加斗争的儿子，心头一阵激动，她搂住远远说："问得好！我们的接班人，你问得好啊！"

远远妈妈让唐伯伯他们先走一步，她把远远带回了家里，岭梅姐姐和二牛看见了，便也跟了进去。

远远妈妈坐在大椅子上，望着环绕在她身前的三个接班人，心潮翻滚，激情洋溢地对他们说："毛主席指出'搞社会主义革命，不知道资产阶级在哪里，就在共产党内，党内走资本主义道路的当权派、走资派还在走'。咱们要擦亮眼睛，跟他们斗啊！什么样的人是正在走的走资派呢？其实毛主席早把识别走资派的标准告诉了咱们：'要搞马克思主义，不要搞修正主义；要团结，不要分裂；要光明正大，不要搞阴谋诡计。'那些搞修正主义、搞分裂、搞阴谋诡计的党内当权派，就是正在走的走资派，咱们决不能让他们得逞！这不，毛主席逝世还不到一个月，出了多少怪事……今天谢梦达来找我，这事不也挺怪吗？你们别以为他就是走资派了，他不过是人家手里的一个工具，因为听使唤，所以可以坐着写作班子的小汽车跑来跑去，到处摆谱儿吓唬人，他后头还有大头呢！你们细瞧这几天的报纸，有的相片，有的文章，登得好怪？估计他们还要接着发表一系列的文章，说不定还要干什么咱们想象不到的坏事儿……咱们的党，咱们的国家，咱们全体人民，包括你们这些毛泽东思想阳光雨露哺育的革命接班人，如今都处在一个特别特别紧要的关口上……"说到这儿，妈妈眼里涌出了激动的泪花，她停了几秒钟，用拳头揩去眼角的泪花，才轮流望着三个孩子的眼睛说："你们虽然还小，可都是红卫兵、红小兵，是该往深里思索思索啦——如果有那正在走的走资派要篡党夺权、复辟资本主义，我们该怎么办？怎么才能把毛主席开创的无产阶级革命事业进行到底？"

妈妈走了，三个孩子分别在自己家里思索起来。

岭梅姐姐咬着嘴唇记完了当天的日记，跑去找远远，只见远远家里黑着灯。难道远远又在思索中睡着啦？她在朦胧的光线中望望床上、桌边……都没有远远，远远跑哪儿去了呢？

岭梅姐姐在阳台上找到了远远。远远坐在小板凳上，双手托腮，两只眼睛睁得大大地，啊，远远在思索！他一定一直在坚持思索，快满一个钟头了吧？文化大革命的同龄人啊，这该是你童年时代第一次认真、严肃、深入的思索吧！

是的。远远在思索。天上的星星都在朝他眯眼；高高的白杨树也不再晃动它那最爱窃窃私语的树叶，仿佛生怕惊断了远远的思绪……远远结合妈妈讲的话，从亚娣表姐讲到的"张小姐结婚"，一直思索到这天晚上目睹耳闻的事儿。他细细地、往深里思索着、思索着……

收入《第一次思索》，北京人民出版社 1977 年 6 月第一版

果实累累

一

天边的晚霞像啥?

丝绸厂的阿姨见了,会惊叹地说:"哟! 谁把玫瑰绸铺到天上去啦?"

钢铁厂的叔叔见了,会赞赏地说:"瞧,老天爷炼的优质钢出炉啦!"

红罗山下魏家村的插队知识青年钟志宏呢? 他从菜田里直起腰来,用手背抹去额上珍珠般的汗珠,皱眉望着天边的流霞说:"天上的西红柿熟透啦! 我们的还早呢,得加油呀!"晚霞在他眼里成了西红柿,这不奇怪。

去年,在红罗山西边的野地里,奇迹般地出现了一座新工厂。为了供应工厂蔬菜,公社把种菜的任务交给了魏家庄。魏家庄这个半山区的生产队,往年只有个供本队社员吃菜的"半亩园";现在可好,一家伙就种了六十亩菜。去年种菜的成绩不错:保证了工人老大哥四季有菜吃,吃鲜吃足;今年呢,要"更上一层楼",增加蔬菜品种。西红柿就是新增的品种之一。

钟志宏是蔬菜队长。这个身材高高的壮小伙子,是七二届高中毕业生。他从城里到这儿插队三年多,手上添了一层厚茧花,脸庞镀上了一层"红铜";可是,性格没变:爱说爱笑、爱唱爱跳。

今天,他带着蔬菜专业队的全体成员都在这儿为柿秧子掐尖。刚才,十亩西红柿的掐尖任务完成了,人们都收工回村了,唯独钟志宏留在地里,一垄又一垄地复查着……

这会儿，他正弯腰检查着一垄西红柿秧，嘴里还哼哼唱唱。忽然，他立住脚，先大声"喷——喷——"两声，然后用刚学来不久的梆子腔细声细气地唱："掐尖岂能落下秧——哪侬呀哈咿嘿哟——"同时，麻利地把腿边的一株没掐尖的柿秧的顶端掐去。

晚霞逐渐消下去。钟志宏看到在远处山根下有一个人的身影，活像皮影戏上的角色在紫蒙蒙的幕布上活动——没错，那是队里的富裕中农魏六正挑着两筲水，奔他的自留地去呢……

魏六的自留地过去一向种烟叶，自打红罗山西边出现了工厂居民区以后，他就全用来种蔬菜了。早年他曾经在县城边上住过，有点种菜的经验。队里成立蔬菜专业队时，生产队长让他参加，起个技术指导的作用。他三辞五推不干，可对自留地里的菜，那真是恨不得呕出八升血来浇灌。每天，他出完集体的工，回家一阵风似的扒完饭，就直奔山根下的自留地。那块地方离井远，灌园子困难，他就拿出啃牛筋的劲头，从村里井边一挑又一挑地往自留地里挑水……

魏六图个啥？他最得意的日子，就是骑上加重"双喜"车，车后驮着两篓比队里收得早的鲜菜，冲开灰蒙蒙的雾气，奔工厂居民区附近的集市上去，到那儿换回一把钞票来。

老书记山松大伯组织钟志宏他们蔬菜队，在学习无产阶级专政理论时，讨论过魏六的问题。大伙都认识到：像魏六这号财迷，你把资本主义道路堵得只剩一指宽了，他也要上去踩钢丝！因此，必须跟这号资本主义自发势力进行坚决的斗争。不过，现在还不能一下子取消农村集市贸易，也不能简单地下个命令，不许魏六在自留地上种菜，不许他到集市去卖菜。

"那，对这号人应当怎么办呢？"有些小青年急躁地问。

山松大伯说："这就要求咱们，坚持以阶级斗争为纲，批判资本主义倾向，用马列主义、毛泽东思想不断地教育、改造这号人；用这股子心劲努力发展集体种菜，让咱们的菜，熟在他们那号人的前头！"

"成！"钟志宏高兴地接着说，"咱们用阶级斗争这个纲，统帅种菜这个目，就一定能及时把早熟品种送到国营菜站，让工人同志能在副食店买到集上还见不着的新菜！"

山松大伯重重地点头说："说得对！咱们种菜，也是一场限制资产阶级法权的斗争啊！"

山松大伯说到这儿，个别人提出一个问题：魏六种的西红柿眼下不但已经挂了花，而且有的已经坐了果，要让集体的西红柿熟在他前头，能有多大把握？

"我们是跟资本主义倾向顶着犄角拼，有党支部引路，有贫下中农指教，有科研小组搞实验，我们有把握！"经过一番学习、讨论，最后大家统一了认识，坚定地这么说。

年轻人说干就干。在山松大伯的帮助下，钟志宏他们的早熟西红柿实验田很快就搞起来了……

现在，晚霞的最后几抹红光给钟志宏的身子勾了道线条刚劲的亮边。他检查完了最后一垄，望着眼前这一片翠生生、碧萋萋的西红柿秧，充满信心地对自己说："咱队里的西红柿秧，一定会熟在魏六这号人前头！"他直了直腰，正准备往回走，猛地看见地头蹲着一个人，这是谁呀？他不禁愣住了。

二

地头上蹲着个抽烟袋锅的老头儿。这人好面生，钟志宏从来没见过，就走过去打招呼："老大爷，您是外村的吧？找谁呀？"

老头抬眼瞥了钟志宏一下，一声不吭。

古怪！钟志宏睁圆双眼，直愣愣地打量起这位陌生人来。

老头身材瘦小，一脑袋灰白的头发碴，脸上刻着又深又密的皱纹，眼睛却炯炯有神，黑眼仁像充了电，在暮色苍茫中熠熠闪光。山松伯教过钟志宏，看人要注意手和肩。别看这老头身材干瘦，一双手可真大，布满厚茧深纹的大手张开像锹，捏拢像锤！肩窝后头两块凸起的肌肉把蓝布衫子撑得紧紧的。没得说，这是位用一双手干过几十年农活、用一对肩挑过几十年重担的老农。钟志宏顿时对他产生了好感，便重新和气地问他："老大爷，您是路过的，还是串亲戚来的？"

没想到，老头又抬眼瞥了他一下，仍然一声不吭。

"老大爷，您耳背吗？您听不见我说话呀？"钟志宏把嗓门放大三倍，嘿，老头只顾"吧唧吧唧"吸烟，丝毫没有理会他。

钟志宏爽性往老头侧面一蹲，他这才发现，老头原来是在专心致志地观察地边的几株柿秧呢。

"您来参观我们的柿秧呀？您是哪个生产队的？"钟志宏耐心地问。

"吧唧吧"、"吧唧吧"，老头继续吸烟。但他像发现了什么似的，两眼显得更加明亮。

没等钟志宏提出新问题，老头忽然立起身，一脚迈进地垄里去了。

钟志宏本能地蹦起来，紧跟在他后面。老头要干什么？这菜田就是钟志宏的命啊！到里头乱踩乱动可不成！他几乎不眨眼地盯着老头的一举一动。

一步、两步、三步……老头早把烟袋锅灭了，他不时低俯着身子，仔细地观察柿秧，忽然，他伸出手去，毫不留情地掐掉了一片挺大的叶子。

"你——"钟志宏忍不住冲他发起火来，"你干什么？你是谁？你干吗乱掐我们的西红柿秧？"

老头瞟了钟志宏一眼，咳嗽了几声，若无其事地继续往前走去。他仍然是边走边看，不过，倒没再动手掐西红柿秧。

钟志宏莫名其妙地跟着他走完整整一长垄，到了那边地头，老头站住了，他望着钟志宏，用低沉的嗓音问："别的，也这样？"

敢情他既不聋又不哑！钟志宏不由得应声回答："嗯，也这样。"

老头把头一摇，直截了当地说："重来！"

钟志宏一时没听懂，呆立在老头面前，微张着嘴巴，啥也说不上来。

老头填好烟袋锅，点上火，一边抽烟，一边不紧不慢地说："种得这么密实，光掐尖不成，还得打叶。每棵秧得打下它两片叶，花才能多，果才能壮。"

敢情"重来"是这个意思啊！

不过，这个主意未必有道理！钟志宏用争辩的语气说："我那儿有本《蔬菜栽培学》，那上头说，西红柿挂果的多少，取决于叶片的多寡，怎么能从秧子上往下打叶呢？"

"吧唧吧"、"吧唧吧"，只听嘬烟嘴的声音，老头并不急于答辩。

这时候，魏六突然挑着空筲跑了过来，他又惊又喜地招呼着："这不是我家百穗他姨姥爷吗？唉呀！几时到的？真想您老人家呀！哦！还没吃饭吧？走！家去！让我孝敬您老人家一顿！"

钟志宏大吃一惊。原来这老头是魏六的亲戚啊！真没想到！

老头被魏六拉拉拽拽地带走了。落霞的最后一抹余光消失在地平线下。夜色降临了。

钟志宏想着刚才发生的一切，感到很纳闷：这个突然出现的老头，到底是个什么人呢？他想着，往菜田南头的窝棚走去。最近，为了看青，也是为了能和这些牵动自己感情的蔬菜亲近地守在一起，他每晚都睡在这里。在安静的深夜里，钟志宏常常蹲在菜田里，他要亲耳听听秧苗拔节的声音，亲眼看看果实膨胀的情景。

钟志宏钻进窝棚，本想抓起地铺上的外套，披上就进村去吃饭，可是，又一件奇怪的事情发生了：一样东西落入了他的眼帘，使他双眉不禁一耸——呀，这是谁的铺盖卷？为啥扔在这儿？这里没有别人来值班啊，怎么突然多了个铺盖卷呢？

三

山松大伯正坐在炕上吃饭，钟志宏像一股旋风似的掀开门帘，直冲到他面前，"呼哧呼"、"呼哧呼"地喘得半天说不出话来，等了一阵，才吐出几个字："来、来了个……怪、怪老头……"

山松大伯叫钟志宏坐下，给他倒了一杯水，让他慢慢地说。等钟志宏把刚才发生的事情讲完了，山松大伯使劲儿拍着他的肩膀呵呵地笑了起来："啊，那是我二大爷啊，你该叫他魏爷爷才是……嗯，脾气一点也没变，还是又蔫又倔……"

钟志宏忙说："不对！不对！他是魏六的亲戚——魏六说他是百穗的姨姥爷……"

山松大伯点头说："对！对！他是我父亲的亲二哥，所以我叫他二大爷。他又是魏六媳妇的姨父，所以魏六的孩子该叫他姨姥爷，一点也不错。"

山松大伯见钟志宏纳闷地直眨巴眼，忙从躺柜上取过一封信来，递到他手中，高兴地说："刚才收到的信。他老人家托人代写的，没想到他真的来了，而且来得这么快……"

钟志宏读了信，听了山松大伯的解释，才闹清楚是怎么一回事儿。

原来，魏爷爷早先是魏家庄的老贫农。一九三三年，山洪暴发，魏家庄的蛤蟆上了房。他带着老婆儿子逃荒到了平原上的榆树庄，在那儿给地主扛活，跟着老把势学会了种菜。抗日战争时期，他送儿子到山里根据地参加了八路军。解放后，他儿子当上了县委的干部，他仍然在榆树庄种菜——当然，是在生产队里为革命种菜了。山松大伯抗日战争和解放战争时期都当交通员，负责八路军和地下党组织的联络工作，常来往于魏家庄和榆树庄之间，每次到了榆树庄就在魏爷爷那儿落脚。如今，山松大伯考虑到队里缺个指导蔬菜专业队的老把势，想起了他，就写了封信去，问他能不能来魏家庄传传经——本想接到回信再告诉钟志宏他们，没想到，回信倒是到了，可人到得比信还早，而且钟志宏已经跟他见过面了！

钟志宏闹清是这么一回事儿，禁不住原地一个双脚蹦，使劲拍了下脑门，"嘿！"了一声，就飞跑出屋，直奔魏六家去了。

钟志宏刚跑到魏六家篱门前，忽然，篱门被人猛地拉开了，只见魏爷爷满脸怒容地走出来，气呼呼地抬起左腿，把右手上的烟袋锅狠狠地朝左脚鞋底上"叭、叭、叭"搕了三下；钟志宏正纳闷哩，篱门里钻出了魏六，他追上魏爷爷，舞手摆头地说："他姨姥爷，这是怎么说的？你老不看僧面看佛面，就算我魏六不好，百穗不还是你外孙子吗？那良种，就给俺留下几包吧！"

魏爷爷不管魏六怎么扯嗓，只是拧着眉毛瞪着他，那坚定的神情表示出："没门！"

钟志宏还没来得及跟魏爷爷打招呼，山松大伯、队长和一些大人、小孩全都过来了。山松大伯走到魏爷爷跟前，亲热地招呼着："二大爷，您来啦！"

魏六不得不让到一边。魏爷爷望见山松大伯，脸色顿时开朗起来，可他只是含笑点头，并没有什么见面的寒暄话。

人们七嘴八舌地向他问好，他眼里闪着欣喜的光，只简单地向人们说："嗯，好，好。"

队长高兴得咧开络腮胡子包围的嘴巴，大声地说："山松寄信请你老来的时候，我还有点拿不准呢，你是榆树庄的老把势，队里舍得放你？"

"是呀！"一个社员插嘴说，"放走一个老把势，等于把自己树上的果，往别人家院里摇啊，没点'龙江精神'，谁干这样的事？"

魏六一旁说："那倒也没啥，到咱们这儿干，在咱们这儿记工分不就结啦？归里包堆，谁也不吃亏嘛！"

有人反驳他："咱们这儿的工分值，眼下可比人家榆树庄低！"

队长赶忙说："那不要紧，咱们给他老人家补齐！"魏爷爷一听这话，双眉一抖，生起气来了。他用烟袋锅指着队长，瓮声瓮气地说："我不要工分！我儿子能管我生活！榆树庄的我不要，这儿的我也不要！"说完，又转身过去对乡亲们说："咱们为革命种田，可不能让工分、让钱塞住心眼啊！"他责备地瞟了魏六一眼，激动地说，"山松给了我一封信，魏六也给了我一封信。山松让我来帮队里种菜，魏六让我来帮他种菜。魏六这儿我瞅过啦，他的心思我看透啦，他炒三个鸡子给我吃，要我把良种给他，哼，炒三篓鸡子也白搭！我不给！乡亲们！榆树庄党支部和贫下中农不是派我来挣魏家庄工分的！是派我来跟魏家庄乡亲们一块，给咱们的工人老大哥种菜的！良种，我带来啦，瞧——"

说着，魏爷爷解开了土布褂纽袢，掀开了两边衣里，啊！那上头，挂着上下两排小口袋，那里头，就是榆树庄贫下中农委托他带来的优良种子啊！

在人们的惊叹声中，钟志宏觉得心被一团火裹住了。魏爷爷像一座高塔耸立在他的面前，而这高大的形象，很快又被他眼眶里热乎乎的泪花罩住了……

四

紫丝绒般的天穹上，星星像闪光的钻石；几颗流星划过银河，薄纱般的银河仿佛在微微抖动……

钟志宏坐在看青的窝棚边，望着天宇、银河、流星，思绪好像乘上了航程万里的远洋海轮，在广阔的境域里，走得很远、很远……

来到魏家庄插队已经三年了。三年来，自己究竟有怎样的进步呢？钟志宏想到在前几天交给山松大伯的思想汇报里写道："来农村整三年了，通过这三年的锻炼，我深深地感到，毛主席关于'知识青年到农村去，接受贫下中农的再教育，很有必要'的教导，是千真万确的真理。正是经过无数次的接受再教育，自己逐步和贫下中农的思想感情接近了。我真正体会到了'农村是一个广阔的天地，在那里是可以大有作为的'。今后，我要把自己的一切才智，无保留地贡献给社会主义新农村，更多地在'大有作为'上下工夫……"经过魏爷爷这个老贫农到来后发生的事儿，现在钟志宏再琢磨自己的思想汇报，感到不那么对头了……

难道自己已经越过了"很有必要"阶段，只剩下"大有作为"的任务了么？难道这二者是可以截然分开的么？不！钟志宏看到了自己和魏爷爷的差距；为限制资产阶级法权冲锋陷阵的思想感情，没有魏爷爷深厚；拼命干革命的精神，更是远远比不上魏爷爷……在山松大伯家吃完饭，魏爷爷坚决要回到窝棚来睡，大家苦劝了千百句，他一句话就顶回来了："我不是来做客享福的！我是来当家种菜的！"

到了窝棚，魏爷爷简简单单地向钟志宏宣布："今儿你守前半夜，我守下半夜。"就动手打开自己的铺盖卷。

钟志宏赶紧捻亮马灯，帮魏爷爷安排。铺盖卷一打开，钟志宏不禁怔住了；里头包着块牛腰子那么大的鹅卵石——这是干啥用的啊？

只见魏爷爷展好被褥，把那鹅卵石放到枕头的位置——啊，明白了！仔细看，鹅卵石上有后脑勺磨出的凹槽！

钟志宏双手捧起这奇特的枕头，问："爷爷，这怎么能当枕头使啊？"

魏爷爷点起一锅烟，且不忙回答，"吧唧吧"、"吧唧吧"地抽了好一阵工夫，才简单地解释说："我四十年前就枕它啦。过去枕着它，我夜夜盼解放。解放了，儿子给我送来了荞麦皮的绣花新枕头，枕着新枕头，我不忘毛主席、共产党的恩！可我没扔了这石枕头。我留着它，时不时地还枕。今儿我带到这窝棚来枕，为的是不忘当年的那股子求解放的拼命劲哇！"

钟志宏把石枕头紧紧搂在胸前，请求说："爷爷，下半夜，您让我枕它吧！"

"吧唧"声中断了，魏爷爷点点头，两眼在笑哩！

魏爷爷解衣的时候，钟志宏瞧见他肚子上有一条好长的隆起的伤疤。

"爷爷，这伤疤——您给我讲讲它的来历吧！"钟志宏想，魏爷爷一定会给自己忆苦。这伤疤，肯定记载着阶级的仇恨！

谁知魏爷爷钻进了被窝，不在意地说："没啥好讲，我睡了，你到菜田去转转！"

钟志宏已经掌握了魏爷爷的性格，他是寡言的，但并不是不善于讲话，他的话，不到关键时候不说，而一说出来，字字都沉甸甸的！

钟志宏在菜田里巡视起来。露珠儿不时落到他的裤脚上，他深深地呼吸着菜田里清新的空气，眼望着这片茁壮成长的西红柿秧，心中油然升起一股战斗的激情和即将到来的丰收的喜悦。

忽然，他发现西红柿地头有个人影一闪。

"谁？"他轻声而又严厉地问，同时把手电筒打开，照了过去。

"我，是我！"传来魏六的声音。

半夜里，他跑来干什么？钟志宏想着，飞快地走过去。在手电光里，魏六双手搓着衣襟，有点紧张地说："志宏，别误会，我可不是来偷青的……你六叔是那号人么？"

钟志宏皱着眉头质问他："那你干吗来？"

魏六迟疑了一下，很不情愿地解释说："我来看看，你们的柿秧掐了尖，长势咋样……"

"我们的？"钟志宏敲打他说，"你不是队里的人呀？这菜田没有你一份责任呀？"

魏六尴尬万分，咽了几口唾沫，才又吞吞吐吐地说："我是想看看，要是掐了尖柿秧不蔫，还真能催花坐果，那……队里的西红柿不就能早熟丰产吗？我也高兴啊！"

钟志宏冲他一扬下巴："得了吧！你啥时半夜里关心起队里生产来了！你是来侦察我们怎么掐的尖，如果真有好处，你也就到自留地上掐尖去，对不？告诉你吧：这掐尖措施，我们有一整套科学道理，有一大串要领，掐得好，果多肉厚汁多；掐不好，花落果蔫秧死……那道理和要领呀，我们科研小组有个规定：对为集体种菜的兄弟社队，要主动交流介绍，对你这号为个人发财种菜的家伙，要严格保密！你呀，还是回去躺在炕头好好想想，走资本主义道路能落个啥下场吧！"

一顿话把魏六说得脸上发烧，他只好狼狈地嘟囔着走了。

钟志宏望着魏六消逝的后影，摇着头，轻轻地笑着。这时，一件夹衣披到了他的肩上，扭头一看：山松大伯！

山松大伯拍着钟志宏肩膀，轻声地说："我全听见啦。你敲打他，敲打得好啊！跟资本主义自发势力斗，不比跟阶级敌人斗省事啊！咱们还得加紧作战才成哇！"

钟志宏对山松大伯说："大伯，我那思想汇报，您还给我吧——我要重写！"

山松大伯微笑着问："怎么，你有新的认识啦？"

钟志宏指指窝棚说："魏爷爷今天给我上了深刻的一课。大伯，接受贫下中农再教育，对我来说，一辈子也是'很有必要'啊！贫下中农的思想境界，过去我觉得认识得差不多了，今天见了魏爷爷，我才懂得，那境界，是珠穆朗玛峰，可我，还刚爬上红罗山，就以为到头了……我还得继续攀登才成啊！"

山松大伯高兴地说："志宏呀，我来找你，就是要谈这个问题，没想到你自己领会到啦。像你魏爷爷这样的老贫农，全国何止成千上万，他们干社会主义、奔共产主义的思想境界，怕要比珠穆朗玛峰还高呢！志宏呀志宏，只有一辈子记住'很有必要'，一辈子虚心接受贫下中农再教育，才能一辈子在农村'大有作为'啊！……"

星光下，菜田地，两个身影久久地梭巡着。秧苗在贪婪地吮吸着沃土中的营养，向上舒展着枝干、叶片。花就要开了，果就要结了……

五

再过五六天，西红柿就可以下第一批果了。

刚从集体的地里劳动回来，魏六就跑到自留地去给西红柿追肥。追完肥，他蹲到最壮实的一株柿秧前面，卷了一支烟，小口小口地吸起来。

要是前几天，他瞧着自己的株株柿秧，就像瞧见一棵棵摇钱树，柿秧上大大小小的西红柿，在他眼里活像是一枚枚闪着冷光的五分、二分、一分的镍币。

可今天，他感到眼前的"镍币"模糊起来，心里有点发紧，就连烟吸起来，也觉着没味儿了。

原来，这几天里，他几乎天天都要找借口到集体的西红柿田边转悠一会儿，天天进行对比：究竟谁能熟在前头？魏爷爷到来之前，他的显然领先；魏爷爷到来之后，钟志宏他们逐渐追上来了。头些天，双方已经有点前后难分，今天，嘿，钟志宏他们已经超过了自己：队里的柿果上已经现出了粉色，而自己的柿秧上，果子虽说已经不少，却都还是些"青格楞"……

快烧完的烟烫了他的手，他甩着手，啧啧连声，他不是心疼自己的手，而是心疼那大半截没吸就烧掉的烟。

"唉！"他大声叹口气，站起来，两眼不禁朝远处队里的西红柿田望去。他看得见钟志宏和科研小组的其他成员在地里用喷雾器喷一种啥名号的玩意儿，听说那是他们参考了外头好多方子，自己配制出来的一种"催化剂"，比"九二○"还厉害呢！他好几次想去央告蔬菜队，向他们要一点儿"催化剂"，哪怕要半瓶也好，可一见钟志宏的眼神，他就知道那是痴心妄想：眼里有箭，射他心窝呢！

钟志宏的笑声从远处飘来，接着是一片青年人的笑嚷声，莫非他们在笑自己？魏六赶紧蹲了下来，心里怦怦直跳。

魏六望着自己柿秧上的"青格楞"，心里就像灌满了辣凉粉。如果队里的西红柿早熟，大量运到了工厂新镇的国营商店，自己的西红柿再推去，还能有多少赚头？闹不好，还会卖不出去呢！要想赚钱，必得抢在前头上市啊！哪怕比队里早到集上一天也成啊！魏六这么一想，浑身来了邪劲，他又一株秧一株秧地拾掇起来……

"魏六叔！"谁在叫？魏六直起腰来，扭身一看，原来是钟志宏！

钟志宏那会唱能笑的嘴，这时却严肃得抿成一条线。

"您自个儿瞧瞧！"钟志宏把一株齐根断的玉米苗直送到他鼻子跟前，两眼不眨地瞅着他。

"咋啦？"魏六知道不妙，紧眨眼，狼狈地问。

"你呀！"钟志宏轻蔑地望望魏六自留地上的秧苗，又心疼地抚摸抚摸手里的玉米苗，动感情地对魏六说："你种自留地比绣花还细致，参加集体生产劳动可马马虎虎！你也算是队里的老庄稼把势了，瞧你今儿怎么耪的地？草留下不少，玉米苗倒锄倒了好几根——呐，这不是！谁恨集体的庄稼啊？咱村的地主破坏麦收、咱们批斗他的事，你忘啦？今儿你干的，分明是地主想干又不敢明着干的事——"

"你——你咋把我跟他往一口锅里煮啊？"魏六喷着唾沫星子反驳，"他是存心破坏，我是犯点马虎。你、你可得讲政策！他那是阶级斗争，我这——嗨，是缺点嘛，下次耪地我精心点就是！"

"这也是阶级斗争！"钟志宏严肃地、一句一顿地对他说："跟地主是敌我之间的阶级斗争；跟你，是人民内部的阶级斗争。你走的是资本主义道路，我们干社会主义的人，容不得你这么走下去！"

"那我也没犯法嘛！"魏六一拍衣襟，犯起浑来，"没犯法，你们就不该跟我斗！"

钟志宏咬着他话音教训他："自留地、农村集市贸易、自种自卖鲜菜……这都是资产阶级法权，现在还存在，你对这些个上心，确实还不算犯法，可你别忘了，我们搞的是无产阶级专政，对这些个资产阶级法权，就是要进行限制！对你的资产阶级法权思想，就是要批判！你不管集体，搞'自搂'；我们就是要管！"

魏六哑口无言。钟志宏正想再数落他几句，科研小组的小菊忽然甩着辫子跑过来，喘吁吁地说："县气象站来电话，三天之内可能有特大冰雹！……"

魏六不由得问："你慌啥？去年不是也说有雹子吗？山北解放军打了高射炮，雹子就化成水了嘛……"

小菊不理他，仍然对钟志宏说："县气象站还说，今年光靠解放军打炮灭雹，恐怕不能解决咱们全公社的问题，要求各大队积极采取措施，对付可能出现的雹灾！……山松大伯、队长、魏爷爷他们正商议呢，让你快去！"

钟志宏没等小菊说完，就大步朝村里跑去，小菊忙甩着辫子紧跟着他。魏六先望望万里无云的天空，又望望自留地上的柿秧，一个劲发愣……

六

半小时后，召开了大队党支部扩大会。

山松大伯严肃地说："雹子也是'鬼子'，咱们得拿出当年打鬼子、除汉奸的那股子拼劲，来对付这伙从天上飞来的'鬼子'！……部队的高射炮灭雹，能解决全县百分之八九十地区的问题，可咱们公社的西北角，特别是咱们这一带，由于山势地形的关系，估计会有高射炮灭雹化不净的残余雹云从红罗山口泄过来。咱们怎么办？是光准备好种子，等雹子砸光了庄稼再去补种，还是自力更生、想办法战胜雹子？……"

队长大手摸着络腮胡子，用期望的眼光望着志宏说："你是咱们队独一份的高中生，你该懂得那个灭雹的原理吧？你能不能组织小青年们，搞个土高射炮，灭灭泄到咱们这一片来的雹云？"

队长的话音刚落，多少双眼睛一齐盯住了钟志宏！魏爷爷"吧唧"烟袋锅的声音停止了，烟雾散去，露出他那双比嘴还会说话的眼睛。钟志宏一霎时从那双眼睛里看出了体会不尽的意思，他浑身顿时生出了无穷的力量，"哆！"地把拳头往桌上一捶，"腾"地站起来，大声地说："我——拼死拼活也要跟大伙一起，把灭雹的土火箭搞出来！"

散了会，钟志宏和灭雹小组的战友们，为了抢在雹云来临前制成土火箭；进行了七十多个小时的连续作战。钟志宏几乎没有停下来睡过一次囫囵觉。山松大伯、魏爷爷、队长睡过没有，他没注意，不过，每当他需要他们指引、教导、帮助时，他们就出现了；小菊去县里运来了碘化银，小旺到山后部队去借来了灭雹弹图纸；多少伙伴动手准备纸浆、胶泥……全村的贫下中农都关心着灭雹土火箭的诞生，有的介绍当年造地雷的经验，有的传授造花炮的技术，还有的大娘大婶来了插不上嘴，就默默地往钟志宏衣兜里塞热鸡子、豆沙馅饽饽、大鸡心李子……

灯光下，钟志宏精心地绘制着设计图，不时拉动计算尺计算着……

晨曦中，钟志宏和小菊等伙伴作着碘化银散热功能试验……

烈日下，钟志宏和伙伴们按图纸制作着土火箭……

为了让胶泥增加胶度，魏爷爷光着脚，在胶泥桶里起劲地踩着、踩着……"你老歇歇，让我来吧！"对这样的要求，魏爷爷连眼也不抬，他一手叉腰，一手举着烟袋锅，"吧唧吧"、"吧唧吧"地抽着烟，烟雾飘过他的脸、他的头……

钟志宏他们这种干劲把魏六惊呆了。他不能理解，这些人这么干究竟是图个什么？图工分补贴？听说他们并不要！图减少队里损失？真来雹灾，队里庄稼打光，国家还给救济嘛……他跑到制作土火箭的现场转了一圈，不禁一缩脖子，喷啧连声地说："真是连命也不要了哇！"

这话被魏爷爷听见了，他吹散面前的烟气，瓮声瓮气地训他说："魏六，你那小命是用来干啥的？光顾自己活着的人，到头必得不让别人活，别人也就饶不了他！你明这个理不？"

魏六支支吾吾地溜了，钟志宏却久久地深思着这几句话。

正式制作火箭壳的过程中，出现了波折。让胶泥阴干，没那么多时间；用火烘，受热不匀，胶泥层出现裂纹。怎么办？

山松大伯领着灭雹小组开了"诸葛亮会"，会上提出了三种方案，需要立即按三种办法分头实验。钟志宏在三个实验地点之间跑来跑去。当队长把晚饭端来逼他吃时，他接过碗，一阵眩晕，差点把碗摔了。

"志宏，你快吃吧，吃完，就睡上一觉！"队长心疼地说。

"队长，我不能睡啊，"钟志宏三筷子两筷子地扒拉着面疙瘩糊糊，对队长说："那火箭壳的外形差一点也会影响上天，计算的时候，要拉计算尺，可我……还没把小菊他们教会啊！"

"你……孩子，"队长伸出老粗的指头，抹去钟志宏额边的几粒大汗珠，心疼地说："你的身子骨……别搞垮了啊！"

"让孩子干呗！在这节骨眼上，得教他拼！"是魏爷爷的声音。队长不理解地望着走过来的魏爷爷，魏爷爷却没对他解释什么。钟志宏才撂下碗，魏爷爷就把钟志宏拉到里屋去了。

夕阳正从窗户射进来，照在他们爷俩身上。

"孩子，你不是——想知道我肚子上那刀疤，是怎么来的吗？今儿个，我告诉给你！"

"爷爷！"钟志宏精神一振，等待着魏爷爷的讲述。

魏爷爷"吧唧吧"吸了几口烟，讲了起来——

那一年，鬼子占了县城，找人给他们种菜。村里的汉奸白蝎子找上了我。他发给我一包菜籽，说是过后来检查，要是没种，就毙了我。我想，山里八路军正缺菜籽，要是把这菜籽送到山里去多好哇！就把菜籽收下了。那天半夜里，我揣着菜籽溜出了村。没想到刚走出二里地，就被汉奸白蝎子带人追上了。我见他们围了过来，就准备跟他们拼！可一想：怀里的菜籽说啥也不能留给他们哪。我赶紧掏出菜籽，大把大把地嚼着，一个劲地往肚子里咽。可到底是他们人多，我让他们给捆住了。白蝎子觉察出菜籽被我吃了，恨得磨牙，他抢过狗腿子手里的步枪，端起刺刀就往我肚子上划。我想，我死了也得留下威风，让他们怕一辈子，就又骂又笑，骂他们早晚不得好死，笑他们找不到给鬼子种菜的人……

"爷爷！"钟志宏听到这里，激动得一下子扑到魏爷爷身上，半天说不出一句话。

"爷爷这不还在吗？"魏爷爷平静地说，"多亏武工队赶来，才救了我。那肚子上的疤，就是这么回事儿。我今儿个讲给你听，是要你记住：为了革命，咱们不能惜命，过去不能，如今也不能啊！"

"是！"钟志宏双脚一并，立正站在魏爷爷面前，揩去眼角的泪水，就飞跑出屋，直奔"前线"。他心里注满了朝气，灌满了春风，什么疲劳困倦，全都抛到九霄云外去了！

头两个土火箭是在深夜里制成的。当时，刚好跟县气象站通了电话。气象站同志说，雹情越逼越近，可能就在这一两天之间下冰雹。山松大伯对钟志宏他们说："立即试验！"

黎明，东方闪动着红霞，山松大伯、队长、魏爷爷和灭雹组的全体青年人登上了红罗山。试验开始了。第一枚土火箭升到一百米就爆炸了。第二枚土火箭高一些，大约有三百来米。雹云要是离山顶有五百米，这样的火箭能起啥作用？队长让大伙下山总结工作；钟志宏仿佛没有听见，他一屁股坐在露水未干的石头上，展开了图纸，从胸兜里掏出计算尺，一边复查数据，一边和伙伴们讨论起来……

经过一番研究，第三枚土火箭制成了。当天傍晚，它蹿到灰蒙蒙的高空，变成芝麻点大了才爆炸，少说也有一千来米高。成！就照它造！回到村里，钟志宏用凉水冲冲头，又和大一齐动手造起火箭来。这时，县气象站的紧急电话传到了："明天中午，我县上空将出现雹云！"

第二天中午，在红罗山后，解放军的灭雹高射炮响过半小时了，镶着黄边的残余雹云仍然朝红罗山前滚来。山顶上，山荆茅草被风掀得一会儿东倒、一会儿西歪；沉闷的雷声，从红罗山后传来，那边显然已经开始降雨；零星的雨点顺风飘来，打在山顶岩石上，"啪啪"地响……

红罗山顶上，大队灭雹组各就各位，只等钟志宏一声令下。

三天里，钟志宏明显地瘦了一轮，他两眼熬红了，眉心现出一道深深的折纹，连声音也嘶哑了。可是，他挺立在黑云下、疾风里，还是那么精神抖擞、那么刚劲有力。

"预——备——"钟志宏举起了小红旗，山顶上空的黑云仿佛吃了一惊，定住了，连山草也似乎忽然呆住，在侧耳倾听。

"——放！"钟志宏把小旗用劲往下一挥。

小菊他们几个点火员点燃了土火箭的火捻，赶紧撤离到十米以外，只听"嘶嘶嘶"一阵响声之后，"嗖——""嗖——嗖——"十个土火箭蹿上了天，十来秒钟之后，火箭在黑云中爆炸了："砰——叭——""砰——叭——"……

一些泥壳、纸壳碎片掉了下来，有的砸到灭雹组成员的头上、肩上，可是没有一个人躲到窝棚里去，都睁大眼睛，仰头紧盯着朝山下农田移去的黑云——土火箭管用吗？碘化银送到冰雹层里去了吗？山下的庄稼，能免去冰雹的砸伤吗？……

黑云里原来夹杂的红黄色云丝在明显地消逝着，铁锭般的黑云像掉在宣纸上的墨点般洇散开去……啊，开始降雨了！不错，雨点很大，砸到脸上很不好受，不过，毕竟不再是冰雹啦！

"呀嘿——"几个小伙子高兴得在雨里跳着，互相擂肩捶背；小菊的斗笠被风吹掉了，她哪顾得上去捡，抹一把脸上的雨水，乐得唱起了歌……

钟志宏望着大雨泻向山下的农田，好像心里有一块大石头落下地，可是，紧接着一块小石头又装进来了；雹子消除了，毁灭性的灾害避免了，可是暴雨也会给庄稼带来危害，雨一停，就得赶紧排涝、扶苗啊，尤其得抓紧西红柿田的排水，否则，落花掉果、疯长枝叶的现象都会出现的……

小菊头一个想到该让钟志宏歇歇了，她跺着脚招呼大伙："嘿！别光顾赏雨啦！咱们也得管管志宏啊！"

她这一提醒，大伙不容分说，一齐动手，连拉带拽，把钟志宏送进了搭得很严实也比较宽敞的窝棚里，这里头还搁着十来个备用的灭雹土火箭。

小伙子们在窝棚里给钟志宏换上干衣服；小菊她们几个姑娘在窝棚外的灶上拉起塑料罩，点火给他熬糖姜水。钟志宏不得不休息一阵了。他闭上眼睛，耳边响着山风急雨声，几天来一幕幕激动人心的战斗场景，像电影般地闪现在他的脑际……

"来，志宏，喝点糖姜水！"钟志宏睁眼一看：眼前是一双大手捧着的一海碗热腾腾的糖姜水。啊，队长上山来了，端水给自己喝呢！

钟志宏接过糖姜水，顾不上喝，赶紧问："队长，村里下的是——"

"是雨！是雨！"队长那顾不得刮的络腮胡子上，挂着晶亮的雨点。他兴奋地对钟志宏说："我全查了，没有哪片庄稼挨了雹子。有人说雨里有没化净的雹子渣，我存心摘了斗笠试，一点也没觉着有！"说完，呵呵地笑了。

钟志宏这才咕嘟咕嘟喝起糖姜水来。真甜！真热！它甜到心里，也热到心里去了！

七

三天以后。

工厂新镇洒满阳光。

在一个巷口的檐影下、有一个支起自行车卖西红柿的农民，这是魏六。他来这里已经是第四天了。四天前，他抱着脑壳在自留地上反复算计了几顿饭的工夫，终于得出了结论：钟志宏他们成不了事！高射炮都降服不了雹云，土火箭能顶用？他可不能让雹子毁了自己捞钱的计划。于是，他摘下了柿秧上还没见红的大青柿子，装了两篓子，捆到自行车货架上，趁天黑骑车溜出了村。他临走时嘱咐老婆：第二天去队长那儿告个假，就说住在工厂新镇的舅舅病了，得去照应照应……到了工厂新镇，住进舅舅家，他就想方设法给西红柿催红，可是效果不佳。头两天，他推车到镇上居民区转悠，好歹算卖出两斤去，可剩下的却还是那么多……到今天，柿子眼见个个都泛红了，他挺得意，一早就推到巷口叫卖，可买卖还是很清淡。

一位挽菜篮子的大妈从他面前走过，他忙招呼："同志，多棒的西红柿，您不来点？"

大妈扭过头，走拢来望望，问道："多少钱一斤？"

"两毛。"魏六见对方表情难看，忙补充说，"要是不挑，就一毛五。"

"唉哟！怎么这么贵？菜站要是来了货，一毛钱能买两斤呢，还比你这生憋红的好！"大妈连连摇头。

"菜站来不了货啦！"魏六压低嗓门告诉她，"前两天下了多大的雹子！我们队的西红柿地砸成一片猪食啦……""啊！"大妈眉头一皱，问他："那你这西红柿哪儿来的？"大妈见魏六噎住不吱声，点头说："是啰！你这是自留地上的！集体受灾，你倒钻空子来赚钱！咱们工人家属，宁愿不吃西红柿，也不能便宜你这号人！"

魏六西红柿没卖出去，倒遭了一顿谴责，火从胸中起，舞着手嚷了起来："你不买就不买，凭啥踩咕人？"

大妈不示弱，扬声驳斥他："你这是搞资本主义！就是过路的人，也有资格管！"顿时围过几个人来，听了几句，就都帮助大妈数落魏六。

魏六一气之下，踢开车支子，推上自行车想离开那个地方。正在这时，街上传来迅速逼近的"突突突"拖拉机奔驰声，紧接着就听见有些小孩子边跑边嚷："魏家庄大队给菜站送西红柿来啦！"

小巷里的人们"呼啦"都涌到了街头，只见一辆大拖拉机，拉着大车斗，上头是满满当当的两层荆条筐，荆条筐的缝隙里，粉嘟嘟的西红柿仿佛在向路旁的人们微笑……

魏六不由得也伸长脖子望过去，透过驾驶室的玻璃窗，他看见钟志宏操纵着驾驶杆，满脸朝气，又看见魏爷爷坐在一旁，满面笑容……

挽篮子的大妈带头鼓起掌来，街道两旁的工人家属也都鼓起掌来。大伙儿兴奋地说："西红柿！咱们山区自己种出来的早熟西红柿！"

人们随着拖拉机拥进菜站。不用人招呼，大人、小孩就一齐上来，喧腾欢乐而又井然有序地帮着卸车。

魏六目瞪口呆地望着眼前出现的场面。仿佛有股无形的力量朝他压来，他不由得退缩到巷口墙边的一块阴影里……

魏爷爷腿脚利索地爬到大车斗上，一筐一筐地从车上往下递。他新剃了头，胡子刮得光光净，穿着浆洗得干干净净的衣褂，完全是过节的打扮。他仿佛一下子年轻了几十岁，开心地笑着，大声地和人们交谈……

钟志宏默不做声地在人群中参加搬运。每当一筐沉甸甸的西红柿落到他肩上时，他心上都涌出一种由衷的喜悦，同时，也更深切地体会到自己肩负的历史责任……

卸完了车，很自然地，人们把魏爷爷和钟志宏围了起来，你一言，我一语，抢着倾诉夸赞、感激、鼓励的话语……魏爷爷使劲摆手，才让人们安静下来。他严肃地说："你们别光赞那一筐筐鲜亮水灵的西红柿啊！这才是该下劲赞赞的红果子呢——"说着，把钟志宏往大家前面一推。平时爱说爱笑的钟志宏，一时竟有点不知所措；平时沉默寡言的魏爷爷，却激动地向大家讲起钟志宏为革命种西红柿的故事来了……

人们出神地听着，想着，心潮激荡。是呀，值得赞美的累累果实，不仅是那一筐筐粉嘟嘟、红润润的西红柿，更应是一代新人。他们是无产阶级文化大革命的产物，是知识青年上山下乡这场伟大革命运动的产物。多少钟志宏这样的知识青年，像种子般播撒在农村这个广阔的天地里，沐浴着毛主席革命路线的灿烂阳光，吮吸着贫下中农再教育的甘露，经受着阶级斗争的雨雪风雹，正生根、发芽、开花，正结成累累鲜红硕壮的果实啊……

收入《果实累累》，北京人民出版社 1977 年 9 月第一版

"黑枣"和"炸药包"的故事

一

那天，我特意把新换的红卫兵袖章别在洗得干干净净的外套上；临出发前，还特别用针线加固了胸兜的纽扣。

我要代表学校红卫兵团，到南塔村联系一次红卫兵组织生活。盖着大红印戳的介绍信，就放在胸兜里面。

早听说南塔村是学大寨的先进典型，老队长杜达山是个老模范。学校党支部指示我们，要通过这次活动，了解贫下中农为普及大寨县而奋斗的事迹，接受一次生动的再教育。我想，这次的挂钩任务，准能顺利地完成。南塔村在这深秋季节，一定正大搞农田基本建设，听说我们三百名红卫兵要来，杜大伯准高兴。我一定要请杜大伯给我们兵团作个生动的报告，结合队里农业学大寨的情况，辅导我们深入理解毛主席关于理论问题的指示。

一路上，我看到鲜亮的红旗在田野上飘扬，挑河泥的队伍在欢笑声中前进，深翻后的沃土在阳光下闪着油黑的光……

南塔村越来越近了，一株老高的大枫树立在村口，金红的枫叶像团团火焰，在秋风中抖动不停，瞧上去真让人心里添劲呀！

大枫树下聚着一簇人，是在开地头会，还是在听队长派活？想到就要见着杜大伯了，由不得小跑起来。杜大伯会是啥模样呢？没得说，准是钢筋铁铸般的宝塔个儿，落地地抖的洪钟嗓门；也许，他正挥着巨手，在对社员们发表热烈动人的演说吧。

　　跑拢一看，围成一圈的人没个秩序，有的冲圈当心的人挥着烟袋锅甩话，有的脸对脸激动地争论，我都挤到他们身边了，竟没有一个人搭理我一下。这是怎么回事呢？

　　我拉住个黑红脸的小伙子问："同志，队长在哪儿？"见他皱眉发愣，我又赶忙插补一句："我找杜达山大伯！他在哪儿？"

　　小伙子看出我是个外来办事的，冲圈里努努嘴说："正吵得凶呢！这阵他怕没闲空接待你！"

　　正吵得凶？学大寨的先进队怎么会有人在村口吵架呢？杜大伯怎么会是个跟人吵架的人呢？

　　我疑惑地挤到最里面，于是看见了两个正在争吵的人。

　　"你们这样对待一个下中农，像话吗？！"声音好高。说这话的人身板魁梧，新崭崭的黑棉袄没系扣，露出里头枣红的高领新绒衣；饱经风霜的红脸膛上刻满了皱纹，可是脸上的胡须却刮得干干净净；从他头上花白的头发碴判断，嗯，少说也有五十多岁了。听他的口气理直气壮，看他双手叉腰的姿势威风凛凛，刹那间，我认定他就是杜大伯。

　　可是他这两句话引来了周围人们一片不满的声音。

　　一位大嫂扬着纳了半截的鞋底冲他嚷："说这话不怕闪了牙！下中农就能不服队里决定呀？"

　　一位瘦高个儿的大叔拔出嘴里的烟袋锅，瓮声瓮气地说："犯混！给贫下中农现眼！"

　　好几个人同时响应："真不像话！给全村抹黑！"

　　这些声音把我弄得一个劲地快眨眼。显然，这个大高个儿绝不会是杜大伯啰。那么，难道——

　　"我们这样对待你，是为了帮助你，是为了拉你到社会主义的正道上来！"声音不高，可是铮铮有劲。

我瞪大眼睛，紧盯着说话的人。他站在大高个儿对面，身材显得比较瘦小，可是肩膀、胸膛、腿脚都像灌了铜似的，硬铮铮、稳扎扎，猜不大出他的年纪；一顶布满汗渍的接近白色的旧军帽盖住了头发，鬓角和络腮胡子麻乎乎连成一片，显然是许久顾不得剃头刮脸了；他的棉袄、棉裤上溅着不少大大小小的河泥点子，两只手上更粘着不少灰白的干泥；浓眉下的两只眼睛不大，却像通了电似的闪着逼人的光——他把手朝圈外一处地方用劲一指，向大高个儿宣布说："这些石料，必得搬到你家院里去！你不搬，歇工的时候我带几个人来搬！"

"我就不搬！我的东西，谁乱动也不成！"大高个儿舞着手嚷。

这回周围简直像水珠溅进了滚油锅，除了我以外，所有的人大概都在激动地发表意见。

还是那位得空就纳鞋底的大嫂最早扬声："都给你扔河里去！"

接着也搞不清哪句话是谁说的："凭啥伺候他？让他自个儿搬！""开个批判会，看他搬不搬！"

"听达山的，歇工时候来搬！"

"得把他脑瓜里那'石头'搬出来！"……

我弄清了谁是杜大伯，却弄不清这里究竟发生着一件啥事情。正不知道该咋办才好，那个跟我对过话的小伙子把我拉出了人群，他问我："你找我们队长有啥事？也是帮唐老瓜来争园子地的吗？"

这可太委屈我了。我拍拍胸兜，告诉他我为啥来。他松了口气说："别怪我多心。唐老瓜为了争园子地，恨不能把他的三亲四友全发动起来……我们大伙顶，只顶住一半，多亏达山叔顶得狠，才没让生米煮成熟饭……你既是找他办事的，这样吧，我先把你安顿到他家歇着，等一小会这档子事有了个小了局，我让他回家找你！"

我摇摇头说："干吗去队长家？你带我去队部等着吧！"

小伙子笑了，"去队部你只能见着把门的'铁将军'，眼下正掀起学大寨的新高潮，不开会的时候，干部咋能泡在队部里闲磕呀！"

人群还在争吵议论，可是小伙子已经带我往村里走去了。一路上我急切地向他打听唐老瓜争园子地这事的究竟。他简单地给我作了个交代：唐老瓜家要盖新房子，料都备得差不离了，他家原来的院子挺大，新房子完全可以盖在原来的院子里，可是他却要队里批准他在村边另圈出一块地来盖房子，这样，他既能保留住自家的小菜园，又能多一块园子地。他想了无数的花点子去打动杜大伯，因为拨地盖房的大权在队长手里……杜大伯并没同意，半个钟头以前，他却把托熟识的司机捎运来的垒房基的石料，都卸在自己选定的"新院子"里了……

我还来不及把这档子事的意义消化消化，小伙子已经领我来到了杜大伯家门口。他对我说："这阵就杜奶奶一个人在家，她耳背，你说话声大着点！"说完就转身顺原路跑了，准是去继续参加那场越来越激烈的争论。

我就推开秫秸秆编的篱门，进了院子。

二

一进院子，我立刻被一样东西惊住了。

什么东西？蛋糕。什么蛋糕？就是普普通通的蛋糕哩。

蛋糕怎么会让我大吃一惊？要知道，那块蛋糕端端正正摆在了——猪圈的门口！一头好肥的黑母猪，正隔着木栅栏门，拼命地把长嘴巴拱过来，想吃那块蛋糕，可就是够不着。

我弯腰捡起了黄焦焦、松软软的蛋糕，它仍然散发着蛋糕特有的香味，可周围和底部已经沾满了脏土，人是不能吃它了，给猪吃又未免可惜。我犹豫了一下以后，就捧着那块蛋糕走向了正房。

门敞着，堂屋里没有人，我走进去，大声喊："杜奶奶！"

东边的门帘一动，一位只剩了不多的白头发的老奶奶，怕是有八十岁了，迎了出来。她眯起眼细认我，大声地问："你是哪家的？找我？"

我记着小伙子的嘱咐，就把嗓门放得大大地说："奶奶，这蛋糕——我给您捡进来啦！"说着把蛋糕搁到了灶台上。

"什么？又是个送糕点来的？"老奶奶顿时满脸怒容，扬着手边骂边往外轰我："管你是唐老瓜的侄子还是外甥，快给我滚！你胳膊上还套着红箍箍哩，也不害臊！你不听毛主席的话，不走正道，也学着放'炸药包'！告诉你，'二十响'、

'手榴弹'、'炸药包'，到了这门里全不顶事儿！你们唐家就死了这份心吧！"

她不容我分说，一步紧一步地把我逼得退到了门外，还想掩住两扇门板。

我不由得也生起气来，就使劲一跺脚，两手把正在掩合的门板推成个大"八"字，大声冲她嚷："奶奶！您别认错人！我不是唐家的侄子，不是唐家的外甥，我也不是放啥'炸药包'来的！我是城里来的红卫兵！"见她一个劲眯着眼发愣，像是没听明白，我就把两手做成个喇叭筒，把最后一句话加重语气，再"广播"了一遍。

又费了好大的劲，我和杜奶奶相互间的误会才终于消除。她弄清了我的来历；我也闹明白一个多钟头以前，唐家来过一个放"炸药包"——也就是送什锦点心匣的人，杜奶奶跟来人吵了一架，最后把点心匣扔了出去；那块沾满泥土的蛋糕，就是从摔破的点心匣里滚出来的。我附带也闹明白了"二十响"指的是香烟，"手榴弹"指的是整瓶的酒。

一旦弄清我是个"真红卫兵"，杜奶奶那股热情劲就别提了。她又是让我上炕休息，又是忙着张罗茶水，完全变了个人。原来满脸的怒纹，一时都化成了细碎的小花瓣儿。

我也像回到家一样，顿时轻松起来。坐在小炕桌两边，我跟杜奶奶大声拉起了家常。原来，村里的党支部书记老霍，到县党校的读书班学习去了；杜大伯的大儿子参军在部队上，小儿子和闺女都是回乡知识青年，一个参加了公社的农田水利专业队，一个到县里参加赤脚医生短训班去了，眼下只有杜大伯老两口在家……

杜奶奶一边跟我甩着嗓门说话，一边手不失闲地纳着鞋底。我不由得问："杜奶奶，您这么大岁数了，还瞅得见针脚呀？"

杜奶奶呵呵地笑了："我这手指头上长着眼呢，一个针脚也错不了！"

我又不禁赞叹地说："您这么大年纪了，还给家里人做鞋啊！"

杜奶奶点着头说："是给家里人啊——那五保户董老二，比我还大着五岁呢，生产队就是他的家，我们都是他的亲人啊！队里别的活大伙不让我干，这件事我包了他们没话说！这也是巩固集体经济，为学大寨作贡献的事嘛，你说奶奶我寻思得对路不对路？"

我心里一热，忙大声说："对路！"

接下去，可就出了岔子！

我见北墙上挂着好大个镜框，里头满是大大小小的照片，心想要是把杜奶奶提到的人们一个个跟相片对对号，该多有意思！就跳下炕沿，跑拢跟前去看，没曾想，我正兴致勃勃地边大声问着她老人家、边挨排看着照片呢，忽然，"咣当"一声响——呀，不好，我挪动身子的时候不小心，衣袖把躺柜上的一件东西给拂到地下了！

"杜奶奶，我砸坏东西啦！"我负疚地大声报告，同时弯下腰去捡砸坏的东西。

杜奶奶并不在意，她连炕也没下，摆下手说："不碍的，不碍的，你小孩子家，毛手毛脚惯了，难免的事儿！"我更不好意思了。可是，很快我就放了心，因为我发现被拂到地上的，不过是个瓷酒盅。我赶紧拾起来，告诉杜奶奶："没碎！"

杜奶奶眯起眼问我："里头的黑枣呢？"

我望望空空的酒盅，望望地上，哪有什么黑枣呀？便回答说："没有哇！"

杜奶奶听了这话，"霍"地从炕上下来，弯下腰就满世界地寻找起来。

我挺纳闷。一个酒盅能装几个黑枣？黑枣又不是什么稀罕的东西，何必这么在乎？忙扶住她说："奶奶，算了吧！"

"什么？算了？"杜奶奶直起腰，满脸不快地数落我说，"你呀你呀！毛脚鸡！你就不会谨慎点儿？"

我挺不好意思地咬住嘴唇。

杜奶奶命令我说："你给找吧！找不着不许直腰！"

我便俯下身，炕左炕右，桌下柜边，仔仔细细地寻找起来，哪有黑枣的影儿呀！于是，我只好直起身，尽可能婉转地说："许是这酒盅里没搁黑枣吧——"

杜奶奶立即反驳我说："咋没搁！搁了小三十年啦！"

我一时没听真她那后半句话，便又一边低头搜寻一边猜想说："许是杜大伯给吃啦！"

　　杜奶奶脸色顿时变了，她扁扁嘴，那神情像是要猛呲我几句，但经过几秒钟思考以后，显然又打消了原先的主意。她拍拍衣襟，叹口气说："那就等达山回来再找吧！"

　　正当我满腹疑惑的时候，一个人吵吵嚷嚷地进了屋。

三

　　来的是个老头，头发、眉毛、胡子全是白的。迈进屋，他就使劲把手里拄的花椒树棍往地上猛戳，晃着脑袋冲杜奶奶嚷："达山呢？这小子真不地道！这么大的事儿，敢瞒着我！不怕我给他两棍子！"

　　嗬，好大的谱儿！他是谁呀，敢当着杜奶奶骂当队长的杜大伯？杜奶奶的脾气我是领教过的，她不把这糟老头轰出去才怪呢！

　　咦，又让我奇怪了。杜奶奶不但没生气，反倒赶紧过去搀他坐到炕沿上，还一个劲道歉说："是达山不对。他跟我说，唐老瓜的事太容易让人起火，怕你知道了伤精神，所以嘱咐大伙甭跟你提……我当时就骂过他，我说，这么大的事儿你瞒得住？燕子不叫，蚊子还哼哼呢，早晚得让你董大爷知道，知道晚了，他的气更得大……"

　　啊，这位老爷爷准是五保户董老二了。只见董老二一拍胸脯说："我的气不打一处来！光是唐老瓜跳泥塘我倒能承受，我问你，你是怎么管教达山的？他为啥收下唐老瓜儿媳妇送来的'炸药包'？……"

　　董老二说话又急又快，呼哧带喘，杜奶奶一时没听清，糊里糊涂地反问说："啥？也有人给你送'炸药包'？"

　　董老二气得直咳嗽，我赶忙过去帮杜奶奶解释："唐家的'炸药包'，早被杜奶奶扔出去啦！您听见的，准是谣言！"

　　董老二仿佛这才发现屋里有我这么个人存在，他把身子朝前耸，望定我，不客气地说："你是打哪儿钻出来的猴儿？谣言？唐老瓜那儿媳妇红嘴白齿，说得一清二楚。她说大家伙都是贫下中农，他们唐家给老辈的添添营养增增寿，达山给他们唐家盖新房子指指地，是阶级友爱嘛……"

这回杜奶奶可听清了，她气得巴掌一拍说："都是贫下中农？哼，我看唐老瓜正让那'宝贝'儿媳妇牵着鼻子奔邪道儿溜呢；论阶级友爱呀，就得给他下猛药，让他泻出肠子里那资本主义毒虫儿！"

我不由得插嘴问："唐老瓜那儿媳妇，是个啥样的人哇？"

杜奶奶冲我撇撇嘴说："她呀，娘家是平槐村的富裕中农；要问是个啥样的人呀，瞧她到供销社买盐的神情儿吧：售货员要是先往秤盘里装多了，一点一点往下拨，拨成一斤，她就眼睛不是眼睛鼻子不是鼻子，甩开嗓门埋怨人家赚了她；要是售货员先往秤盘里装上七、八两，再一勺一勺往上添，添成一斤，她就眼也顺了鼻子也正了，一个劲夸人家服务态度好。自打她过门以后，这股子'赚劲儿'就散进了她男人和公公魂里；她呢，把唐家的好成分抓到手里当成个旗儿，有事没事成天价跑到达山跟前叨噔："你可得照顾我们下中农的利益！我们可是下中农成分！"达山可不吃她这一套……

我还想问个究竟，一旁的董老二截断杜奶奶的话，白眉毛直跳，疑惑地说："达山不吃她那一套，为啥今儿个让唐老瓜把石料卸村口了？那可是唐老瓜相准的新园子！"

杜奶奶连连摇头："准是你看花了眼，不能有的事儿！"

董老二站起来，花椒棍又是一阵乱戳，训斥杜奶奶说："你别护达山的短儿！那石料我都经手摸过——唐老瓜的儿媳妇在一边嘿嘿笑嘛，她说：'瞧，队长这不批准我们啦？我们一不是地富，二不是富裕中农，依靠对象嘛，盖个新房子，队里还能卡我们？'你听听这话！你也摸摸那些个石头块去！你呀，我看你这些天是光知道做饭、喂猪，连'话匣子'也不听，不学习！不学习心上还不长毛呀？……"

这个批评杜奶奶可不服气，她迎上一步去辩驳说："谁不学习？这几天'话匣子'里天天念叨关于无产阶级专政理论的那些个道理，毛主席他老人家说得可真透啊，说得我心里亮亮堂堂的，你可别隔着门缝看扁了人！"

我忙上去帮杜奶奶解释："千真万确，杜大伯没批准唐家往那儿卸石料。半拉钟头以前，杜大伯还当面跟唐老瓜斗呢！好多人都瞅见了！董爷爷，您老人家是啥时候去看的石料？不是那以前，准是那以后——您放心，杜大伯说了，他们家自己不搬，下了工大伙给他们搬回老院子去！"杜奶奶直冲董老二点头儿："怎么样？我们达山能是那么一盆面糊糊吗？"

董老二这才回到炕沿坐下，沉吟地说："那还差不多！唉，这唐老瓜一家，真够难缠的……"

我忍不住又打听："他们家就没个脚跟子正点的呀？"

董老二把花椒棍一点说："咋没有？可惜如今在外头呀……"

董爷爷和杜奶奶一五一十地把唐家的情况给我细描了一遍。

最先跟那儿媳妇顶起来的是小叔子唐振海，那原本是两条道路的矛盾，可唐老瓜和大儿子唐振河却认为是所谓传统的"叔嫂难合"，吆喝振海多于责备媳妇。三年前振海参军走了，唐家内部的邪气进一步有所上升，出工抢分值高的活干，收工回来就扑到小菜园子上。唐老瓜最擅长种黄瓜，光这小园子一夏的几茬黄瓜，就能到附近盒子镇集市上卖回百十来元……队里多次作唐老瓜的工作，发动小学生到他们家宣传爱国家、爱集体的思想……唐老瓜老伴倒时常觉得心里有愧，唐老瓜也有过思想斗争，唯独唐老瓜儿媳妇，她舌头上仿佛安了面小锣，伸长脖子，"当当"地跟书记、队长、社员们"辩论"："我们干的哪件事犯法了呀？""我们又不是'不劳而获'，'种瓜得瓜，种豆得豆'嘛！"……

听到这儿，我不由得问："唐振河呢？杜大伯要能把他教育好，也许他媳妇就不那么狂气了吧？"

杜奶奶摆手，董老二摇头，他俩你一言我一语地告诉我：唐振河靠媳妇表哥的关系，头年就到城里建筑公司当了临时工，队里正大搞农田基本建设，壮劳力特别缺乏，几次动员振河回来，他媳妇都扬着嗓子嚷："振河虽说没办手续就去了，搁不住人家建筑公司乐意要呀！他月月按办了手续的规矩给队里捎钱，哪点得罪你们了？"有回她听说队里打算给建筑公司去信，足足在井台边骂了一顿饭的工夫，还示威地说："我表哥是建筑公司里主事儿的，你们写信也没用！"她到处炫耀这个表哥，跟人家说起话来，动不动就是"我表哥说的"、"听我表哥透的信儿"、"依着我表哥的意思呀"……闹得满村的孩子见了她就哄："大表哥来啦！"……

见我听得眉头越皱越紧，杜奶奶拍着膝盖大声对我说："自打毛主席号召学习无产阶级专政理论以后，党支部没少组织大伙学习、讨论，唐老瓜他们家的问题算咋回事儿？原先只觉着不对味儿，学了理论再琢磨呀，心里就豁亮啦……这不，达山正就着眼下他们闹盖房的事儿，领着大伙跟他们身上的邪气儿斗呢！"

想到唐家的事儿跟城里建筑公司的干部还有关联，我情不自禁地说："问题够复杂的，杜大伯和你们遇上的可是道难题呀……"

董老二听了我这话，仿佛是自言自语地说："难题倒不怕，只要达山别忘了'那个'就好！"说着，他拿眼满处寻东西，最后，眼光停留在了躺柜的小酒盅上，我注意到，一望见小酒盅，他的眼睛就亮了，他命令我："拿过来，我要瞅瞅它！"

杜奶奶还没说话，我便把小酒盅递过去了，董老二一看，白眉毛倒竖："咦，黑枣呢？"

杜奶奶冲我一努嘴："不留神，给打翻啦！黑枣也不知道骨碌到哪个旮旯儿去啦！等达山回来再找吧！"

董老二责备地望了我一眼，意味深长地对杜奶奶说："当年，可是我跟唐老瓜一块，把这黑枣缴下来的呀！"

这真让我百思不得一解：小酒盅里的黑枣，究竟是怎么回事呢？为什么不光杜奶奶那么看重它，董爷爷对它也那么上心呢？这里头到底隐藏着啥秘密呀？而且，这跟眼下杜大伯领着大伙跟唐老瓜家的资本主义倾向斗争，又有什么关系呢？

我正想把黑枣的"谜底"问出来，那个已经跟我熟识的小伙子跑了进来，他把手一挥，招呼我说："走！先帮着搬石料去！搬完了达山叔就跟你谈！"

四

我搬起块最大的石料，搂在胸前，跟着前面的人朝唐老瓜家走去。

刚要迈进他家篱门，忽然传来恶狠狠的声音：

"石头是我们家的！你们凭啥把石头往我们家搬？！"

嘿！这叫什么逻辑！

我雄赳赳地走进用树棍钉得很讲究的、被我们运石料的人冲开的篱门，于是一个三十多岁的妇女就出现在我的眼前。我一瞅她那模样，就猜出她是唐老瓜的儿媳妇。她的穿着打扮跟城里最讲时髦的那些妇女差不多，只是皮肤粗黑，脸上这里那里有些个大小不一样的黑痣。她满脸怒容地瞪着我们这些运石料的人们，不住地重复着上面那类逻辑混乱的话，可是大伙根本不搭理她，她也只好那么无可奈何地站着、嚷着……

我搂着石块进篱门的时候，故意把脚步顿得咚咚响，唐老瓜儿媳妇显然很惊异怎么会有我这么个红卫兵夹在搬石料的人里面，她挑起眉毛直瞪我，我不理她，还故意歪着嘴角向她表示轻蔑；穿过胡萝卜地之间窄窄的走道，我存心使劲把石头摔到大家放石块的地方。

每人搬两趟，村口的石头也就都搬进他家院里了。

大家正拍着身上的灰渣，说着批评、讽刺的话，预料中的激烈冲突，果然出现了。

先是唐老瓜媳妇一下子窜进人群，选准"龙首"杜大伯开了炮！

"队长，你办事不公！"

杜大伯沉着地问："怎么不公？"

唐老瓜儿媳妇振振有词地说："杨老四家去年盖新房，你为啥准他盖在村边上？"

一个社员抢着回答："杨老四的老院子牵条牛都没法转弯，不拨他块地，到哪儿给奔三十岁的大小子盖新房去？"

几个社员跟上去："是嘛！""人家啥情况，你家啥情况？"

唐老瓜儿媳妇一手叉腰，一手指着村口枫树方向，扯着嗓门继续质问杜大伯："我们要的又不是耕地，你为啥不批准？我们是下中农，又是光荣军属，你为啥卡我们？我们振海眼看就要复员回来娶媳妇了，你为啥不支持我们盖新房？为啥不关心我们下中农的生活？……"

杜大伯等她"连珠炮"稍停，一句紧一句地回敬她说："不占耕地占公地，发展自家小园子，这是损公肥私，搞个人发家，就是不能批准！下中农成分应该是你们唐家走社会主义道路的动力，不能把它当成跟集体讨价还价的本钱！谁说我们不关心你们唐家的生活？这不，我们这么多人下了工又来义务劳动，给你们家运石料，这不是实打实的表现吗？我们大伙不光指望你们家日子越过越好，更指望你们家的路子走得正——永远跟过去的穷哥儿们一起，走共同富裕的社会主义大路！"

这番话引起了周围人们强烈的反响，大家纷纷发话描补这几层意思，可是唐老瓜儿媳妇还是那么顽固，她高声叫喊，仿佛声音越尖、越响就越有理似的："谁路子走歪了？我们犯哪条王法了？凭什么你们一个个眼睛瞪成碟子，盯着我们？还不是见我们日子过得火暴，心里窝着醋！……"

你说她多能胡搅蛮缠！嘿，光是她一个人撒泼倒也罢了，正在她又喊又叫的时候，唐老瓜和他老伴进院来了，他俩一人扛着个口袋，刚从电磨房磨完麦子回来。唐老瓜一见石料果真都给他搬到院里来了，把肩上的口袋往地上一顿，蹬蹬蹬几步抢到杜大伯面前，脖子上的青筋一个劲蹦，喘了几口粗气才吼出来："杜达山！你别把事作绝！告诉你，你生产队长芝麻大的官，没啥了不起！你想踩咕我，自有管教你的人！"

杜大伯还没答话，在场的社员们全都气炸了，爆发出一片对吼声："唐老瓜，你这叫什么话？"

"你少胡诌！"

"你鬼迷心窍了！"

唐老瓜还是哇哇叫，他儿媳妇尖声尖气地插着话；唐老瓜的老伴急得一会儿拉唐老瓜衣襟，一会儿打手势让杜大伯和大伙别跟唐老瓜一般见识，众人指手划脚，一叠声地跟唐老瓜辩论。

这时候，我留心观察杜大伯。只见他紧抿着嘴，抿得发白的嘴唇，在胡子丛中成了铁条般的"一"字；他面颊上的咬筋在一跳一跳，显然，一盆怒火燃在他的心中；可是，抖动的浓眉下，那双眼睛里盛满的表情啊，我可形容不来，似乎并不全是愤慨和斥责，而有着见到亲人遇了车祸、被撞成重伤的那么一种痛心、焦急的味道……杜大伯此刻在想些什么呢？他将怎样对付面前的这两个大喊大叫的人呢？

五

由于杜大伯出乎大家意料地沉默不语，几分钟以后，不但那些愤怒地驳斥着唐老瓜和他儿媳妇的人们渐渐住了嘴，就连唐老瓜也不再嚷，那儿媳妇也不再蹦了。所有的人，不约而同地都把目光汇聚到杜大伯脸上。

杜大伯抿紧的嘴微微抖动，他把右手探进怀，仿佛要从内衫胸兜里掏啥东西来……

这时，突然院外传来吉普车鸣喇叭、驶近和煞车的声音。嗬，哪位首长来啦？来这儿干什么？大伙都惊疑地把头转向篱门，杜大伯眉毛一跳，右手停止了动作，也扭头向篱门望去。

打篱门外走进一个人来，四十岁上下，身子发福，微微有点双下巴；他身穿一件剪裁得很秀气的春秋短大衣，大衣把腰部箍得很紧，加上大衣下面两只化纤裤的细裤管，和脚上穿的一双窄窄的、薄薄的尖头皮鞋，这就给人一种上重下轻的感觉，使人觉得他随时可能跌倒。

来人刚露面，唐老瓜儿媳妇就尖叫了一声："大表哥！"然后眉飞色舞地迎了上去，一边大声说："你来得正好！你是工人阶级！又是城里头的干部！你来给评评这个理！"

唐老瓜和老伴也满脸喜色地迎了上去；院里其他的人们有的交头接耳，有的撇嘴、啐唾沫。我注意到，杜大伯的右手空着抽出了衣怀，他眉头耸成一簇黑山，警惕地盯住进院的人。

那位大表哥显然对院里的情景吃了一惊。他从唐老瓜儿媳妇的肩膀上向院子深处打探了几眼，轻声地问："怎么？这儿在开会？"

唐老瓜儿媳妇回头瞟了杜大伯一眼，鼻子里哼出一声说："比开会还厉害！整到我们下中农头上来了！大表哥，你给宣传宣传政策！"

唐老瓜和老伴直请大表哥进屋坐，那位大表哥略微思考了几秒钟，就跟着他们朝院里移动，只见他小心翼翼地在种满胡萝卜的菜畦间移动着皮鞋，同时不住地主动和目光相接的人们微笑着打招呼。

走到离杜大伯几步远的地方，他停住脚，挺热情地伸出手，作出准备握手的姿势，笑容满面地说："杜队长！您好！"

杜大伯两手叉在腰上，严肃地望着他，冷冷地说："免了吧！我手上有泥！"

"大表哥"一点也没有尴尬的样子，他收回手，从短大衣兜里掏出一个银色的烟盒来，"叭哒"一声打开它，取出两支烟来，我本以为他会立刻敬杜大伯一支烟，可是这次他没那么冒失，他嘴里说着话，手里不住地在烟盒上顿那两支烟。只听他说："杜队长！您见着我准定面生，我见着您可特别面熟！是这么回事，前几趟我上表妹家来，您都没瞅见我，我可是远远瞅见您在地里头带头劳动来着——怎么样？这阵正抓农田基本建设吧？缺不缺水泥啥的？我们建筑公司有节约下来的水泥，公司自己可以灵活掌握，你们队上要是需要，我可以帮忙——各行各业都要支持农业嘛！这是我们应尽的义务。哈哈哈……"说到这，他才就着哈哈把一支带过滤嘴的烟很"自然"地向杜大伯递过去。

杜大伯姿势仍然没有变。他眯起眼细打量"大表哥"，仿佛要给他照透视似的，隔了几秒钟，才问他："你今儿个下乡，是支援农业来的？"

"大表哥"仍然笑嘻嘻，他把杜大伯不要的那支烟搁回烟盒，"叭哒"一声关上盒盖后，又"啪啪"两响，用烟盒一侧附带的打火机点燃了留给自己的那支烟，满不在乎地抽了一口，这才不慌不忙地说："今天是到你们北边903厂办点事，顺路到这儿来望望表妹他们一家子。"

杜大伯批评他说："你坐着公家的车子来串亲戚，这可不合适啊！"

唐老瓜儿媳妇早憋不住了，她插进去嚷："你管得也太宽了！生产队的事你管得着，人家城里建筑公司的事，你也管！车是人家的，爱咋坐咋坐！"

杜大伯理直气壮地驳她："车是国家的，我怎么不能问问？"

周围的人们都支持说："是呀！"

"上次就这么来过一回，拿国家的车子摆阔气！"

"瞧那份德性！"……

唐老瓜儿媳妇气急败坏地说："都请出！都请出！少跟我们家院里吵吵！大表哥是工人阶级，农民还管得了工人？"

瘦高个儿的大叔抢到她跟前，大手拍下腰，气不忿儿地说："管得了！他一个人代表不了工人阶级！达山能管，我们也能管！谁不按毛主席说的行事，是革命群众都能管！"

好些个人呼应大叔。"大表哥"沉不住气了，他用委屈的调子对着杜大伯说："杜队长，这算怎么回事儿？"

杜大伯望定他说："你该明白。你瞧瞧这个院子，不算小吧？再盖一溜房子满富裕，可你表妹他们家还惦着占村边的地，你说说看，我们能不能批准他们的要求哇？"

"大表哥"耸耸肩膀说："这算什么大事儿？您是队长，这号事还不是凭您一句话！"

杜大伯挥手指指大伙说："这不是小事，不能凭我一句话！得听取广大社员群众的意见！还要通过队委会讨论！""我们不同意！""队委会意见是一致的，不能同意！""不能扩大私人菜园子！"……响起了一片声音。"大表哥"摆摆手说："不要小题大作嘛！建议你们抓大方向……"

杜大伯耸起眉毛质问他："跟资本主义自发倾向斗争不是大方向？"

"大表哥"现出一副"高水平"的神态，语气故意格外和蔼地说："不要矛头向下嘛——"

唐老瓜儿媳妇对这话如获至宝，立即接过去说："就是！我们家是响当当的下中农，矛头对着我们，大方向哪儿去了？"又亲热地提醒"大表哥"，"你上次不是跟我们讲了吗？既是政策允许农民盖房子、种园子，队里要卡我们就不对……他们懂个屁！还是你给介绍介绍政策吧！"

"大表哥"对表妹的这种蠢劲十分反感，直冲她皱眉瞪眼；唐老瓜一旁看着摸不透"大表哥"的意思，便也期望地对他说："你就给说说吧！前些日子你那话我还结记着呢，既是现在这政策还顶事儿，我们自己用自己的料、自己的劳力，盖自己的房子，给自己住，就没有错！……"

"大表哥"非常恼火，他扔掉才抽了几口的香烟，对唐老瓜儿媳妇和唐老瓜挥着手说："简直不懂事！"然后扭转身，急匆匆向篱门走去，一边还叨唠着："农村的事，真复杂！真复杂！"

人们目睹着这一幕，有的议论，有的笑，有的撇嘴。

"不错，是有点复杂！"杜大伯指着"大表哥"脊梁对大伙说："不光农村复杂，我看城市也复杂！毛主席说了嘛，列宁说，'小生产是经常地、每日每时地、自发地和大批地产生着资本主义和资产阶级的。'工人阶级一部分，党员一部分，也有这种情况。无产阶级中，机关工作人员中，都有发生资产阶级生活作风的。……瞧，这位'大表哥'，虽是个工人，眼下还当上了干部，可他还跑到农村鼓动我们农民搞'自发'来了！"

人们爆发出一阵夹杂着骂声的大笑，"大表哥"气得脸发紫，他停住脚，看样子是想扭转身反击一下杜大伯，可是终于没有扭转身，大概是感到"寡不敌众"吧。唐老瓜和他儿媳妇见他们所崇拜的"大表哥"竟成了这模样，全慌了神，一时手足无措。

"大表哥"刚要迈出篱门，忽然，一个人跨进篱门，对他大喝一声："站住！"

进来的是董老二，他把花椒树棍拐杖往地上猛地一戳，劈脸质问"大表哥"："我问你，你那车上的两袋水泥，是打算给谁的？"

"大表哥"恼羞成怒地对董老二说："你管不着！"接着就想绕过他走出去。

可是董老二把拐杖一横，挡住了他，其他社员也抢到他周围围住了他。

董老二回头朝外面一摆头说："那，让司机同志跟大伙亮亮底吧！"

一个才二十岁出头的小伙子出现在篱门边，他抓下头上的便帽搓揉着说："我原以为真是顺路给队里运水泥来……这位老大爷跟我一说，我才明白，原来这儿是他表妹家……"看样子，他的确是因为天真单纯，才听信了"大表哥"的什么谎话，把车子开到这儿来的。

"大表哥"见事已如此，就爽性把怒容收起，变成一副从容不迫的表情，大大方方地说："不错，我是给表妹家送水泥来的。他们家盖房子等用，这是我们公司剩下的等外品，卖给职工的，我买了两袋，顺路给他们捎来。怎么，难道这犯法了吗？"

唐老瓜儿媳妇一见"大表哥"又硬气起来，忙冲到他身边护驾说："是呀！不犯法的事你们也管，真是淘井灌河，吃饱了撑的！"

偏在这时候，唐老瓜老伴提着一个盖毛巾的竹篮走来，凑拢"大表哥"身边，把篮子递给他，低声说："先给你一百八吧，难哪，攒了三个月，才攒齐这么多……"

跟我认识的那个小伙子，冷不丁伸出手把毛巾一揭，呀，一篮子全是白晃晃的鸡蛋！

唐老瓜急得推了老伴一把："你呀！眼珠子长脚后跟上啦？"

唐老瓜儿媳妇直咬牙："老不死的！现眼！"

"大表哥"狼狈万分，把竹篮一个劲往唐老瓜老伴怀里推，结结巴巴地说："我要、要你这个干、干啥呀？……"

原来，唐老瓜老伴把"大表哥"迎进门以后，就管自跑到后院敛鸡蛋去了，事先说好这天"大表哥"要来用水泥换鸡蛋的；她对刚才发生的事全不清楚，敛好鸡蛋后出得院来，见"大表哥"站在门口，以为水泥已经运进了院，他要走了，所以赶着来把鸡蛋交给他，没想到碰了一鼻子灰，真是懊丧透顶。她赌气地搂着一篮子鸡蛋进屋去了。

人们忍不住发出一阵嘲讽的大笑。司机冲"大表哥"嚷了几声："我算上了当！这水泥我运回公司去，你自个儿腿着吧！赶明儿你再想用公家的车干这号勾当是没门了！"

他转身走后，很快传来马达声，他果真扔下"大表哥"不管，自己开车走了。

这时候，杜大伯大声对"大表哥"说："你既然来了，就多待一会儿吧。我有话，对唐老瓜他们，对你，对大伙儿说！"

尽管董老二早把挡在篱门口的花椒树棍放下，"大表哥"望望这个威严的老头，没敢再往外走，无可奈何地呆立在那里。

人们都把目光移到杜大伯身上去。

六

杜大伯跳到当院的一个石碌碡上，从胸怀里掏出一个纸包来。他小心翼翼地打开纸包，于是一样东西就捏在他右手的拇指和食指之间了。他把那样东西举起来，问唐老瓜："你还认得它吗？"

大家都仰头看。唐老瓜把手掌搭个凉篷，眯缝着眼细认，忽然他认出来了，不禁双脚往后一蹿，发起愣来。

我认出来，杜大伯手里捏着的是一颗乌黄的子弹！

院里的人们都认出来了，立即充满了惊叹、询问和小声议论的声音。

杜大伯落下手，把那颗子弹放到掌心，走到唐老瓜跟前，深情地说："老瓜呀，你不该忘记它啊！那是一九四八年冬天，咱们村土改正在高潮上。我是大家伙选出来的贫农团团长，专管张罗斗地主、分浮财的事儿，地主老财苟麻子恨不能生嚼了我！可是穷哥儿们拧成一股绳，护卫着我呀！那时节，你心里揣着苟麻子讹下你家两亩瓜田、气死你爹的深仇大恨，你日夜盼着斗倒苟麻子，分田地分浮财、过上好日子，你对土改工作队，对贫农团，真是恨不能捧出心来拥护呀！你怕有那混在好人群里的暗狗腿子算计我，时常悄悄跟在我身后头给我当警卫呀，有回让我发现了，我跟你说：'老瓜，不用！我自己留神就是啦！你屋里的正坐月子，多伺候伺候她吧！'你怎么说的，还记得吗？你搋着我袖口说：'达山呀，没有你们干部替咱穷哥儿们豁出命干，共产党、毛主席给咱们的福也享不着呀！达山呀，你尽心尽力干吧，可别对苟麻子他们手软呀！'就在三天以后，是个月黑夜吧，刮着飕飕的西风，我打区上开会回来，果不其然就有人要暗算我——你跟董大爷那天约好到村外迎我，是你们发现有人藏在苟麻子祖坟那大石碑后头，拿枪瞄着渐渐打地边走过来的我；你和董大爷悄不出声地逼到那人背后，几把掀倒了他，缴下了他手里的枪，卸出了这颗子弹——那人原来是兵痞子尤蛐蛐，敢情他是苟麻子的暗狗腿子，咱们当时经验不多，对他防得不够，我就险些个吃了他这颗'黑枣'呀！唐老瓜啊唐老瓜，这档子事，你忘啦？你那手背上，不还留着尤蛐蛐挣扎的时候，用攮子捅出来的记号吗？"

人们静静地听杜大伯回忆这段事儿，各自按自己的思路揣想他的用意。董老二走拢唐老瓜身边，用花椒棍敲敲他小腿，唐老瓜望望董老二严厉的脸色，低下头来沉思。

杜大伯胸脯一起一伏，喉骨动了几动，这才用缓慢而有力的语调说下去："二十七年过去了。阶级敌人想用'黑枣'消灭我们是越来越没指望了。可是这颗'黑枣'我留了下来，而且一直把它存在小酒盅里。大家伙知道，早先我也爱喝两盅酒，合作化运动前后，苟麻子他老婆瞧准了我这个脾性，又是往我家送'手榴弹'，又是偷偷让她闺女招我到她那儿七碟八碗地喝两盅，我不光把她押到大伙跟前斗了个俩腿哆嗦，我还打那以后干脆戒了酒；我把'黑枣'搁到酒盅里，天天瞧，为的是天天想着阶级斗争，想着为穷哥儿们谋利益的责任，警戒自个儿，不光要防阶级敌人的'黑枣'，也得防他们那些烟酒鱼肉、美人计啊！……可我今天想说的，还不光是这一层意思！眼下是无产阶级专政下的继续革命，我们要牢牢记住党的基本路线，敌我矛盾要搁在心上，那人民内部两条道路的斗争，也不能撂到心窝子外边啊！唐老瓜，当年苟麻子、尤蛐蛐他们用'黑枣'对付我，你能豁出命去跟他们拼，今天，你过上了好日子，你也用'炸药包'来对付我了！'炸药包'不灵，你就跟我撕破了脸闹，这是咋回事儿啊？我不是说你唐老瓜跟苟麻子、尤蛐蛐是一路货，可你奔的那条道儿，黑咕隆咚呀！你不学习，不注意克服那小生产者的特点，耳朵眼灌不进批评的话音，到了个什么地步了啊？想想吧，再不回头，你也能变化成新的资产阶级分子啊！"

董老二听到这儿，激动地用花椒树棍跺着地对唐老瓜嚷："你已经变了半截子啦！你喝那资本主义发家酒喝迷啦！你还不醒醒呀？"

唐老瓜猛地蹲到地上，两只手紧紧地抱住头。唐老瓜儿媳妇悄悄地朝屋里溜去。

人们激动地三五成群地议论着。

那个捏着鞋底顾不得纳的大嫂对瘦高个大叔感叹地说："达山能顶住'黑枣'和'炸药包'，这号干部真顺咱心哪！"

大叔点头说："不堵住资本主义的路，就迈不开社会主义的步，达山这么领着咱们学大寨，路线对呀！"……

杜大伯正想接着往下说，忽然篱门外自行车铃当响，我隔着篱笆一看，原来是邮递员来了，她下车挥着封信嚷："杜队长！信！"我欠出身子去接那封信，一边告诉她："杜队长正讲话呢，先给我吧！"邮递员同志惊奇地朝院里望望，自言自语地说："队部没人，让我好找，原来跟这儿！"

邮递员骑车走了，见杜大伯望着我，我就上前把信递给了他。

杜大伯接过信，一看封皮，高兴地说："振海给我回信啦，来得及时呀！"

唐老瓜一听这话，忍不住抬起头来，直愣愣地望着杜大伯手里的信。大伙也都注视着拆信、看信的杜大伯。我发现，杜大伯的眉头随着看信在不住微微地跳动。振海为啥不给家里人写信，而给杜大伯写信呢？

杜大伯看完了信，用手把信纸一拍，兴奋地对大家宣布说："振海是好样的！"然后，他大声读起了这封信来。

振海在信里，用无产阶级专政的理论分析了自己家里发生的事情，他认为，这正是小生产每日每时地、经常地、大量地产生资本主义的一个例子，他明确表态说："这次家里闹着盖新房、扩大园子地，都是打着为我复员娶亲的旗号，请您转告我爹，我复员后回村，坚决不住那强占村边地盖起的房，也不要那强圈进来的园子地；再请您转告我嫂子，让她作好思想准备，我一旦复员回村，就要立刻和大伙一起，跟她那股子'赚劲儿'斗！……"

读完了信，人们纷纷为振海叫好。杜大伯举起这封信，宣誓般地说："对！我们要巩固无产阶级专政，就不光要跟阶级敌人斗，跟犯法的行为斗，还要跟小生产的自发倾向斗啊！"

院里人们的情绪，达到了最高潮。我望着杜大伯铜像般的身姿，耳边长久地回响着他金钟般的声音，心呀，怦怦怦地跳。"大表哥"要趁人们不注意的空当溜走，没想到杜大伯叫住了他，对他，也对大家说："这位城里来的同志，请留个步！对你，我不很了解。可你今儿个说的话、行的事，不正哪！毛主席说，'要搞马克思主义，不要搞修正主义；要团结，不要分裂；要光明正大，不要搞阴谋诡计。'咱们都掂量掂量这个话的分量吧！……"

人们跟上去呼应说："你还算个干部呢，净宣扬些个啥呀！"

"你跟你那表妹要把唐老瓜拉到哪条道上去呀？"

"瞧你行事那藏藏掖掖的劲儿！"……

见董老二还拄着花椒棍威严地站在门口，"大表哥"不由得又停下步来，杜大伯甩甩手说："成啦！请客人上路吧！我们希望你今后走正道，不要再'顺路'搞这种损害国家、损害集体、发展资本主义的活动啦！"

董老二腾开身子让"大表哥"出去，"大表哥"赶紧往外挪动，董老二把拐棍一顿，"大表哥"屁股一惊，转眼消失在篱门外了。

几分钟以后，在杜大伯带领下，社员们直接从唐老瓜的院子出发，开赴农田基本建设的现场。我也激动地跟着去了。唐老瓜扛着铁锹跟在大伙后面，脚步不匀、低头不语……

这一天，我当然圆满地完成了联系红卫兵组织生活的任务。说实话，在学校里，我们红卫兵团也曾组织大家学习过无产阶级专政理论，讨论过为什么要对资本主义自发倾向进行斗争的问题，可是，几十个小时的学习、讨论，也顶不了我在南塔村上的这一课呀！

收入《果实累累》，北京人民出版社 1977 年 9 月第一版

我不希望被放到单一的视角里面去观察

——刘心武访谈录

问：请谈谈"伤痕文学"以及之后的文学潮流。

刘：对以往文学史的研究，特别是近三十多年的文学研究，其实存在着一个问题，我作为一个作者、读者，不满足的就是，都是线性研究，只注重点、节，比如"伤痕文学"之后就是"改革文学"，"改革文学"之后就是"知青文学"，那么每一个点就把前面那个点给遮蔽了，甚至淘汰掉了，这种研究当然也还是有它一定的必要性，但不能都是这样子，都成了线性研究，对读者来讲这种引导就存在一定问题，对作者来说呢，就可能被左右得不断地喜新厌旧。当然评论者有他的自由，他可以坚持这样一种研究，但是仅有这样的研究是不够的。另外我觉得不好的就是那种"时尚研究"，什么东西成为热点，什么东西有新闻价值，或者什么东西吸引眼球，什么作品获了奖，那么就重点研究什么。这种研究也是一种研究，首先要尊重，难道不应该研究时尚吗？难道不应该研究热点吗？难道应该抛弃热门吗？当然这是一种必要的研究，但是都这样也不行。如果它的话语权太强，也会造成一些对文学发展的伤害，所以要跳出这个格局。另外就是我认为目前"粗糙研究"比较流行，就是急于概括，懒于做详尽的个案分析，喜欢归类，贴标签，当然现在按年代归类又是一种新的模式，40后、50后、60后，特别是80后、90后，这个有一定道理，不是说它完全没有道理，但是不能都这样了，它有很多个案。所以如果有人对我有兴趣做点研究的话，以上几种视角都是合理的，但是我不希望被放到单一的视角里面去观察。

问：那么，你是否可以先从以下两点上来谈谈。一、在你成为一个作家的道路上，是什么样的文学对你产生了影响？二、想请你谈一下"十七年（1949—1966 年）文学"与你新时期初期文学创作之间的关系。

刘：大概有四个文学资源对我影响很大。第一个是西方翻译小说，其中主要是苏俄文学，这个我不用多展开，我那个时代嘛，它有很多复杂因素，除了你所能想象的大的时代背景以外，还有个人的因素，比如我有一个哥哥，他就学于北京大学俄罗斯语言文学系，曹靖华的学生，他在上北京大学的时候我正在上中学，他对我的熏陶很多。第二个文学资源是 1919—1949 年的现代文学，对我来说当然是"左翼文学"为主，因为当时一些"右翼"的或者是其他非"左翼"的是被遮蔽的。比如我很长时间都不知道有张爱玲这么一个人，没听说过这个名字，没读过她任何一篇作品，我得不到那个信息。但是那个时候所公开的信息，我捕捉了很多，从鲁迅到一些非主流的作家作品，如王鲁彦、丰子恺，对我影响都很深。当然这其中有我自己的取舍，我最欣赏的是李劼人，《死水微澜》是我认为我读过的这个时段的文学里面顶尖的、最好的作品，对我的影响是刻骨铭心的，至今我觉得对它的评价都没有到位。包括现在对沈从文评价比较高，沈从文根本比不了他的成就，这是个人看法。第三个文学资源就是 1949—1966 的十七年文学。听说有的作家要摘清和这段文学的关系。摘清它干什么呢，我不明白，如果没关系，那就天然地没关系，有关系为什么要摘清呢？这段文学对我的影响当然也是很多的，在这个文学里面当然我有自己的取舍，比如小说我最欣赏的是孙犁的《铁木前传》；比如诗我比较喜欢郭小川的《白雪的赞歌》、《深深的山谷》，《望星空》我觉得写得并不好；我喜欢读《青春之歌》、《创业史》，《红岩》我觉得有趣，但《红日》我就读不下去，《林海雪原》我就觉得不合我胃口，这是一个个人阅读的取舍或趣味。还有一个就是中国古典文学，我承认自己的功底比较差，因为我没有机会读到很多东西，那个时代一步步地反"封资修"，阅读的禁区越来越多，但毕竟还是读了不少，特别是《红楼梦》，因为"四大名著"毛泽东喜欢，是公开可以读的。所以在这四个文学资源的滋养下，我从少年时期就热爱文学，就想成为一个作家，就尝试写作并开始投稿。

问：你为什么想成为一个作家呢？在你成为一个著名作家之前，肯定有一段很长时间的写作历史，能不能谈谈这方面的情况？

刘：因为文学对我产生魅力以后，就从喜欢读，到觉得我也可以试着来写。再加上家庭熏陶，像我的父亲，他虽然是一个机关的职员，但他热爱文学，曾经尝试过写章回小说，"文化大革命"时抄家，就从家里抄出了他青年时代没有完成的一个小说稿，叫《铁兰花》。我母亲对《红楼梦》如数家珍，我的三个哥哥和一个姐姐也都热爱文学。

我开始投稿获得了成功，最早是1958年我16岁读高中的时候，这篇文章是一篇评论，发表在《读书》杂志，评论的是苏联拉夫列尼约夫的《第四十一》，那是我那个时代最喜欢的一本书，拉夫列尼约夫不是布尔什维克，但属于同路人，他的作品在苏联时期是比较异端一点的，《第四十一》现在可以找到，是曹靖华亲自翻译的。后来我又在一些报纸副刊上发表文章，比如《北京晚报》副刊，包括儿童诗、小小说、杂文、电影评论、戏剧评论等等。然后我又给其他更大的报纸投稿，比如在《人民日报》副刊发表了散文《丁香花开》、《桂花飘香》等。再后来我又在《中国青年报》副刊上发表文章，有时还被处理在头条，1962年《中国青年报》的总编辑孙轶青拍板发表了我一篇文章，叫做《水仙成灾之类》。这篇文章是篇杂文，但是写得很俏皮，养水仙非常好，但是引进者把它引入一个港口以后，就没有控制它，结果它就疯长，堵塞了整个港口，使得这个港口无法使用，为了清除水仙花了很大数字美元的代价，从这得出一个结论，就是什么事都不能过头。那时候刚经过"大跃进"的失败，经过三年困难时期之后，大家饿着肚子回过头来反思，一个年轻人居然写出这样一篇文章，是很惊人的。能不能发，当时总编辑也是很犹豫的，当时团中央胡耀邦比较开明，孙轶青也是开明的人，就拍板发了。

所以说我的思想当时就有些越轨和出格,当然我还是在意识形态所允许的范围之内发表不同意见。比如我喜欢李劼人,当时他在文学格局里不像"鲁、郭、茅、巴、老、曹"那样占据中心,《铁木前传》在50年代绝不是一个很主流的东西,但我就对它特别喜欢。我又写过一篇《从独木成林说起》,实际上也是反"左倾"的。这都是小东西,但是可以见出我思想的倾向性。

"文化大革命"发生以后粉碎了我的文学梦,而且因为1964年我在《北京晚报》发表过一篇谈京剧的文章,受到冲击,在校门外的墙壁上贴出了每个字用整张大字报纸刷出的大标语:"刘心武猖狂反对江青同志罪该万死!"我的年龄其实比一些"知青作家"大不了几岁,我1942年出生,但是我跟他们决然不同在哪里呢,就是"文化大革命"开始时我已经是个教师了,这样就和能够参加"红卫兵"造反的学生截然不同地被社会、政治家划分到两个群体里。但我个人也不是被"造反"的重点,我是个普通的年轻的教师,不是党员,也不是当权派,也没有当走资派的资格,也不可能是反动学术权威,但整体来说是"旧学校培养的学生"(这是那时候毛泽东提出的一种定性标签),执行的是修正主义教育路线,所以我跟他们对"文革"整个的感受是不一样的。

我上文中说到的"四个资源"在当时都被切断了。苏俄不消说了,苏俄以外的外国翻译作品更不行了,现代文学胡适成了反动派也不消说了,"十七年文学"除了个别作家个别作品也基本上被否定了。以前我喜欢夏衍的《上海屋檐下》,喜欢茅盾的《子夜》、《林家铺子》,这些全不行了,是"黑线"嘛。古典文学也切断了。这样我的文学价值观就整个崩溃了,就觉得自己有罪,看了这么多的"毒草"。当然对"文化大革命"每个人感受不同,一些"红卫兵"说那个时候他们什么书都可以读,因为他们把图书馆抄了以后,很多书都抱回家了。但作为一个教师我就会比他们谨慎,就算图书馆被抄了,把书都扔到操场上了,他们可以随便去捡,因为他们天然无罪,但我作为一个教师,我能跟他们一样吗?还有比我年纪小不了太多的一个作家当面跟我说过:"文化大革命"有什么不好,那时候我们想斗谁就斗谁,他们那时可能觉得很愉快,我就没有这种愉快感,但我也很尊重他们的这种生命感受，这也反映了当时历史的一个侧面。这是我写《班主任》的一个心理背景，"知青"就写不出《班主任》。

其实还有一个文学资源，也是现在一些作家最回避的，就是"文革"后期的文学。而且现在的研究者也基本上完全把它抹掉，作为空白处理，根据我个人的体验不是这样的。比如现在有一种说法，"八个样板戏、一个作家"，这是一种极端的说法，主要指的是1972年以前，1966—1972年这六年江青他们主要是"破"字当头，主要搞摧毁，批这批那。但到了1972年以后毛泽东自己就提出来要恢复文学刊物，所以在张春桥、姚文元他们的操作下恢复了《人民文学》、《诗刊》，这并不是邓小平恢复的，是毛泽东恢复的，比如说让姚雪垠继续写《李自成》。而且那个时候从"五七干校"调回了一些干部，恢复了人民文学出版社，严文井、韦君宜、李季，他们都被调回主持工作，开始出版长篇小说，包括谌容的《万年青》，张抗抗的《分界线》等（《分界线》可能不是人民文学出版社出的，是地方出版社出的。这也说明当时若干地方出版社也开始出版文学作品）。后来"样板戏"在江青一个个审查下又增加了一些，不止八个，达到了十几个，比如《杜鹃山》《平原作战》《磐石湾》《沂蒙颂》等。而且又开始拍电影，像《创业》、《海霞》、《决裂》、《春苗》、《欢腾的小凉河》、《难忘的战斗》、《艳阳天》、《金光大道》、《闪闪的红星》等。到了1975年之后小说就出得相当多了，我翻过的长篇小说记得就有《黄海红哨》、《千重浪》、《阿力玛斯之歌》、《边城风雪》、《县委书记》等等，我自己在出版社当编辑也发过《雅克萨》那样的稿，那部长篇小说是写清朝时抗俄斗争的。上海有《朝霞》杂志，出版了《朝霞》丛刊，发表了不少作品，而且打着批判外国资本主义和修正主义的旗号，也出了一些类似《译文》这样的外国文学刊物，也很流行，我说的都是公开发行的，不是地下的。这一段文学我觉得不研究是很奇怪的，它是文学啊。那时候的地下文学值得研究，但是也应该有人研究这种公开出版的，可以作为一个参照，不能完全认为那个时候没有文学。其实现在很多活跃的作家那个时候都发表过作品，不止一个两个，我也是其中一个，有人以为我的处女作是《班主任》，其实不对。

问：你能详细地回忆一下《班主任》的写作经过吗？在刚开始创作的时候，你是否预感到它的发表将会引起文学界的一场历史性的地震，或者说它将会名垂青史吗？

刘：经历了"文革"，本来我的文学梦破灭了，但1973年以后开始出现了一些新的文学作品，又可以开始投稿了，我就心动了，我觉得我可以再尝试了。有人问我，当时还是"四人帮"搞的那一套，你怎么在那个时候写东西，你为什么不跟他们划清界限呢？我划不清界限，因为还是中华人民共和国，还是中国共产党的领导，还是这样一个线性发展，我对他们也不满，但是我没有办法和他们彻底切割开来。有人这样做，比如张志新，有人问我为什么这样胆小，我说实话，我还不是胆小，我是没那个想法，就我个人而言，我的认知没到那个程度。从政治上来说，从文学观来说，很长时期我都是懵懂的。我从来不是一个政治性的人物，我只是一个文学爱好者，只是通过作品来抒发一些对社会人生的看法。从我喜欢李劼人的《死水微澜》、孙犁的《铁木前传》，就可见我所喜欢的是这种人情的、人性的、温情的东西。

大约在1973、1974年开始我觉得又可以重新搞文学，当时人民文学出版社也恢复了，出版了《向阳院的故事》等新的儿童文学作品，我也就开始写，开始投稿，我的一部写"教育革命"的长篇小说稿件被人民文学出版社编辑认为有修改基础，到学校为我请了创作假。这个时候，我就努力按照当时的"第五种文学"（"文革"文学）的标准来考虑作品，比如说"三突出"（在所有人物里突出正面人物，在正面人物里突出英雄人物，在英雄人物里突出主要英雄人物），我觉得它也有自己的逻辑，尤其对于戏剧来说。它的问题在于必须这样，不这样作品就出版不了，甚至如果你反对"三突出"就是反动、反革命，这就把事儿搞糟了。那个时候小说内容无非是以阶级斗争为纲，我在人民文学出版社的那部稿子始终没能修改成功，但1976年我写了一个儿童文学作品《睁大你的眼睛》，就是写当时北京一个大院里面，红小兵抓阶级敌人的故事，情节很巧妙，一环一环，也做到了"三突出"，被当时的北京人民出版社接纳，给印了单行本。在《刘心研究资料集》里面，有个日本人写了篇批评讽刺我的文章，说你在《班主任》前一年不是还写过《睁大你的眼睛》吗？这个人后来和我成了朋友，他的研究是对的，只是他当时没有办法解释这种前后的不一致。除此之外还发表过一些其他作品。所以说，"文革"后期文学对我也是有影响的。说到这，会有人说，你有一段不纯洁的写作经历。我很乐于承认这一点，相对来说，这些作品比我1966年以前的小文章违心成分要多一些，再加上有时候编辑还要把你往当时的政治上再靠一靠，这也要理解。我在从中学调到出版社当编辑以后，因为我能写，所以编辑部别的编辑奉命编书时，也就会向我约稿，我也就很努力地去完成任务，比如领导让编一本歌颂知识青年"上山下乡"的小说集，责任编辑跟我约，我就写了《果实累累》什么的，1975年的时候，提出来儿童文学也应该表现"跟党内走资本主义当权派"斗争，编儿童文学小说集的编辑约我写，我就写了《第一次思索》，但那集子拖到1976年儿童节也还没印出来，到1976年10月，"四人帮"被抓起来了，但"跟走资派斗争"的说法并没有取消，那么1977年儿童节之前，领导还是让把那本集子印出来，怎么办？责任编辑找我商量，我就说那就把小说里的"走资派"写成"四人帮"爪牙吧，这篇东西我大约在1976年底就诌成了，是我写作史上最荒谬的一例，它印出来是在1977年6月，离《班主任》面世不足半年。那么，《班主任》的写作，实际上也是我内心里"不能再这样荒谬下去"的苦闷的一次大冲决。那时候作为文学编辑我还负责着一部长篇小说的修改和定稿，那是北京远郊两个农村业余作者的作品，叫《大路歌》，写农村修路的故事，文笔非常有乡土气息，人物活跳，读来十分有趣，但是，就那样的面貌没有办法通过终审付印，因为写的故事里没有什么阶级斗争，几乎全是人民内部矛盾，先不说没有表现跟"走资派"斗争，阶级敌人对修路的破坏以及正面人物与其的斗争总得大写特写吧，可是，两位作者的素材来自于实际生活，他们那里修路中有先进与落后的矛盾，有性格冲突，却并无阶级敌人破坏的情况出现，怎么办呢？我就跟他们一起冥思苦想，甚至把自己搁到敌人的位置上去设想，如何破坏？下毒？太落套；偷炸药搞爆炸？如果炸药能被他偷，贫下中农形象岂不又被玷污？绑架孩子？那不是浩然《艳阳天》写过的情节吗？……真是一筹莫展，最后那部长篇小说也就搁浅。通过自己被动地写《第一次思索》，和在编辑《大路歌》中遇到的尴尬，就逼出了我的反叛思绪：再不要这么写下去、编下去了！实际也就是再不要这么活着了！于是才在 1977 年夏天开始偷偷写起了《班主任》。

所以说写《班主任》时我已经不是中学教师了。出版社编辑比一个中学教师的视野要宽广，离中上阶层更接近，获得"四人帮"被捕一类的敏感消息渠道也就更多。希望出现某种大的变化，是那时的政治氛围，虽然我以前对"四人帮"不满，但谈不上我就想能有人把他们抓起来，我还没种想法。一旦获悉"四人帮"真被抓了，在这种大的政治变化中，大家都开始反思，如上所述，到 1977 年夏天，我个人就进入了一个反思期，我就开始酝酿一次叛逆，要否定我后来所进入的"文革"后期文化、文学。1977 年公映了一部电影《青春》，谢晋导演的，他在"文革"中因为《舞台姐妹》遭到批斗，后来又让他拍"样板戏"。《青春》讲的是一个"红卫兵"的故事，主演是陈冲，这个电影充分肯定"文化大革命"，有毛主席接见红卫兵的镜头，但它又充分否定"四人帮"，是个意识形态过渡期的作品。我当时看了这个电影也就更增强了反叛心理，我觉得大家都不能再这样搞下去了，而我要否定这些东西，就必须重返我之前的四个资源。

《班主任》这篇小说有一个特点，它不是卢新华《伤痕》那样的作品，它不是写发生在"文化大革命"中的一个故事，故事发生在粉碎"四人帮"之后，而且它的包装也不像后来"伤痕文学"那样是血腥的、阴暗的、悲剧的，现在有人想当然地说"伤痕文学"里全是眼泪，不尽然，《班主任》里就没有眼泪，它是光明的，故事开展的空间就叫"光明中学"。但在这个包装下，我主要否定的是"文化大革命"根本的问题，它切断了与以前四种文化的联系。一个是切断了和我们祖宗传统文学的联系，一个是切断了和"十七年文学"的联系，也切断了和1919—1949 年的现代文学，切断了和外国文学的联系。所以我里面出现了很多符码，很多人没注意到，作品发表以后，茅盾先生很肯定我，他注意到了。比如我里面引用的作品有《辛稼轩词选》，你要知道这在那时候是很扎眼的，因为在"文化大革命"中连李白诗集都买不到，遑论《辛稼轩词选》。我记得粉碎"四人帮"以后，我们作为北京出版社编辑还有一个义务劳动的惯例，每星期天要到新华书店站柜台卖书,就有在北京的为数不多的外国人,可能是使馆的,挑衅似的来买,"有李白全集吗？"我就告诉他,"会有的,快有了","会有吗？",其实虽然已经粉碎"四人帮"了,但该不该印、能不能印"封资修"的书都还是问题,重印一些中外古典名著,是1978年以后才有的事。但我的小说里面已经有意识地出现了《辛稼轩词选》,它重新连上了那根线。那么"十七年文学"我选择了《青春之歌》,而且构成了里面的一个情节。另外,现代文学有《茅盾文集》,外国文学有《牛虻》——这个作品放在整个外国文学史的坐标上看是一个微不足道的作品,但我选择它作为小说里最主要的"道具"是非常恰当的。这些符码本身就说明了我的思路,我是想告诉大家,虽然把"四人帮"抓起来了,但是"文化大革命"的搞法值得反思,我们的年轻一代,我们的孩子们不能和这四种文化切断联系,这是一个非常深刻的主题。

我其实意识到了我在做什么,在做一件华国锋还没想到,但是他们必须要做的事。而且我也就对自己睁大了眼睛,是一种对"以阶级斗争为纲"、"三突出"的作品的反动,我个人认为它的深刻性到现在还没有被人真正地挖掘出来。而且这篇作品厉害在谢惠敏这个角色,这个角色不丰满,还有点平面化,但是这个角色本身,对她的否定就不仅否定了"文化大革命",也否定了"文化大革命"之前的我们共和国中的"极左"思想的危害性,实际上点到了"文革"的根源。它有穿透力,不光是控诉"文化大革命"怎么不好的一个作品。我当时没有想到它会有这么大的社会影响,但是我自己在做一件什么事,我是比较清醒的。我呐喊"救救孩子",但这个作品首先是"救救我自己"。从《班主任》以后,我脱离了懵懂,开始构建起自己独立的人格、自由的思想。

问：根据一些研究资料显示,《班主任》的发表颇费了一些周折,引起了一些争议,并且在发表的时候修改过,是这样的吗？

刘：说到这个发表的过程,从目前的一些资料来看,不同的人的回忆有一些小的出入。《人民文学》当时小说组的一位组长,他跟记者说是约稿,这是不准确的。

当时我既不认识他，也不知道他的名字，我跟杂志社素无来往，他也不是通过下面的编辑和我约稿，因为那时候我还不到被它约稿的份儿。《人民文学》当时是很重要的一个刊物，它有它的约稿对象，一个就是粉碎"四人帮"以后恢复名誉的老作家，还有一些当时就名声比较大的业余作者。另外一个编辑，就是发表《班主任》的责编崔道怡，我后来到《人民文学》当主编以后，他成为副主编。他的回忆是准确的，他说是从自发来稿中发现了我的稿子，他对我的来稿比较注意。作为一个编辑嘛，他会分层次看知名作家、准知名作家、有影响力的作者，还有就是他见过名字的，而我毕竟发表过一些作品，不是完全不进入视野的，所以我的来稿他是看的。我当时投过一篇稿子，他退回来了，然后我就又投了《班主任》。据他的回忆，他看到以后很兴奋，他给我回了一封信，按说这个回信是要经过上级批准的，他当时也没跟上头打招呼，他就是说觉得这个稿子不错，已经往上递交。他们内部的争论据他们回忆是很大的，大体而言有两种意见：一是认为属于暴露文学，不好发表，还有一种认为提出了引起大家共鸣的、确实存在的问题，不是一个向壁虚构的东西。最后是拿到张光年那里定夺，张光年最后拍板，意思是不要怕问题提得尖锐，关键在是不是准确。在决定用这稿子之后，把我约到编辑部去，在已经打成小样的情况下，当场逐段逐句地推敲、修改。也就花了一个小时吧，修改不痛苦，不复杂，多数是技术性修改，但是有一处我印象很深，本来我有意地重复鲁迅先生的话："救救孩子"，当时我觉得还是写成"救救被四人帮坑害的孩子"合适，于是加上了那个定语。为什么要加上这个定语呢？当时要求准确嘛，越准确越好，因为我通过故事和里面的一串符码已经把我要说的完成了，因此就不要造成更大的歧义，好像我要颠覆整个的体制，当时也确实没有这样的想法。我到现在也是一个改革派而不是革命派，我主张渐进式改革。为避免读者断裂式的激进联想，我就加上了这个定语。这样从小说文本来说，原本是比较简洁的，文气比较畅，这样呢就疙疙瘩瘩，但是这是当时的具体情况。

问：你当时没想到会有这么大的影响吧？

刘：没有想到。后来我从报上看到广告说发表了，我就自己骑车到编辑部去买了十本，编辑部卖刊物的人也不认识我，我也没说我就是一个作者，拿到家以后很兴奋。再加上我又不是单独发表一篇作品，到了 1978 年以后呢，我又在《十月》发表了《爱情的位置》，又在《中国青年》发表了《醒来吧，弟弟》。这三篇作品衔接得很紧，产生了一个共振效应，然后就非常轰动，读者来信雪片一样。

问：写《班主任》的时候，你是否意识到它会被人们命名为"伤痕文学"？你起初接受这种文学史命名吗？请你评价一下《班主任》对于"伤痕文学"的重要意义，以及评价一下"伤痕文学"对整个"当代文学"的意义。

刘："伤痕文学"这个称谓出现得很晚，《班主任》发表以后，比较典型的评价是"一只报春的燕子"，是在卢新华的《伤痕》发表以后，才有了"伤痕文学"的提法，《伤痕》发表比《班主任》晚半年多之久，《班主任》发表在 1977 年 11 月，卢新华的《伤痕》是在 1978 年 8 月。但在他那篇之前已经有一些另外的作品，这些作品很显然是要否定"文化大革命"，表达要求社会变革的诉求。到了《伤痕》出来以后呢，恰恰这个小说题目本身就带有概括性，如果单是它发表出现不了所谓的"伤痕文学"，那时候在《班主任》和《伤痕》之间已经出现了一些作品，《伤痕》之后又出现一大批作品，一直持续到 1979 年，我觉得"伤痕文学"最后的高潮应该是谌容的《人到中年》，她控诉了直到粉碎"四人帮"初期的中年知识分子被耽误了青春的苦闷。这个潮流以卢新华的《伤痕》来命名的话，恰到好处。

至于"伤痕文学"对整个当代文学有什么重要意义，这不是我应该回答的。这是研究者来回答的，有人可能觉得它毫无意义，因为它非文学，也有人认为它有一定意义。但是"伤痕文学"到现在还没有人编出一个完整的资料。1977 年《班主任》之后有哪些文学是"伤痕文学"，我就没有看到一个研究者给出详细的列表，作为一个阅读者或希望从批评中获得好处的人，我觉得是不够的。王蒙的《最宝贵的》、孔捷生的《在小河那边》、宗璞的《弦上的梦》、郑义的《枫》、王亚平的《神圣的使命》、谌容的《人到中年》……这些是不是"伤痕文学"？它既然是一个文学运动或者文学潮流，一定要有一个扫描才行，由点扯成线，由线滚动成面，由面成为一个体，这样的研究才有说服力。

问：1978、1979两年是"伤痕文学"的"高潮期"。没有它的出现，中国当代文学的"转型"也许还需要很长的时间，但是，由于后来几年社会的反复和曲折状态，使得它并没有发展到非常充分的状态，就一下子转向了"寻根"、"先锋"的文学期，你能否为我们谈谈这段历史，包括你对它的看法？

刘：我热爱文学，不是一个浅尝辄止、玩玩票的人，我的写作是贯彻下来的，需要不断地往前发展。我是一个很温和的人，比如说80年代中期以后文学主体性提出来了，文学回归文学，文学就是语言，文学就是形式，我对这些都很尊重，这些东西原来在我们这个时空里面是不允许存在的，即使存在也是极其边缘的，它压抑很久以后形成喧嚣，很正常也很自然。我也很感兴趣，也写了一些东西，吸收了这些，但是我基本的东西是没有变的。什么是我最基本的东西？就是我从四种文学滋养里面所获得的，文学应该表达世道人心，文学应该揭示人心人性。我们是一个多灾多难的国家，我记得1988年我在法国蓬皮杜文化中心参加一个活动，那时候正是"先锋文学"在大陆特别活跃的时候，我说了几句，我说我一提笔的时候老想到我们的国家还是一个相对贫穷、平均受教育程度比较差的国家。我没有展开说，因为西方国家发言只有五分钟。回国以后，就有人来整我，搞材料说我是卖国，在外国人面前说中国不好，你想这个罪名压力有多大。我是这样一个人，我不反对先锋文学，比如当时有张辛欣他们认为文学就是为自己写作，文学就是个人的，我挺尊重他们的。

我最好的小说《四牌楼》，那是1993年上海文艺出版社出版的，而且我也得了上海优秀长篇小说奖。另一长篇小说《风过耳》也是在社会动荡之后出版的。后来又出了《栖凤楼》，和《钟鼓楼》、《四牌楼》就构成了"三楼系列"。1999年我在山东画报出版社又出版了纪实性长篇《树与林同在》。本世纪初我还出了小说集《站冰》，人民文学出版社出版。都是大出版社，这些小说都发表在《收获》、《当代》上面，但是评论家尤其新锐评论家都不屑一顾。对此我很淡然，无所谓，倒是有一些境外研究者比较冷静客观，不像中国的主流评论界那么急着追求时尚，像我的小说，就在2000—2006年间在法国连续出了八本，其中有六本都是我的新小说。一个叫《尘与汗》，发表在《收获》时叫《民工老何》，没人注意，但是人家注意翻成了法文；还有一个《护城河边的灰姑娘》，发表在《上海文学》；还有我说的《树与林同在》，还有《四牌楼》中的一章《蓝夜叉》，也都翻译了。还有《人面鱼》，台湾一个出版社也给我出了一个单独的小说集。我说的都是90年代以后的作品。2003年中篇小说《泼妇鸡丁》发表在《当代》，2004年收入小说集《站冰》，很快就在台湾出了单行本，2006年也有了法译本。但是我也觉得很奇怪，我发表作品的都是大杂志，也有小说集，也有外国译本，但是记者和评论界动不动就说你怎么不写小说去研究《红楼梦》了呢？这就说明评论界总是被热点吸引，我的小说不像《班主任》那么轰动了，不像《钟鼓楼》那样得过茅盾文学奖了，不那么热了，就进入不了他们的评论视野，就不能被纳入文学史的叙述中，这样的评论和研究我以为是不成熟的，永远也达不到像夏志清《中国现代小说史》那样的水平。

因为如果评论者和研究者没有独立的观察力，就永远解释不了高行健为什么得诺贝尔文学奖，永远发现不了一个最好的作家其实可能是谁都没注意到的人，一些评论家永远都是要等着传媒界聒噪起来了，才赶快踮着脚尖追捧，老这样永远成不了事，写不出有独立风骨的文学史。夏志清小说史你可以说他的立场有问题，那是另外一回事，但他毕竟有个人看法。我看夏志清评茅盾的篇幅比沈从文还多几页，他对茅盾很多不满意，但他最后说茅盾是中共方面一个伟大的作家，跟任何同时代作家相比毫不逊色，这是有眼光的判断。

坚持多元这种思维是非常要紧的，忽略我就忽略我，我觉得无所谓，但是我也是一元。先锋文学出来的时候，我不但关注，也是推波助澜者。"先锋文学"发表最疯的时候，就是我当《人民文学》主编时。虽然我自己不这么写，但是我觉得要为这样的作品提供园地。北岛的第一次以长诗亮相,《白日梦》就是我发的,孙甘露那样的先锋小说,廖亦武那样的怪诗,都是我当主编时发的。

问:你能谈谈自己担任《人民文学》杂志主编前后的历史情形吗?

刘:《班主任》得了全国优秀短篇小说奖第一名以后,1980 年我调到北京市文联做专业作家,从 1980 年到 1986 年结束。1986 年王蒙是《人民文学》主编,可是当时他又被上层领导看重出任文化部长,这样他就没有精力继续来担任《人民文学》主编了,他就要找一个人来替代他,他找到我,我开始是拒绝的,因为我个性比较孤僻,不合群,当不了官,《人民文学》是一个正局级单位。而且那时候我当专业作家也很愉快,《钟鼓楼》拿了茅盾文学奖,我也想继续写东西,时间也不容侵犯,所以开始我是拒绝的。他找了一圈以后又找到我这来了,开好空头支票说我不用管那么细,我就接受了。一开始半年我是常务副主编,后来就过渡到我当主编。所以我成为《人民文学》杂志主编是被动的,不是我主动争取的结果。

后来就发生了"舌苔"事件,这个事情比较敏感我就不说了。因为牵扯到风波里,作家协会大清查。我当然是很坦然的,当时有人找我谈话,准备了我原来文章里的一些话,在下面画了线,比如我说没有共产党就没有新中国,没有共产党就没有文化大革命,他们就把后一句画下来了——其实我到现在也觉得这话是对的啊——他们的意思,就是如果免我的职我不服,他们就拿出那句话来问罪,正局级职务很多人觊觎,但我说不当主编太好了,他们就忽然没话说了,我就很愉快地回到了我的写作中。90 年代以后我不仅写小说,还写了大量散文随笔,我出了很多散文随笔集,而且有一个相对稳定的读者群。然后我搞建筑评论,从来没有人对我这一方面进行评价。我不评论商品楼房,我基本上是评论城市规划和建筑环境,以及公共设施,比如大剧院,大的商场,车站、机场,我跟房地厂商没有来往。我会讲到建筑和人体、心理之间的互动关系,空间切割,等等,建筑界还是承认我的。另外是研究红楼梦,在《百家讲坛》之前我就陆陆续续地有关于《红楼梦》的文字发表，也陆陆续续出了很多本书，而上《百家讲坛》是很偶然的。所以我现在把自己的写作比喻成"种四棵树"——"小说树"、"散文随笔树"、"建筑评论树"、"《红楼梦》研究树"。

问：听说你打算把自 1958 年到现在的所有公开发表过的作品尽量搜集完备出《刘心武文存》，是出于怎样的考虑？

刘：就个人而言，是一次有意义的回顾。对于研究者来说，提供了半个多世纪里一个中国大陆写作者的个案；对于一些读者来说，也许可以满足他们的好奇心。

问：你觉得当下这样一个文学环境、文学趋势，和你的预期有什么大的差别吗？

刘：我期望多元，我觉得现在基本上呈现多元了，不管是作家的生存方式、写作方式、作品取向，这是我很高兴看到的。

2008-12-26 接受采访

2010-12-20 修订

刘心武文学活动大事记

1942 年

6 月 4 日生于四川省成都市育婴堂街。

后在重庆度过童年。

父母兄姊均热爱文学艺术，深受家庭熏陶。

1950 年

随父母迁居北京，从此定居北京。

在隆福寺小学上小学，在北京 21 中上初中。

1958 年

在北京 65 中上高中。

给若干报刊投稿，屡被退稿。

8 月，在《读书》杂志发表《谈〈第四十一〉》一文，是投稿第一次成功。

1959 年

在《北京晚报》"五色土"副刊陆续发表一些儿童诗、小小说。

为中央人民广播电台少儿部《小喇叭》（对学龄前儿童广播）编写若干节目；其中快板剧《咕咚》经编辑加工、录制后大受欢迎；"文革"中录音带被销毁；1991 年重新录制播出。

1961 年

毕业于北京师范专科学校，分配到北京 13 中任教。

至"文革"前,在《北京晚报》《中国青年报》《人民日报》《光明日报》《大公报》《北京日报》《体育报》《儿童时代》《大众电影》等报刊上发表了约 70 篇小小说、散文、杂文、评论等文章。

1966—1976 年

"文革"中,因 1964 年曾发表过一篇关于京剧的文章,以"反江青"罪名被冲击。

1974 年后再试写作,曾写一关于"教育革命"的长篇小说,由出版社联系获准脱产修改,但终未达到当时出版要求。

1976 年

写出一个大院里孩子们同坏蛋斗争的中篇小说《睁大你的眼睛》并得以出版(北京人民出版社)。

又按照当时政治要求写出一些短篇小说、散文,有的到次年才收入多人合集中出版。

调到北京人民出版社(后恢复"文革"前社名:北京出版社)文艺编辑室当编辑。

1977 年

11 月,在《人民文学》杂志发表短篇小说《班主任》,产生重大影响——被认为是"伤痕文学"的开山作,也是"新时期文学"的发端;从此成名。

从《班主任》后,写作冲破懵懂,沿着认定的方向跋涉,穿越风云,锲而不舍。

1978 年

参加《十月》杂志(开始以丛书名义出版)创刊工作,在创刊号上发表短篇小说《爱情的位置》,经转载和广播,影响巨大。

在《中国青年》杂志上发表短篇小说《醒来吧,弟弟》,反应亦极强烈。

《班主任》《爱情的位置》《醒来吧,弟弟》均被改编为广播剧,由中央人民广播电台多次广播,《醒来吧,弟弟》被搬上话剧舞台;此年发表的短篇小说《穿米黄色大衣的青年》亦由电台播出。

1979 年

在首届全国优秀短篇小说评奖中《班主任》获第一名。颁奖会上,从茅盾先生手中接过奖状。

参加中国作家协会第三次全国代表大会，被选为中国作家协会理事。

成为中华全国青年联合会常务委员，至 1993 年卸任。

9 月，参加中国作家代表团访问罗马尼亚，此系"文革"后第一个作家出访团。

在《人民文学》杂志发表短篇小说《我爱每一片绿叶》，写作技巧有长足进步。

1980 年

调至北京市文联当专业作家。

《我爱每一片绿叶》获 1979 年全国优秀短篇小说奖。

《看不见的朋友》获 1954—1979 年第二届全国少年儿童文学创作奖。

在《十月》杂志发表中篇小说《如意》，其弘扬人道主义的追求引起争议。

出版《刘心武短篇小说选》（北京出版社）。

1981 年

在《十月》杂志发表中篇小说《立体交叉桥》，引出更大争议，一些评论家认为"调子低沉"是步入了写作上的歧途，另有评论家则认为此作标志着刘心武的小说创作在反映现实、探索人性及艺术工力上均达到了新的水平。

5 月，应日本文艺春秋社邀请访问日本。

1982 年

应导演黄健中之请，改编《如意》；北京电影制片厂拍成彩色艺术片《如意》。

1983 年

11 月，参加中国电影代表团赴法国，在南特"三大洲电影节"上，《如意》在开幕式上放映，获好评；后陆续在法国、西德电视台播出。

1984 年

冬，应邀访问西德，参加"中德大学生会见活动"，并在波恩大学、波鸿大学与威尔兹堡大学介绍中国当代文学。

年底，参加中国作家协会第四次全国代表大会，再次当选为理事。

在《当代》文学双月刊第 5、6 期连载长篇小说《钟鼓楼》。

1985 年

出版长篇小说《钟鼓楼》(人民文学出版社),并获第二届茅盾文学奖。

因《钟鼓楼》获北京市政府嘉奖。

7 月,在《人民文学》杂志发表纪实小说《5·19 长镜头》,反响强烈。

11 月,又在《人民文学》杂志发表纪实小说《公共汽车咏叹调》,引起轰动。

1986 年

年初,应当代文艺出版社邀请访问香港。

6 月,调中国作家协会人民文学杂志社,任常务副主编。

在《收获》杂志设《私人照相簿》专栏,进行图文交融的文本尝试。

散文集《垂柳集》出版,冰心为之作序。

1987 年

1 月,被任命为《人民文学》杂志主编。

2 月,《人民文学》杂志 1、2 期合刊发表马建写的小说《亮出你的舌苔或空空荡荡》违反民族政策,承担责任,停职检查。

9 月,复职。

冬,应邀赴美国访问。参观美洲华侨日报;在哥伦比亚大学、三一学院、哈佛大学、麻省理工学院、康奈尔大学、芝加哥大学、旧金山大学、斯坦福大学、伯克利加州大学、洛杉矶加州大学、圣迭戈加州大学等处演讲,介绍中国当代文学,并参观耶鲁大学;参加爱荷华大学"作家写作中心"的纪念活动;游览华盛顿等地。

1988 年

3 月,应香港《大公报》邀请,赴香港参加五十周年报庆活动;在《大公报》安排的大型报告会上作关于改革开放与文学创作的报告。

5 月,应法国文化部邀请,参加中国作家代表团访问法国,除在巴黎活动外,还访问了西部港口城市圣·拉扎尔。

《私人照相簿》在香港出版(南粤出版社)。

《我可不怕十三岁》获 1980—1985 年全国优秀儿童文学奖。

以上数年中，若干小说、散文还分别获得过《当代》《十月》《小说月报》《小说选刊》《中篇小说选刊》《儿童文学》《北方文学》等杂志，《人民日报》《文汇报》等报纸副刊的奖；拍成电视剧播出的有《没工夫叹息》《熄灭》(电视剧名《火苗》)《今夏流行明黄色》《到远处去发信》《非重点》《公共汽车咏叹调》和八集连续剧《钟鼓楼》；若干作品被英国、美国、西德、苏联、日本、瑞士、瑞典、法国、意大利等国翻译为英、德、俄、日、法、意、瑞典等文字出版；自1987年起被世界上有威望的英国欧罗巴出版社《世界名人录》收入词条。

1989 年
春，应香港中文大学翻译中心邀请，与妻子吕晓歌赴香港访问。

1990 年
3月，以任届期满，免去《人民文学》杂志主编职务。

香港中文大学翻译中心编译的英文小说集《黑墙与其他故事》出版。

秋，以"鱼山"笔名在《钟山》杂志发表中篇小说《曹叔》。

1991 年
出版小说集《一窗灯火》。

除小说外，开始发表大量散文、随笔。

1992 年
长篇小说《风过耳》在内地(中国青年出版社)、香港(勤＋缘出版社)分别出版，反响颇为强烈。

长篇小说《四牌楼》完稿，交上海文艺出版社出版。

《献给命运的紫罗兰——刘心武谈生存智慧》由上海人民出版社出版，受到读者欢迎。

在《收获》杂志发表中篇小说《小墩子》，后由中国电视剧制作中心改编拍摄为电视连续剧。

至该年，在海内外出版的个人专著按不同版本计已达43种。

在《红楼梦学刊》1992年第二辑上发表论文《秦可卿出身未必寒微》，在"红学"界和读者中均引起注意；另有若干《红楼梦》人物论和《红楼边角》专栏文章发表。

冬，应瑞典学院邀请（斯堪的纳维亚航空公司赞助）赴北欧访问；在挪威奥斯陆大学、瑞典斯德哥尔摩大学和隆德大学、丹麦哥本哈根大学和奥胡斯大学的东亚系汉学专业以《九十年代初的中国小说》为题作学术报告；12月7日，参加诺贝尔文学奖有关活动，听1992年得主德里克·沃尔科特发表受奖演说。

1993 年

华艺出版社出版《刘心武文集》（1—8卷）。

出版长篇小说《四牌楼》。

1994 年

1月，应台湾《中国时报》邀请赴台参加"两岸三地文学研讨会"。

《四牌楼》获上海优秀长篇小说大奖，到沪领奖。

1995 年

出版随笔集《人生非梦总难醒》（上海人民出版社）。

出版小说集《仙人承露盘》（华艺出版社）。

1996 年

出版长篇小说《栖凤楼》（人民文学出版社）。至此，由《钟鼓楼》《四牌楼》《栖凤楼》构成的"三楼"长篇小说系列竣工。

应《南洋商报》邀请赴马来西亚访问并顺访新加坡。

1997 年

应日本文化交流基金会邀请，与妻子吕晓歌访问日本。其长篇小说《钟鼓楼》、儿童文学作品《我是你的朋友》、短篇小说《王府井万花筒》等此前已相继译为日文在日本出版。

1998 年

建筑评论集《我眼中的建筑与环境》由中国建筑工业出版社出版，在建筑界产生影响。

应美国科罗拉多大学邀请，赴美参加金庸作品国际研讨会，在会上提交关于

《鹿鼎记》的论文《失父：一种生存困境》。

1999 年
出版纪实性长篇小说《树与林同在》（山东画报出版社）。

出版《红楼三钗之谜》（华艺出版社）。

赴新加坡出席国际环境文学研讨会。

2000 年
应邀访问法国，并应英中协会和伦敦大学邀请，从巴黎赴伦敦讲《红楼梦》。

至此年底在海内外出版的个人专著（不含文集）按不同版本计达 101 种。

2001 年
出版包含建筑评论的随笔集《在忧郁中升华》（文汇出版社）。

在北京电视台录制播出《刘心武谈建筑》系列节目。

2002 年
出版小说集《京漂女》（中国文联出版社），自绘插图。

应澳大利亚雪梨华文写作协会邀请赴澳大利亚访问。

2003 年
以马来西亚《星洲日报》世界华人文学"花踪奖"评委身份赴吉隆坡参加相关活动。

台湾联经出版社出版小说集《人面鱼》。此前台湾已出版过刘心武多种作品，如皇冠出版社出版了《钟鼓楼》，幼狮文化事业公司出版了《四牌楼》《为他人默默许愿》（散文集）。

2004 年
赴法参加巴黎书展活动。书展上展出了译为法文的著作有小说《树与林同在》《护城河边的灰姑娘》《尘与汗》《人面鱼》《如意》与歌剧剧本《老舍之死》。

建筑评论集《材质之美》由中国建材工业出版社出版。

小说集《站冰》出版（人民文学出版社），自绘封面插图。

2005 年

出版集历年研红成果的《红楼望月》(书海出版社)。

应 CCTV-10(中央电视台科学教育频道)《百家讲坛》邀请,录制播出《刘心武揭秘〈红楼梦〉》系列节目 23 集,反响强烈,引出争议。

《刘心武揭秘〈红楼梦〉》第一、二部相继出版(东方出版社),畅销。

2006 年

应美国华美协会邀请,赴纽约在哥伦比亚大学讲《红楼梦》。

应邀参加香港书展。

出版《刘心武揭秘古本〈红楼梦〉》(人民出版社)。

2007 年

继续应邀到 CCTV-10《百家讲坛》录制节目,并出版《刘心武揭秘〈红楼梦〉》第三部、第四部(东方出版社)。

访问俄罗斯。

2008 年

出版随笔集《健康携梦人》(中国海关出版社)。

自 1986 年出版《垂柳集》,至此所出版的散文随笔集已逾 30 种。

2009 年

在《上海文学》杂志开《十二幅画》专栏,每期发表一篇写人物命运的大散文,并配发自己的画作。

4 月,妻子吕晓歌病逝,著长文《那边多美呀!》悼念。

2010 年

再应 CCTV-10《百家讲坛》邀请,录制播出《〈红楼梦〉的真故事》系列节目。至此在《百家讲坛》录制播出关于《红楼梦》的个人系列讲座累计达 61 集。

出版《〈红楼梦〉的真故事》(凤凰联动·江苏人民出版社),在争议声中畅销。

4 月,应台湾新地文学社邀请赴台参加"21 世纪世界华文文学高峰会议"。

出版《命中相遇——刘心武话里有画》(上海文艺出版社)。

　　加快《刘心武续〈红楼梦〉》的写作，次年完成推出。

　　至本年底，在海内外出版的个人专著，文集不算在内，重印亦不算，按不同版本计达 182 种（按不同书名计则为 141 种）。

　　年底，筹备编辑《刘心武文存》。

附录二 **刘心武著作书目**

只包括在中国大陆、台湾、香港和海外出版的书（同一著作每种版本单列）；不包括散发于报刊尚未出书的篇目，亦不包括多人合集中的篇目。第一个数字表示不同版本的排序；[ ]中的数字表示剔除同一书名的版本后的排序；注意：文集8卷不参加排序。

1976 年

1.[1]《睁大你的眼睛》[儿童文学·中篇小说]

北京人民出版社 1976 年 1 月第一版

1978 年

2.[2]《母校留念》[儿童文学·小说集]

中国少年儿童出版社 1978 年 7 月第一版

1979 年

3.[3]《小猴吃瓜果》[低幼读物·画册]

少年儿童出版社 1979 年 4 月第一版

1980 年 6 月第二次印刷

4.[4]《班主任》[短篇小说集]

中国青年出版社 1979 年 6 月第一版

1980 年

5.[5]《我是你的朋友》[儿童文学·中篇小说]

北京出版社 1980 年 7 月第一版

28.[26]《5·19长镜头》[小说自选集]

四川文艺出版社 1987 年 11 月第一版

29.げくけきの友たちだ [《我是你的朋友》日译本]

[日本]福武书店 1987 年 12 月第一版

1989 年 3 月第二版

1991 年 2 月第三版

1988 年

30.[27]《她有一头披肩发》[中短篇小说集]

台湾林白出版社 1988 年 4 月第一版

31.《钟鼓楼》[长篇小说]

香港天地图书有限公司 1988 年第一版

1993 年第二版

32.[28]《私人照相簿》[纪实文学]

香港南粤出版社 1988 年 11 月第一版

33.[29]《刘心武代表作》

黄河文艺出版社 1988 年 12 月第一版

1989 年

34.《小猴吃瓜果》[科学童话]

开明出版社、海豚出版社 1989 年 3 月第一版

35.《钟鼓楼》[长篇小说]

台湾皇冠出版社 1989 年 4 月第一版

36.[30]《一片绿叶对你说》[文艺随笔集]

河北教育出版社 1989 年 12 月第一版

1990 年

37.[31]*BLACK WALLS AND OTHER STORIES* [小说集·英译本]

香港中文大学翻译中心出版社 1990 年第一版

38.[32]《王府井万花镜》[小说集·日译本]

[日本]德间书店 1990 年 9 月第一版

1991 年

39.《母校留念》[小说]

[日本] 骏河台出版社 1991 年 4 月第一版

40.[33]《一窗灯火》[中短篇小说集]

华艺出版社 1991 年 10 月第一版

1993 年第二次印刷

1992 年

41.[34]《列奥纳多·达·芬奇》[传记]

江苏教育出版社 1992 年 5 月第一版

42.[35]《有家可归》[散文随笔集]

广东旅游出版社 1992 年 5 月第一版

43.[36]《风过耳》[长篇小说]

中国青年出版社 1992 年 6 月第一版

1992 年 12 月第二次印刷

1993 年 3 月第三次印刷

1995 年 8 月第五次印刷

1996 年 3 月第六次印刷

44.《风过耳》[长篇小说]

香港勤 + 缘出版社 1992 年 6 月第一版

45.[37]《献给命运的紫罗兰——刘心武谈生存智慧》

上海人民出版社 1992 年 6 月第一版

1992 年 11 月第二次印刷

1995 年第三次印刷

1996 年 12 月第五次印刷

46.《刘心武代表作》

河南人民出版社 1992 年 6 月第二次印刷·精装本

47.[38]《蓝夜叉》[中篇小说集]

香港勤 + 缘出版社 1992 年 9 月第一版

68.《我是你的朋友》[增订版·"小学生成才书架" 系列之一]

希望出版社 1995 年 10 月第一版

69.《在胡同里转悠》[随笔集]

陕西人民出版社 1995 年 11 月第二次印刷

70.[56]《刘心武海外游记》

华文出版社 1995 年 12 月第一版

1996 年

71.[57]《刘心武小说精选》

太白文艺出版社 1996 年 2 月第一版

72.[58]《开发心大陆》[随笔集]

吉林人民出版社 1996 年 3 月第一版

1997 年 3 月第二次印刷

73.[59]《你哼的什么歌》[散文集]

湖南文艺出版社 1996 年 6 月第一版

74.[60]《刘心武张颐武对话录——"后世纪"的文化了望》

漓江出版社 1996 年 7 月第一版

75.[61]《边缘有光》[随笔集]

汉语大辞典出版社 1996 年 8 月第一版

76.[62]《刘心武怪诞小说自选集》

漓江出版社 1996 年 8 月第一版

有平装、精装两种

77.[63]《我是刘心武》

团结出版社 1996 年 9 月第一版

78.[64]《刘心武》[中国当代作家选集丛书]

人民文学出版社 1996 年 10 月第一版

79.[65]《刘心武杂文自选集》

百花文艺出版社 1996 年 11 月第一版

80.《秦可卿之死》[修订本]

华艺出版社 1996 年 11 月第二版

81.[66]《栖凤楼》[长篇小说]

> 人民文学出版社 1996 年 12 月第一版
>
> 1998 年 3 月第二次印刷

1997 年

82.[67]《封神演义（缩写本）》

> 接力出版社 1997 年 1 月第一版
>
> 1997 年 9 月第二次印刷

83.[68]《胡同串子》[中短篇小说集]

> 北京燕山出版社 1997 年 8 月第一版

84.《私人照相簿》

> 上海远东出版社 1997 年 9 月第一版
>
> 1998 年 2 月第二次印刷
>
> 2000 年换封面版权页称 2000 年 6 月第二次印刷

85.[69]《中国儿童文学名家作品精选丛书·刘心武作品精选》

> 河北少年儿童出版社 1997 年 8 月第一版

86.[70]《把嘴张圆》[随笔集]

> 上海远东出版社 1997 年 12 月第一版

1998 年

87.[71]《我眼中的建筑与环境》[建筑评论随笔集]

> 中国建筑工业出版 1998 年 5 月第一版
>
> 1999 年 5 月第二次印刷
>
> 2000 年 6 月第三次印刷
>
> 2001 年 6 月第四次印刷

88.《钟鼓楼》[茅盾文学奖获奖书系]

> 人民文学出版社 1998 年 3 月第一次印刷
>
> 1998 年 7 月第二次印刷
>
> 1998 年 8 月第三次印刷
>
> 1999 年 3 月第四次印刷

2003 年

111.[93] L'arbre et la forêt [《树与林同在》法译本]

Bleu de Chine 2003 年 1 月第一版

112.[94]《人面鱼》

台湾联经出版事业股份有限公司 2003 年 2 月初版

113.[94] La Cendrillon Du Canal [《护城河边的灰姑娘》法译本]

Bleu de Chine 2003 年 4 月第一版

114.[95]《画梁春尽落香尘》["红学"专著]

中国广播电视出版社 2003 年 6 月第一版

2003 年 9 月第二次印刷

2004 年 1 月第三次印刷

2005 年 6 月第四次印刷

115.[96]《眼角眉梢》

新华出版社 2003 年 8 月第一版

116.[97]《钟鼓楼》[初中生语文新课标必读]

人民日报出版社 2003 年 9 月第一版

117.[98]《天梯之声》

中国青年出版社 2003 年 10 月第一版

2004 年

118.[99] Poussière et sueur [《尘与汗》法译本]

Bleu de Chine 2004 年 1 月第一版

119.[100] La mort de Lao SHe [《老舍之死》歌剧剧本法译本]

Bleu de Chine 2004 年 3 月第一版

120.[101] Poisson à face humaine [《人面鱼》法译本]

Bleu de Chine 2004 年 3 月第一版

121.《如意》[电影伴读中国文学文库·附电影光盘]

中国青年出版社 2004 年 1 月第一版

122.[102]《泼妇鸡丁》

台湾二鱼文化事业有限公司 2004 年 4 月第一版

123.[103]《在柳树臂弯里——刘心武随笔》

> 光明日报出版社 2004 年 5 月第一版

124.[104]《材质之美——刘心武城市文化酷评》

> 中国建材工业出版社 2004 年 5 月第一版

125.[105]《站冰——刘心武小说新作集》(自绘插图)

> 人民文学出版社 2004 年 6 月第一版

126.《四牌楼》

> 上海文艺出版社 2004 年 8 月第二版

127.[106]《大家文丛：刘心武》

> 古吴轩出版社 2004 年 8 月第一版

2005 年

128.《钟鼓楼》(中国文库·文学类)

> 人民文学出版社 2005 年 1 月第一版第一次印刷(平装)
>
> 2005 年 1 月第一版第一次印刷(精装)

129.《钟鼓楼》(茅盾文学奖获奖作品全集之一)

> 人民文学出版社 1985 年 11 月第一版、2005 年 1 月第一次印刷
>
> 2005 年 5 月第二次印刷
>
> 2005 年 7 月第三次印刷
>
> 2006 年 3 月第四次印刷
>
> 2008 年 4 月第七次印刷
>
> 2009 年 8 月第八次印刷
>
> 2010 年 1 月第九次印刷
>
> 2011 年 7 月第 15 次印刷
>
> 2011 年 9 月第 16 次印刷
>
> 2011 年 11 月第 17 次印刷

130.[107]《心灵体操》

> 时代文艺出版社 2005 年 1 月第一版

131.[108]《刘心武作文示范》

> 少年儿童出版社 2005 年 1 月第一版

2007 年

153.[121]《四棵树》

二十一世纪出版社 2007 年第一版

154.[122]《用心去游》

上海三联书店 2006 年 12 月第一版

2007 年 1 月第一次印刷

155.[123] Dés de poulet façon mégère [《泼妇鸡丁》法译本]

Bleu de Chine 2007 年 4 月第一版

156.《一切都还来得及》

中国青年出版社 2005 年 5 月第一版

157.[124]《刘心武揭秘〈红楼梦〉》[第三部·黛玉之谜及古本之秘]

东方出版社 2007 年 7 月第一版

至 2007 年 8 月已第四次印刷

2007 年 12 月第六次印刷

2008 年 3 月第七次印刷

158.[125]《刘心武说世道人心》

中国青年出版社 2007 年 7 月第一版

159.[126]《刘心武说寻美感悟》

中国青年出版社 2007 年 7 月第一版

160.[127]《刘心武说草根情怀》

中国青年出版社 2007 年 7 月第一版

161.[128]《长吻蜂》

上海人民出版社 2007 年 8 月第一版

162.《私人照相簿》

华龄出版社 2007 年 10 月第一版

163.《善的教育》

华龄出版社 2007 年 10 月第一版

164.[129]《刘心武揭秘〈红楼梦〉》[第四部·宝钗湘云之谜暨红楼心语]

东方出版社 2007 年 11 月第一版

2008 年 3 月第三次印刷

2008 年

165.[130]《健康携梦人》

中国海关出版社 2008 年 4 月第一版

166.[131]《刘心武小说》

吉林文史出版社 2008 年 5 月第一版

167.[132]《刘心武散文》

吉林文史出版社 2008 年 5 月第一版

2009 年

168.《钟鼓楼》(共和国作家文库)

作家出版社 2009 年 4 月第一版

169.《四牌楼》(共和国作家文库)

作家出版社 2009 年 4 月第一版

170.[133]《人在胡同第几槐》

中国文联出版社 2009 年 6 月第一版

171.《钟鼓楼》(新中国 60 年长篇小说典藏)

人民文学出版社 2009 年 7 月第一版

172.[134]《刘心武短篇小说》

现代教育出版社 2009 年 8 月第一版

173.[135]《刘心武中篇小说》

现代教育出版社 2009 年 8 月第一版

174.[136]《刘心武散文随笔》

现代教育出版社 2009 年 8 月第一版

175.《刘心武揭秘〈红楼梦〉》上卷 (共和国作家文库)

作家出版社 2009 年 8 月第一版

176.《刘心武揭秘〈红楼梦〉》下卷 (共和国作家文库)

作家出版社 2009 年 8 月第一版

2010 年

177.[137]《人情似纸》

江苏文艺出版社 2010 年 1 月第一版

178.[138]《红楼梦八十回后真故事》

江苏人民出版社 2010 年 3 月第一版

179.[139]《刘心武小说精选集》

[台湾] 新地文化艺术有限公司 2010 年 4 月第一版

180.《红楼望月》

江苏人民出版社 2010 年 6 月第一版

2010 年 9 月第二次印刷

181.[140]《命中相遇——刘心武话里有画》

上海文艺出版社 2010 年 7 月第一版

182.[141]《红楼眼神》

重庆出版社 2010 年 9 月第一版

2011 年

183.[142]《刘心武续红楼梦》

江苏人民出版社 2011 年 3 月第一版

江苏人民出版社 2011 年 4 月第 4 次印刷

184.[143]《红楼梦》(曹雪芹著刘心武续)

江苏人民出版社 2011 年 3 月第一版

185.《刘心武续红楼梦》[繁体字竖排本]

香港明报出版社有限公司 2011 年 3 月初版

186.《刘心武揭秘〈红楼梦〉》精华本（一）

江苏人民出版社 2011 年 4 月第一版

187.《刘心武揭秘〈红楼梦〉》精华本（二）

江苏人民出版社 2011 年 4 月第一版

188.《刘心武揭秘〈红楼梦〉》精华本（三）

江苏人民出版社 2011 年 4 月第一版

189.《刘心武揭秘〈红楼梦〉》精华本（四）

江苏人民出版社 2011 年 4 月第一版

190.《刘心武续红楼梦》[繁体字竖排本]

台湾城邦文化事业股份有限公司商周出版 2011 年 4 月第一版